内容介绍

这是一本有关中药的专门著作。书中简单介绍了中药(又叫汉方)的沿革、常用的中草药以及常见的中医药方,是日常家居必备的中药经典秘笈。

目录

上篇　总论

第一章　中药医学概述

第二章　中药药物概况

第三章　制剂通则

第四章　中草药炮制通则

下篇　各论

第一章　临床医方篇

第一节　内　科

第二章　古代秘方篇

上　篇

总　论

第一章

中药医学概述

何谓中药处方

中药处方又称汉方。中国医学是古代的汉民族，历经汉魏，在南北朝时代所完成的一个医学体系。

中国现代医学的源流是中国传袭古代的医学，历经金、元时代的变革，组合成与当初创造时性质稍有相异的医学理论，而成为今日的主流。回古代中国医学圣典《伤寒论》，以临就要为准则辨治：有一派名为“古方派”，主张承继古代中国医学的传统，此派的学说至今仍为中药医学的主流；与此相对的，继承金元医学传统的称为“后世派”。中药医学可说是保留有中国医学原型的医学体系。

一般说到中药，往往会想到是草根木皮之类的药饮。且很多人都视其与煎药饮用的民间药物疗法并无两样。这是很大的错误，中药医学是严谨有据的医学理论，与民间疗法在本质上是相异的。

从治疗方法来看，中国医学可分为汤液（中药的煎剂等）、针炙、养生、导引按跷（体操及按摩）四个方法。但是一般所言的中药都是指汤液而言，医生（即所谓的中医）必须学习汤液与针灸两方面。在此略述作为中药药物治疗法主体的汤液。

近代医学（西洋医学）由于合成药品与抗生物质的发现而有非常显著的发展。但是在药害问题及绝辣治疗的界限被议论纷纷的今日，一般人对中药的认识逐渐提高，同时采用中药的中医疗法亦引起大多数人的关心。而事实上中药的需要程度正逐渐提高，而且随着中药药剂的近代化，中药不再只有煎剂与丸剂，浓缩化的药丸剂及糖衣剂，亦相继出现。

但是今天倍受欢迎的中药医学其本质既然是利用这种天然药物，则对立足于中国古代思想的中医疾病的思考方法自然与现代医学相异。

中药医学上所着重的是对生病患者的治疗，而非以病症的学问性追究为目的。如此说来与全部医学的目的是相通的，但是现代医学往往为追究探讨病症本身而忽略了已得病的患者。或许由于这种人性不存在的医学，才使得一般人对中药医学再度另眼看待。中药医学所确立的基本方针不是研讨病源而是诊断病人，中药医学是立即治疗医学。中药医学重视的是人（患者）与人（医生）的接触。

中药医学的特色

中药医学是证候学，它的治疗称为随证治疗，若以一言蔽之则称为治疗学。因此中药医学有其独特的病状观察、判断、治疗等方面。中药医学治疗的特征是依循病人阴阳虚实的判定来判定“证”。诊断病人再判断别是阳证或是阴证，是虚证或是实证。这一判别过程可说是中药医学特有的诊断学；此外，还备有与对应证相适应正确的药方。例如阳实证（体质的一种）的人罹患感冒或其他发烧性病症，有发烧、恶寒、出汗、从脖子至肩膀会酸疼、脉搏有浮力的情况时，与感冒、蓄脓症、中耳炎、支气管炎、荨麻疹、高血压等近代医学的病名并无关，而是葛根汤证，治疗该证的药方要用葛根汤。

近代医学将病名诊断看得很重要，但是所谓病名是从病理学立场而来的抽象化名词，只不过是表示病症的一面。例如胃溃疡这个病名就隐藏着患者的种种因素，患者所诉出的症状也千差万别。而中药医学，即使是与现代医学的病名相同，但却重视患者个人的差别，针对患者所诉的症状施以适应的治疗。当然现代医学有些医师还是会考虑到这一点施行治疗的，然而像现在的医院及诊所医生在极短的时间内与病人对话、诊断的方式究竟能否辨别详细是令人怀疑的。中药医学则对病人进行如下四个诊断法。

·**望诊** 诊断患者的脸色、姿态、舌头（舌诊）等，得知患者阴阳虚实的体质特征。这是近代医学的视诊。

·**闻诊** 从患者的声音、体臭等，发现其异常。

·**问诊** 与患者直接对话，从其所诉说中得知病症。

·**切诊** 直接触及患者的脉（脉诊）腹（腹疹）诊察。

施行过四诊后，再将其综合起来，基于中药独特的疾病观与病因论，决定该病人的“症状”。

中药医学所谓的阳证，即病人显现出的症状是活动的，容易表现出外表、呈现发烧、发热的状态，大多数的情况会引起发炎症、充血、发烧等明显的发烧性症状。与此相反的阴证病人显现出的症状是静态的、消极的，潜伏在内部隐匿着，很难显现在外表，而呈阴沉的状态。大多数的情况是手脚冰冷、脸色苍白、情绪忧郁、缺乏活力、脉搏低沉而无力。

虚或实一般与病人的体质有关、实证是抵抗疾病的体力呈充实的状态，平常体质顽强的人很容易出现实证。至于虚证是抵抗疾病的体力呈缺乏的状态，平常体质虚弱的人容易出现虚证。但是，患者的体质未必与呈现出的病状一致，这是在诊断病人的时须常有的理念。

中药医学将患者的自觉症状视为很重要，在中药医学的诊断中往往很巧妙地采取只有患者本人所能够懂的自觉症。即便是现代医学的精密检查认为并无特别异常的情况，然而患者本身却诉着身体种种不适的情形却为数不少。这种时候，现代医学都以对症疗法来下药，然而却因该药的副作用又引发另外的症状，因而导致病情无法痊愈的例子有很多。中药医学在出现这样的症状时，即要凭着抓对证而准备泻心汤类等的药方。

中药医学的缺点是中药医学没有预防医学。的确，中药医学是以患者个人为对象的医学，而非以整体大众为对象的医学。因此像对传染病般等会传播给大众的细菌性疾患在预防上是有所缺陷的。但是以个人为对象的疾病预防理念自古即有，所谓“名医治未病”、并不只是治疗事实上已得的病，而是以预防疾病的发生、确保健康为理想。

中药医学是以个人为对象的个人医学。若能决定患者俱的“症状”即可马上治疗。由于疾病在不断的变化，所以当时有当时的症状，故要求医师须有敏锐的观察力、丰富的经验。这似乎成了中药医学被指为非科学的理由，但是即使是现代医学，其治疗方法也无法让人认为完全科学的。

中药医学将来必须以生物学性的研究为对象，施行治疗时只要是有效的话，不论是中药医学、民间疗法，都必须有谦虚采用的宽容精神。

中药医学是视人整个身体为治疗对象的。调整病人有欠缺的身体平衡，保持身体的健康乃是根本的理念。

中药医学的变迁

医术的黎明 从地球上有人类出现以来即有医疗行为，而从原始的巫术时代发展至药物时代必须要经过相当的岁月。即使是现在，若深入非洲的内陆入肌美的内阱，仍可见原始民族的巫术医疗行为。此外也有些地方施行的是从巫术转变为医疗行为的转移型。

中药医学在汉朝末年以前仍是巫术的时代。从殷墟的遗迹发掘出的甲骨文，如占卜当年疫病（流行传染病）的发生的记载。对古代民族而言，疫病是非常可怕的。对此所采取的方法不是向神祈祷，就是穿戴辟邪的佩饰物，而此辟邪物一般是矿物或者是植物，我们现在所说的吃药有时说服药大概与此有关。原本服就是穿着在身之意，所谓服药是在疫病流行之际，穿载辟邪物以防外来的邪（疾病）、而一旦有邪气进入体内就得吃药。

中国最古老的地理物产书《山海经》一书上记载有矿物类药60多种、植物类药150余种，并将其中佩带在身上有效者与饮用有效者分开记载。此书前半的《五脏山经》据说是公元前400年至250年左右的战国时代之作：其中所记载的地名以河南、山西、陕西省附近为中心。因此中国医学原始的药物疗法应该是从这个时代开始萌芽。

成为医学的体系化 探讨中国医学的源流要追溯黄河、江南、扬子江三个文化圈。

（1）形成黄河文化圈的种族是游牧之民。在气候变化剧烈的草原地带所发展的医疗方法，是用石头及骨头等刺激、或泻血或用火烧头部及四肢等露出部分的针炙疗法。而后到了金属文化时代则以缝衣服的金属针取代石头及骨头，且深入到经穴、经络的发现与发展。针炙医学的原典传说是记录黄帝与其六位医生臣子对话的《黄帝内经》，分为素问与灵枢，叙述了古代中国医学的基础理论。

（2）江南文化圈由于气候温暖、土地肥沃、草木丰富，所以药物疗法的发达乃是必然的。温暖的风土对病原生物是绝佳之地，容易发生流行病。后汉的长沙太守张仲景曾因流行病而失去很多位亲朋好友，他为了后世的子孙乃汇集伤寒（急性热病——传染病）的治疗法，著成今日中药医学圣典《伤寒论》。

《金匮要略》古典是论述除急性热病以外慢性杂病治疗的经典，与《伤寒论》合并成为《伤寒杂病论》一书。学习中医时，必须一并研究这两本书。

伤寒论是以疾病的阳证与阴证这两个分类作为前提的，然后再遵照各种疾病的经过分为三个病情。此称为三阴三阳，分述如下：

太阳病　“太阳之病”。脉浮、头顶强痛，而且有恶寒。发病当初发烧，有恶寒、头痛、脉浮。热病的初期呈这样的病状。

·要服用桂枝汤、麻黄汤、葛根汤等。

少阳病　“少阳之病”。口苦、咽干、目眩。

疾病轻微进行，发热稍微镇治，成为潮热。显现出食欲不振、心悸亢进、恶心、呕吐、舌苔等症候。

·要服用小柴胡汤、栀子豉汤、泻心汤类等。

阳明病　“阳明之病，是为胃家实”。

病状较少阳病稍有进展，发烧止于一定，食欲再度减退，舌苔由白变黄，显现出便秘、肠膨胀等消化系器官的症状。所谓胃家就是指胃肠，实是充实之意。

太阴病　“太阴之病”。腹块满而吐，食不下，时腹自痛，若食之，必胸下结块。太阴病误以为是太阳病食之所引起的，精力、体力呈稍微衰弱之状态。平素胃肠弱的人在发病初期呈此症状。

·要服用桂枝加芍药汤、人参汤、四逆汤、真武汤。

少阴病　“少阴之病”。脉微细，但欲寐。

阴病稍为进展呈食欲不振、手足冰冷、脉微细、气力衰弱之症状。

·要服用麻黄附子甘草汤、麻黄细辛附子汤、真武汤、四逆汤等。

厥阴病　“厥阴之病”。消渴、气上撞心、心中疼热、饥而不欲食、食则吐蛔、食下则痢不止。

精力耗尽，死即在眼前的状态。

·要服用四逆汤及真武汤。

《伤寒论》记载的是临床治疗系，富实用性，为今日中药医学的基础，但有关其成因却尚未有定论。或许是从黄河文化圈带入阴阳的二元论，或者是从扬子江文化圈及南方各地输入各种药物知识所完成的。

(3) 扬子江文化圈亦是物质丰富。西部的山岳地带出产为数颇多的药物，东部则是一望无际的大平原绵延连续着。在此定居从事农耕的人民，都能得到丰富的食粮与安定的生活。既受惠于天然资源，生活水准又得以提高，人们期求长生不老乃为当然之欲望。因应人们这种愿望而产生了专心从事这方面研究工作的“神仙家”及土方，不老长生之术十分盛行。神仙思想可说是由大众的愿望所产生出来的。

该文化圈的古典，是冠上传说中的帝王，谓为农耕之祖神农之名的《神农本草经》。与其说它是本医书不如说是本药物之书较为贴切。此书在思想上与前两个文化圈的医学相异，现在可见到的陶弘景加添名医别录财编汇而成的《本草经集注》中可以看得出所受到江南文化圈的影响。这两个文化圈的交流是很明显的。

《神农本草经》一书将药分为如下的上（120种）、中（120种）、下（125种）三类。

上药　是以其为君，以养命为主，相当于天。由于无毒长期服用亦无害，是欲不老延年、轻身益气者所应服之药。

朱砂、人参、甘草、地黄、柴胡、远志、石斛、茵陈蒿、桂皮、龙骨、麝香、牛黄、阿胶等均属此类。

中药　是以为臣，以养生为主，相当于人。可以防病，有补充体力之效。应知其是否有毒，适当配合服用之。

石膏、生姜、葛根、当归、麻黄、芍药、贝母、淫羊藿、牡丹皮、厚朴、鹿茸、犀角等。

下药　是以此为佐使，以治病为主，相当于地。由于毒多，长期服用应谨慎。

附子、半夏、大黄、桔梗、夏枯草、皂荚、桃仁、杏仁等属之。

上药是保健性的药，中药、下药即属今日我们所称之为药的范畴。对药物的这种认识应是扬子江文化圈中国医学的特征之一。

到了唐代，从西域、印度等地传来很多药物，《新修本草》即是追加药品编著的。到了宋代又有一本《证类本草》编纂而成，成为本草学（药之学问）的基础。明朝李时珍贡献毕生精力著作的《本草纲目》风靡一世。本草学是论述医疗用药物之形态、品质、产地、药效等的学问，其最终目的必须穷究疾病的治疗。中国医学如刚才所述般，是从三个文化圈个别发生的，从汉末经三国时代相互影响，而成一个医学体系，但却非完全的融合。以黄河文化圈的《黄帝内经》为主流的自然哲学性医学观与江南文化圈的《伤寒论》的实证性医学观是个别承袭的，尔后，到了金、元时代，从其学说发展的性理之学（以阴阳五行说为基础的自然哲学）乃修饰了的医学理论。在这个时工，使用强壮、滋养之温补剂的李牛医学（李东垣、朱丹溪），和使用发汗、二下等泻剂的刘张医学（刘河间、张元素）抬头，给予后世明、清两代的中国医学有着很大的影响。但是信奉伤寒论之流乃保有命脉，如明代喻嘉言所著的《伤寒尚论篇》等。

第二章

中药药物概况

植物性中药

人参 将五加科多年生草本的人参根照原状或者削掉外皮晒干者是白参，至于蒸过之后再干燥者称为红参。中国南部、中国台湾、韩国等地最常使用。此植物的原产地是中国的东北、韩国北部。自古以来高丽人参就名噪一时，开城附近为其大栽培地。

人参主要成分是石碱化配糖体，其药效最近为世界各国重新认识，有消除疲劳、增进体能之效。

在中药上，人参是用来提高新陈代谢的功能，用来医治体弱多病者胃胀、消化不良、呕吐、胸口疼痛、慢性下痢、食欲不振等。

竹节人参 与韩国人参类似，有长长延伸的根茎部，在日本各地野生。初生时的根留在根茎先端者称为直根人参，苦味较人参强，新陈代谢机能的赋活作用虽劣，但在健胃、解热、祛痰的作用上却胜过人参。

三七人参 俗称三七或田三七、田七。是产于中国云南省三七人参之根。与韩国人参同样，主要是栽培品，表面有用蜜蜡研磨。在中国南部使用率在人参之上，属高价之物。

麦门冬 即麦冬。百合科的蛇须及青香蛇须之根。韩国产之中有可亚布兰及蒌兰的根者有注意的必要。在日本的大阪河内，从江户时代即予以栽培直至现在。选出其中心柱部分者称为抽心麦门冬或丸麦，虽属佳品，然最近已不多花费这些功夫。

在中医上作为滋养、祛痰药，对结核末期的人尤有强心效果，在日本很少使用，均输往东南亚地区。

栝蒌根 一般都写成瓜蒌根。瓜料的几加拉斯瓜根，中国产是几加拉斯瓜根削掉外皮，然后纵割的干燥物，亦称“天花粉”。用于幼儿皮肤病者的“天花粉”即属此物。

用以医治咽喉肿痛、解热、口渴、祛痰。

唐木香 类似印度原产菊料草本多喜莲类植物的根。亦称印度木香、广木香、云木香。在中国云南西北部、四川省南川一带有栽培；含有精油的特殊香味。在中医上用作芳香性健胃药，可治下痢、腹痛、消化不良等症状。

本草用法书上（药物之书、名医别录）记载的青木香即是此物。

川木香 菊科多年生草本之根，产于中国四川省。与唐木香非常类似，但味道稍为有异，是唐木香的代用品。

青木香 马铃草科蔓草马铃草之根，唐代称土青木香，以区别前项的木香（唐木香）。在中国南部称为青木香，在北部则将大车的根 9 土木香）称为青木香，用作镇痛、消肿、解毒药。

土木香 欧洲原产菊科大车之根。在中国北部称此为青木香，在日本奈良县亦有栽培，用作发汗、利尿药，添加香料则作为家庭用药。

蒲公英 菊科蒲公英类的根，做为健胃、催乳药，用来医疗乳汁不足、胃病等。最近从中国大陆出产的蒲公英有非蒲公英类的菊科植物幼苗，原植物是瑞草的同类。

乌　药　天台乌药。樟木科的常绿小乔木天台乌药的根。中国浙江省天台是主要产地因而得名；有类似樟脑的香味，用来医治腹痛、头痛、产后的调血等。

苦　参　豆科低木的根。软木皮容易剥落是其特征，在各地野生。主要成分是生物碱，非常苦。用作健胃、利水、解热之药，可医治下痢、黄疸、小便不顺、恶疮等。

牛　膝　苋科类的根。中国产的是同属植物挺直而延伸很长的根。由于是在河南省武陵栽培，故有牛膝之名。此外尚有川牛膝。近年来从这些植物发现了昆虫变态的荷尔蒙，因而备受瞩目。

在中医上是用来医治妇人病、脚气、关节炎、中风等疾病。

白　芷　伞形科的草本铠草之根。中国产的是其变种的彩色白芷之根（杭白芷及川白芷）。含有福克马林诱导体及精油，用来医治感冒、头痛、牙齿痛、血道、神经症等。

甘　草　豆科多年生草本乌拉尔甘草（东北甘草）、南京甘草（西北甘草）及甘草（罗西亚甘草）等的根。野生于中国北部干燥地带，在日本曾试着栽培于砂丘地带，却不成功。

在中医上用作舒解因筋肉急遽运动紧张而引起疼痛急迫症状之药物，并可医治胃痉挛、胃痛、胃溃疡等。

主要成分是克利吉鲁丁，有强化肝脏机能、解毒及副肾皮质荷尔蒙调整作用，对于预防动脉硬化的作用亦有临床证明。

不仅是作为药用，饼干、香烟亦用其作为调味料。克利吉鲁丁在制造酱油时更是大量使用。

地　黄　胡麻叶草科的块茎地黄之根，不经加工的为生地黄，蒸过的为熟地黄。中国河南省怀庆栽培的为怀庆地黄。韩国、日本产的为赤亚地黄的根。

中医上用来医治贫血、吐血及身体虚弱症。

防　己　现在输往日本的唐防己属马尾草科亦科广防己。在中国一般称为防己的是指葛科喜美哈斯的根，叫粉防己、瓜防己。另外日本产的是葛藤科的大葛藤根，在日本市场称为汉防己，此外市面上亦出售木防己。

本草用法（名医别录）载“长于汉中（陕西省南部），断面有菊花般纹理者为佳”者，是指大葛藤或者在现今中国称为汉中防己的马尾草科亚利斯多罗几亚·黑铁罗非拉。

汉防己用来治疗神经痛、关节炎、水肿等。

何首乌　蓼科蔓草的块状根。李翱的《何首乌传》中记载“何首乌这个人生来生殖机能不佳，在山中服此蔓草后变得强健，直至130岁仍满头黑发，寿至160岁”。一般都用作强壮药的药草、家庭药的配方。

滨防风　芹科海滨性草本滨防风的根茎。近来由于防风入手不易，均以滨防风代用，与正月的屠苏散配合，大多用作家庭药原料。

沙　参　桔梗科草本沙参之根，日本产的是吊钟人参，虽做为祛痰、强壮药，但却很少使用。

防　风　中国东北部所产芹科草本防风之根。在日本，称为种防风、藤助防风。用来医治感冒、头痛、关节炎等。

北沙参　削掉伞形科滨防风根茎的外皮，蒸晒干燥之物。

芍　药　金宝毛科的草本芍药之根干燥或蒸干之物。除去外皮者为白芍、真芍，附上外皮者称为赤芍。成分含有配糖体，在中医上能缓和筋肉尤其是腹筋的急挛，用以医治身体手足的疼痛、下痢、妇人病等。白芍的镇痛药效强，赤芍利尿、散血药效强。

山芍药 金宝毛料山芍药之根。日本的四国、奈良、三重县有野生品，是芍药的代用品。

威灵仙 至宋代为止，画在本草书上的威灵仙是胡麻叶草科的苦界草类，而今市面上所出售的是金宝科蔓草铁仙类的根；日本产则是同属仙人草的根及根茎。

可用来医治关节炎及腰痛。

附子、乌头 金宝毛科草本彩色草乌头的子根（中国产）及日本产草乌头的块根。韩国产白附子是奇花草乌头的根。草乌头属植物广泛分布在北半球，是种类极多的有毒植物；库页岛及喜马拉雅山地方的原住居民，以这种根所做成的毒箭非常有名。

在中国、印度、欧洲自古以来则做为药用，在中国远自宋代起即在四川省大量的栽培，其方法至现代仍承续着，借此得以求取品质的安定性。毒性极强，借加工可以减少毒的成分，有附子辨（炮附子）、顺黑片、白附片等各种商品。

在中医上是作为使新陈代谢机能复活的药，用来治疗身体四肢关节的麻痹、疼痛、虚弱体质等的腹痛、下痢等。体质强壮者不宜使用。

主成分乌头碱（附子精）具有猛毒，最近予以加水分解减轻毒性，可供给品质安定之物。但此不能谓为有效成分，所显示强心作用的成分是称为喜杰敏的生物碱。

柴　胡 伞形科草本三岛柴胡的根。昔时日本静冈县三岛地方是集散地，由于质良而著名。现在几乎无野生品，主要都是栽培品。中国产的不湿润，香气亦少，但比栽培品优。成份是柴胡石碱精。

中医上是做为少阳病的主药，用来医治胸口郁闷、疟疾、黄疸、肝炎等。

银柴胡 自古即与柴胡混淆，用来医治身体虚弱者的消除疲劳。

秦 艽 龙胆科草本龙胆类的根。如绳索般的扭拧是其特征，产于中国北部。中医上做为解热、镇痛药，用来基治肺结核、关节炎、神经痛。

吉草根 女萝科的草本鹿子草根茎的根。含有特殊香味的精油，做为医歇斯底里的药，用来医治神经过敏症、心神不宁。

桔 梗 桔梗科草木桔梗的根。削去外皮的桔梗（晒桔梗）与人参非常相似，但由于不呈淀粉反应故可以区别。成分是石碱精配糖体。

用来做为祛痰、排脓的药，可医治支气管炎、咽喉痛、扁桃腺炎、化脓性疾病等。

紫 根 紫科的硬紫之根（硬紫根）。做为紫色染料的“江户紫”很有名，在印度西北部、阿富汗、中国西南部，将近缘植物的根（软紫根）同样做为紫色染料。用来医治恶性肿疡、溃疡、避妊等。

主成分是西可尼色素，近年则以植物组织培养法生产。

细 辛 日本产是马尾草科薄齿细辛的根。中国、韩国产的是薄毛辛、鸡林细辛等，种类非常多。

在中医上做为镇咳、镇痛之药，用来医治惧冷症、胃内积水、咳嗽、胸痛。

绵黄耆 产于中国东北的豆科草本生花黄耆的根。纤维多，皮一剥就有如绵一般，故有此名。另外亦有谓因产于山西省泌州的绵上，故得名。有止汗、利尿的功效，最近有人指出它有降低血压的作用。

晋　耆　亦称红耆。豆科岩黄耆类的根。自古即做为绵黄耆的代用品为人广泛使用。

天门冬　百合科蔓草草杉葛根的外皮剥掉蒸干之物。有镇咳、利尿之效，用于医治肺炎、支气管炎、肾虚、肾炎等。

黄　芩　紫苏科草本小金花的根。大多产于中国山西省。旧根中心部枯掉成空变黑者称为宿芩、片芩，旧称腐肠、空肠。新根称为子芩、条芩、枝芩。

用来做为消炎、解热药，医治充血性疾患、胸口郁闷、下痢等。

远　志　中国北部产远志科草本的根。除去中心木部者是称为远志肉的佳品，含有石碱配糖体。做为祛痰药，用来医治支气管炎，此外亦可医治贫血、失眠、病后衰弱。

葛　根　削掉豆科葛外皮干燥之物。中国产与日本产原植物有些相异。用来舒解感冒时肩膀脖子的酸痛等急迫的症状。

独　活　独活的种类多，产于中国四川、湖北省的川独活是伞形科类的根，有特殊的香味，在中国除此之外还有香独活、牛尾独活、九眼独活等。韩国产与日本产的均为中国产独活的代用品。用作发汗、镇痛药，治疗感冒、浮肿、关节痛等的治疗，对各种神经病也有疗效。

当　归　伞形科当归之根。以往大深当归、大和当归被视为良品，在日本奈良县有栽培。但最近则为较耐病虫害、栽培较易的北海当归所取代，真正的大和当归大多在中国台湾栽培。

自古即为妇人科、产科的重要药，为贫血症、腹痛、月经不顺等更年期障碍的特效药。

龙　胆　龙胆科龙胆的根，含有苦味配糖体的龙胆紫，非常的苦。用来做为健胃、消炎药。

大　黄　产于中国西部山岳地带蓼科大形草本大黄属植物的根茎。很早前即广为欧洲所知，是由中国输往欧洲少数汉药之一。1728 年俄政府取得此专卖权，通过伏尔加河供给欧洲。新面有绵纹者为佳品，可分为重质系（西宁大黄、铨水大黄）与轻质系（四川大黄、马蹄大黄、雅贡）。

成分含有大黄苷配糖体，在中医上是作为体质强壮者的泻下剂，对习惯性便秘、黄疸、尿利异常、胸腹痛、肿脓等有效。

籽　黄　类似蓼科大黄植物的根茎，没有绵纹者为劣品，被用来做烧香用的原料。

和大黄　蓼科彩色大黄的根茎。虽为大黄的代用品，却是效力薄弱的劣品。

川　芎　伞形科类的根茎。古时代称为芎穷，四川省产的最优良，故一般称为川芎。与当归同为妇人病重要的药物，能与家庭用药充分的配合。

山　药　古时称为蔓蓣，但因避唐代宗、宋英宗之名讳，而称之为山药。为滋养、强壮、止泻药。

三　棱　荆三棱。实栗科的姬实栗、虾夷实栗等的根茎。本草用法的荆三棱是指莎草科草三棱的根茎，为通经驱淤的镇痛药，专治子宫血肿、产后腹痛、月经闭止等。

土茯苓　百合科、攀缘性灌木。根茎供为药用，野生于中国南部。为解毒、利尿之药剂，用来治梅毒、淋病、恶疮痈肿等。

升　麻　产于中国东北，金宝毛科升麻的根茎。肥大而肉色棕黑者为上品，一般称为黑升麻，其他称为红升麻。含有升麻碱、水杨酸、鞣质等。用来解热、解毒、净血，治感冒、麻疹、咽喉肿痛、痔疮。

广升麻　广东升麻。近年来市面上卖的称为绿升麻，产于中国南部，系菊科麻类之根。

天　麻　兰科植物，山野自生之多年生草本。天麻的根茎。为治眩晕及头痛之特效药，缓解四肢之筋肉痛，并可治歇斯底里症、上下肢知觉钝麻和突发性的语言障碍。

半　夏　青芋科，多年生草本。其地下球根可剥离外皮，曝晒干燥以供为药用；含有植物固醇、精油、挥发性生物碱，有镇呕、镇吐作用，为治恶心呕吐之要药，亦治咽喉肿痛、胃内积水、咳嗽、呕吐等。

天南星　天南星科，多年生草本。自生于山野阴地，其根块供为药用，种类非常多。外表淡灰棕色，内面呈白灰色，有尘粉状，肥大而对实者为良。为镇痉、镇痛、祛痰药。对癫痫及小儿痉挛发作，有缓解之功效。民间取其生的根茎，做为肿疮、关节炎等的外用药。

茅　根　禾科白茅的根茎。晒成白色者称为白茅根。

利尿作用强，能与家庭用药充分配合。

苍术与白术　菊科，多年生草本。日本产是名为和苍术、三好白术的根茎。中国产是茅术、汉苍术、山苍术、津苍术、白术、于术、冬术、浙术的根茎。含有精油，有特殊的香味，具杀菌、防霉作用。

苍术与白术均含有很多苍术透，成分颇为相似；为此日本产的苍术、白术应该可以代中国产的白术使用。

据说苍术有发汗作用，白术有止汗作用，一如麻黄与麻黄根的关系，但却无科学的证明。

在中药处方上为健胃、整肠、利尿之药剂，用于因肾机能减退年引起的小便异常、肌肉疼痛、浮肿、胃肠炎等。

生姜与干姜　生姜科生姜的根茎。肥大而多肉者为上品，取其老根风干者为干姜，干姜炒焦者名炮姜。在中药处方所说的生姜是生品，干姜是干燥品。

姜含有结晶性之辛辣成分生姜酮，能促进新陈代谢机能，以去水毒为目的。用来治呕吐、咳嗽、肠满、头痛等疾病，干姜则用于腹部冷痛、腰配、下泻等治疗。生姜之健胃、镇呕作用较干姜为大。

良　姜　高良姜，生姜科高良姜的根茎。产于中国南部、越南。为芳香性健胃药剂，与后世派的处方及家庭用药都能充分配合。

郁　金　亚热带亚洲原产生姜科郁金的根。印度、泰国、我国台湾等是主要产地，最近南美亦有生产。可做为黄色染料，曾经是黄色酱菜及僧侣衣裳的染色原料。具芳香性，有健胃、利尿功效，可治疗胆石症、黄疸。其主要用途是制咖哩粉的原料。

延胡索　中国浙江省栽培的罂粟科，多年生草本，延胡索类的根茎。含有罂粟止痛碱，有镇痛、通经作用，用于腹痛、胃痛、月经痛。中国内蒙古、朝鲜产的黑色而粒小者为劣品。而以产于浙江省宁波外面带黄灰、内为黄色之大粒者为上品。

香附子　莎草科，草本植物莎草之球茎。内含精油，有特殊的香味。为芳香性健胃药，用于神经性胃痛、胸闷呕吐、下痢腹痛。又为调经及镇静镇痛药，为妇科要药。

贝　母　百合科，多年生草本。中国浙江省及日本奈良县栽培者是以其鳞茎干燥的为药材，其地下鳞状茎根之形如集贝子，故名贝母。有松贝、平贝、炉贝等，种类非常的丰富；贝母含有贝母碱，为镇咳祛痰药，治支气管炎或肺结核的咳嗽。用于小便不利、肺痈、肺痿、口渴等，亦为止血及催乳剂，治衄血、咯血、乳汁郁积而发的乳腺炎。

羌　活　西羌活，产于中国四川、云南、甘肃省，是伞形科多年生草本植物的根茎。产于羌中（从山西省西部至陕西、甘肃省）的称为独活。羌活与独活同样含有精油，为镇痉、镇痛药，对感冒、体痛、关节痛均有效。

和羌活　伞形科独活（土当归）的根。有时可用五加科独活的幼根，有发汗、解热、镇痛之效。

知　母　百合科，多年生草本药薹的根茎。称为毛知母，除去表面的毛者称为光知母。知母以肥大而密生黄毛，滋润而味苦带甘者为上品。为镇静、利尿、镇咳之药，亦有止泻之效。

黄　精　百合科，多年生草本。鸣竹百合类的根茎干燥之物，含有物量的生物碱，为滋补强化药。对病后诸虚弱症有效，又为解热剂，用于间歇热、痛风、骨膜炎，塑料蛔虫驱除药。对高血压亦有效。

路得根　日本特产茄科草本植物之根。含有生物碱、阿托品，为镇痛、催眠药。另亦为路得浓缩精、硫酸阿托品等制造剂的原料。最近市面上出现有韩国产与欧洲产的药品。

黄　连　毛茛科，多年生草本黄连的根茎。表皮带黄褐色，内面深黄色而充实者为上品。为苦味健胃药，治消化不良、肠炎下痢、呕吐腹痛等症。主要成分是为小叶碱，具有消炎、杀菌作用，亦可止渴、除水、调味、厚肠、疗口疮。

中国产的黄连种类有很多，有川连、味连、凤尾连等，但是产量很少。

胡黄连　产于喜马拉雅山高山地带胡麻草科植物的根茎。在印度自古即用来做为药用，现在喜马拉雅山的人们则用来做为健胃、解热、强壮药。在唐代就传入中原。

泽　泻　泽泻科，多年生草本。根块供药用，质重而肥大新鲜肉白者为佳。

为利尿药，用于肾脏炎、水肿、淋疾、糖尿病、尿利减少或频数，及胃内停水、口渴、晕眩等有效。入膀胱、利小便，泻肾经之火邪，治消渴、呕吐、泻痢。

在中国主产于福建省，在日本则产于长野县。另我国台湾、韩国等地亦有栽培。

木　通　木通科，落叶蔓性木本通草科的茎切成环状干燥者，时而混杂有物。

外皮灰色，中层黄褐色，内部黄白色，切片面有菊花纹者为良。

为消炎利尿药，有镇痛、排脓等作用。治孕妇浮肿及肾脏炎，去胃炎之热，可为眼炎症之洗涤。

除腺胃寒热，消水肿，通大小肠膀胱，导诸湿热由小便出。

肉苁蓉　亦称为大芸，列当科，一年生草本。自生于中国西北部、蒙古等草苁蓉草带有鳞叶之茎的干燥物。为强壮、强精之药剂，用于阳痿、遗精等，能滋润五脏，益精，强筋，治五劳七伤、腰膝冷痛。

沉　香　瑞香科，产于印度东部、马来西亚、中国南部等。

为芳香健胃及镇静剂，用于歇斯底里、癫痫、脚气、气喘、骨折疼痛等。

石　斛　兰科，石斛属的地上茎。种类很多，其最良品是产于中国南部的铁皮石斛。此外四川省有金钗石斛、铜皮石斛。铁皮石斛之干燥者称为枫斛。

石斛煎汁入胃，能促进胃液分泌有助消化，又为强精、强壮药，治阳痿、盗汗、消耗性诸病，并为镇静剂，治关节炎疼痛。

钓藤钩　茜草科蔓木质化的钓刺。含有生物碱，为镇静、镇痛之药，用于关节风湿痛、精神不安、痉挛。

五加皮 五加科，落地灌木，其根皮供为药用。五加皮分为南五加皮、香加皮、北五加皮三种。南五加皮及香加皮以外皮黄褐色，内皮白，片大肉厚者为良。

五加皮为镇痛、强壮药剂，可以用来治阳痿及筋骨疼痛。制成五加皮酒，治风湿筋骨痛，并有增加精力之效。

地骨皮 茄科，落地灌木的根皮。为强壮、解热药，和于肺结核、肾结核、淋疾等。另亦放入药用酒。

牡丹皮 毛茛科，落叶灌木牡丹的根、根皮。为镇静药，可用于妇科月经不调、产后诸病，对子宫之硬块淤血等有缓和创伤之效。其成分为丹香醇的配糖体，经实践有抗菌作用。

杜　仲 自古即为强壮、镇静、镇痛剂，治膝关节痛、腰痛神经痛、高血压有卓效，并且能改善一般的自觉症状。但是现在市面上卖的物品是否有此药效并不明确。

厚　朴 中国产的是木兰科彩色朴木的树皮，日本产的和厚朴是朴树的树皮，市场上以和厚朴较多见。皮厚而内面紫黑色，光泽滋润者为上品，反之则为不良品。

在中药处方上用来治疗胸腹部疼痛、胀满、气喘咳嗽、神经病症等症状。

桂　皮 樟科常绿乔木类的树皮。商品种类很多，其基源植物亦有很多种，在发类学上尚未确定。市面上所卖的桂皮都产于中国南部、越南、泰国等。中国产的官桂（神桂）为最优良品。除去软木层者称为桂心，是上好佳品。

桂树的叶柄称为桂叶柄可做为做用品，含有沉香油透醇、精油，所以用来做为糕点的调味料需要量很多。另肉桂类的细梢枝称为桂枝，市面上都以做为处方用出售。此本来是指细梢枝的树皮，若不加工使用恐会有量的问题，所以若做为处方还是以用桂皮为佳。

在中药处方上用来镇静中枢神经系的激动，调节水分代谢，使血行兴盛、各种脏器机能亢进，且可治感冒、头痛、发烧、身体疼痛等。

黄　柏　橘科高木黄檗的树皮。含有生物碱，做为胃肠医疗原料需要量很多。

在中药上是用来做为治热性下痢、便中有血、黄疸、肠内炎症等，另可做为洗眼、骨折、扭伤等的外用药方。

樱　皮　蔷薇向樱树类的树皮，通常亦可用山樱的树皮。民间用来治皮肤病、荨麻疹，另外由于含有配糖体樱精，故可做为镇咳药治气喘等。

桑白皮　桑根白皮，将桑科的低木桑及山桑的根皮晒干漂白之物。日本产的由于软木皮的剥落方法不完全，所以不是纯白的，中国产的桑之根皮，是完全除去软木皮的，称为桑根白皮比较名符其实。

在中药上做为治疗支气管炎、气喘等的药方。

艾　叶　菊科草本艾属及大艾的叶。做为止血、镇痛的药剂，可治带定、腹痛、各种出血，另可做为沐浴时的香料。

温灸艾　熟艾，取艾类叶片的毛做成绵状的球块。主要是用大艾及艾毛的叶毛，可用在针炙。

桑　叶　桑科桑类的叶，桑是3500年前为了养蚕所栽培的有用植物。

在中药上做为驱风、整肠药，另外亦做为民间性的茶剂，为胃肠、利尿药。

枇杷叶　除去蔷薇科枇杷叶裹里的毛再加以干燥之物。往昔每到夏季，为了驱除暑气卖枇杷叶汤与卖金鱼的叫卖声往往此起彼落，与生姜汤、麦牙汤等同样是民间清凉、健胃之药，另亦做为沐浴的材料用来润滑皮肤。

淡竹叶　中国产禾本科，淡竹属，在中医上用来治肺炎、支气管炎、糖尿病、口渴等。

侧柏叶　桧木科高大柏树的叶。市场贩卖的侧柏叶往往有桧木的枝叶混入，有注意的必要。为止血、镇痛中药，但不太被采用。

紫苏叶　紫苏科紫苏的叶子。市场贩卖的是切断全草的。

含有精油，治支气管炎、胃肠炎等，以祛痰、促进消化为目的。

丁　香　由于它的花形又名丁子香。桃金娘科，常绿丁子乔木开花前的花蕾，摩鲁加诸岛是其原产地，亚洲热带地区曾广泛地栽培，但是最近以非洲的堪地巴鱼成为主要的产地。自古即是著名的香料。本品以香味浓厚，色泽光亮质坚者为上口，干燥无油者为不良。

精油的大部分含有丁香油酚，做为药和，以促进消化机能整肠健胃为目的。能与家庭用药充分配合，在料理糕点的制造上亦经常采用。

辛　夷　木兰科、木兰属。为镇痛药，用来治疗头痛、头重的鼻炎、蓄脓症。

金银花　水葛科蔓性本木水葛（忍冬）的花。花白色或稍微带有些红色，随着时间会变成黄色，由于白与黄混合，故有金银花之名。为利尿、解毒、杀菌之药，用来治化脓性疾病及解热、梅毒、肠炎、关节炎等。

款冬花　菊科草本落蒲公英未开的头花。为镇咳、祛痰药，用来治咳嗽、肺痈、肺痿、吐血等。在欧洲称其叶片为发鲁发拉叶，用来医治气喘、支气管炎。

红　花　红蓝花，菊科草本红花的管状花。原产地是埃及，在中国河南（怀红花）、四川（川红花）、西藏（藏红花）、印度、法国南部、日本等地均有栽培。《博物志》记载是张骞自西域带回中国的。日本则据说是在推古天皇时由高丽的僧侣昙徵带至日本的。

在中药上用来治疗妇人病、发冷症、更年期障碍等的血行障碍。

番红花　欧洲原产，菖蒲科草本番红花花柱的上半部。在日本做为药用、观赏用。为镇痛、通经、感冒药，另亦用来做食品的橙黄色着色料。

槐　花　由于大小如火粒般故亦称为槐米。豆科高大槐木开花前的花蕾。含有降低血压作用的芸香苷，为预防高血压的药，曾备受人们喜爱；在中药上做为止血、镇痛药，治疗各种出血。

夏枯草　紫苏科草本空穗草的花穗。为消炎、利尿的药，用来治疗肿疮、疔疮、瘰疬等。

菊　花　菊科黄菊的头状花。有白花与黄花，产于安徽省的亳菊花为最优良品。

是治疗头痛、目眩、耳鸣、眼病、肿疡的止痛药。

苦　薏　野菊花，菊科悬菊的头状花。现在输到日本的大抵都是这类的菊花，作用与菊花同样。菊的种类非常多，园艺用的菊据说是唐代以苦薏菊与朝鲜菊交配栽培而与，《神逐本草经》所记载的菊即是苦薏类的菊。

旋覆花　菊科草本大车的头状花。曾有一阵子市面上都以菊的头状花冒充，这是伪品必须注意。

是治疗伴随有打嗝的胃扩张、胃癌等。

荆芥穗　紫苏科草本荆芥花穗干燥之物。含有精油，用来治疗感冒发烧时的疼痛、咽喉肿痛、吐血、血道症等疾症。

益母草　紫苏科草本茺蔚带花全草的干燥物。茎叶及子均供药用，用来治疗产后的出血、恶阻、月经不顺、目眩、腹痛等症状。子含有益母草碱对子宫有收缩作用，用有利尿之效，亦作为利尿剂。

茵陈蒿　菊科草木瓦艾草的幼苗干燥者，亦称为绵茵陈。主要是用花穗与茎的一部分，有时会与同属的雄艾之花混同。

有效成分含量颇多，为消炎性利尿的药，做为肝脏药可治疗黄疸。

麻　黄　产于中国西北西干燥地带麻黄科的小低木麻黄及同属植物的茎。最近从中国及西巴基斯坦都有麻黄输往日本，其有效成分生物碱是被日本最先研究出的植物成分，用来做为治疗气喘的药相当有名。在中药上是用来治因皮肤的排泄机能受阻所引起的呼吸困难、气喘、恶寒、身体疼痛。

藿　香　广藿香。非律宾原产，紫苏科草本香馥草的全草。印度、马来西亚、台湾等是以采油为目的来栽培的。

本来只是用叶子，但最近的市场都是贩卖连茎也混在一起的全草，有时只有用茎，品质并不佳。用来做为解热、镇痛的药。

所谓藿就是草之意，其名称即意为香气很强的草。

薄　荷　紫苏科草本的叶或者是全草。含有精油，成分变种很多。做为发汗、解热的药，用来治疗咽喉的病痛，但大多数是用来做为薄荷油的制造原料。

淫羊藿　小叶科，多年生草本。自生于山间树荫处锚草类的全草或茎叶[illegible]，[illegible]种类，初夏生淡绿色四瓣长距碇状花、茎叶供药用。自古以来是淫羊食用的草，为情神经强壮之药，补精治阴痿及神经衰弱、健忘症、歇斯底里症等有效。亦可用来浸药酒。

冬虫夏草 是节足动物与寄生在昆虫（鳞翅类）的幼虫、蛹虫、成虫的冬虫夏草及其中菇属的蕈子之全干燥品，产于中国的西藏、云南省区。在清代的草本书即有出现，是强精、强壮药，价格非常的昂贵。

海人草 藤科红藻类海人草的干燥品。产于海南、台湾、印度等的暖流海岸。有效成分是阿尔发海宁酸，用来做为驱蛔虫的药。

鹧鸪肛是红藻类木耳紫菜科，[illegible]非海人草。

茯 苓 芝栭科之地中菌的菌核，剥掉外皮切成环状之物。此菌是寄生于松属植物的根，形成球块，外皮黑褐色而有皱纹呈瘤状，内部白色或淡赤色。苓块中穿有细松根者称为茯神，唯药效并无两样。

内部充实、有黏质、淡红色者为上品。近年来市面上出售[illegible]培养品。

用来治疗胃内积水、心悸亢进、筋肉的痉挛、小便困难、口渴目眩等。

猪 苓 寄生在深山中之枫树科植物干枯根上的一种菌。为不规则之小圆块，外皮色黑褐。形如猪粪，故名猪苓。日本产的是轻质（真猪苓），中国产的是硬质（唐猪苓）。皮黑肉白，肉充实者佳。为利尿剂，兼有解热作用。

大 枣 黑梅科，小高乔木枣树的果实。果肉甘美，用[illegible]用糕点。种子与核仁枣相比较小。

在中药上常用来医治筋肉紧张所引起的疼痛、咳嗽、[illegible]

症、身痛、腹痛。

柿　蒂　柿木科柿果实的宿存萼（即柿之肚脐）。是用来制止打嗝的特效药。另外民间亦用来治夜尿症。

五味子木兰科木本朝鲜五叶子的成熟果实。名为北五味，用作镇咳、滋养药，治支气管炎、气喘等。

山栀子　茜草科低木栀子花完全成熟的果实的干燥之物。市面上虽有另一种称为中国产的水栀子，但或许是同一物，含有类叶红素。

在中药上用来治疗黄疸、各种出血、各种发炎症、食道狭窄等，民间是将其粉末与黄柏末一起使用，做为击扑损伤的外用药。

山茱萸　瑞木科山茱萸的果肉（山茱肉）。主要产于中国浙江省。用来治盗汗频尿、阳痿不振、脚气病等。有一种名为胡颓子的秋茱萸果实是伪品。

山　椒　橘科低木香芸山椒成熟的果实。子实为球圆形之盆果。未熟者果壳为绿色，熟者变为暗红色。子核曰椒目，均供为药用。含有精油，能刺激胃肠，使代谢机能亢进，用来治疗胃下垂、胃扩张、胃肠的冷痛。此外亦用来做为香、料。椒目为利尿药，适用于心脏病水肿、膀胱炎、小便困难、神经性气喘等病。另外一种名为花椒者亦含有精油，但与山椒相异。

木　瓜　蔷薇科木瓜属落叶灌木。将果实纵切成两半的干燥品。含有苹果酸、酒石酸等，为酸味收敛剂，有强壮用作。为利尿、整肠药，另配合他药对于风湿性关节炎有镇痛之功效。民间一般是用来做镇咳药。

牛蒡子　亦称为大力子。菊科草本牛蒡的果实。含有牛蒡碱、牛蒡子素及脂肪油，为利尿解热药，对于疮毒化脓病及颈淋巴腺炎有促进化脓穿溃而愈的作用。亦可治浮肿及咽喉疼痛或为腺病体质的改良药剂。

枸杞子 茄科，落叶灌木。果实熟呈红色，为椭圆形之浆果。滋养强壮药，又有枸杞酒，以强壮为目的而饮用，另在料理中亦有使用。

石榴果皮 石榴科，石榴的果皮。原产地是中亚，汉代传来中国。根皮、树皮称为石榴根皮，有时用来做为绦虫的驱除药剂。

山楂子 蔷薇科低木山楂子的果实。一般都是使用其称为山楂肉的果肉。可治消化不良、慢性下痢、产后的腹痛等。

皂　荚 豆科之落叶乔木皂荚的果实。含有皂素配糖体，为强力祛痰药，用来医治支气管炎，亦可治淋疾，然刺激作用强必须注意。

蒸干的种子称为“皂角子”，干的刺称为“皂角刺”，同为肿疮的解毒药。

唐皂角 豆科，落叶乔木皂荚类的果实。与皂荚的功能同样。

猪牙皂 产于中国大陆中部，豆科，落地乔木细果皂荚未成熟的果实，谓为佳品。

大腹皮 产于东南亚各国，椰子科，槟榔树及大腹槟榔树的果皮。种子就是槟榔子。含有丹宁酸，为利尿、健胃、整肠药。主要用以驱除姜片虫、绦虫，亦可治腹水。

吴茱萸 橘科吴茱萸及本吴茱萸未成熟的果实。含有精油，有特殊奇异的香气。另外亦含有生物碱。

在中药处方上用于治疗胃内积水、发冷症、呕吐、头痛等。

诃　子 诃梨勒。使君子科落叶乔木米罗巴兰完全成熟的果实。在印度自古即作药用。在中药处方上是用来治慢性喉头炎、喉头结核、肠出血、子宫出血、带下、子宫炎等病症。

使君子 使君子科蔓性木本使君子及印度使君子的果实。自生于热带亚洲，在中国则产于四川、广东两省。为驱蛔虫、促进消化的药。

茴 香 市场上称为小茴香。欧洲原产伞形草本茴香的果实。在各地都有栽培。含有以茴香油为主成分的精油，有特殊奇异的芳香。为健胃驱风药，适用于胃肠疝痛、鼓肠、腹膨等。另亦用做食品的香味料。

蔓荆子 马鞭草科，蔓荆属。自生于海边砂地蔓荆的果实。含有精油，用来治头痛、鼻炎、眼及耳朵的疾患。为清凉性镇静镇痛药。

连 翘 木犀科落叶灌木连翘及日本连翘的果实。早春会开黄色的四瓣花，在各地都用来做为观赏用的庭木。

连翘所含丰富的维生素P，能增强微血管的抵抗力。并有排脓、解毒、杀菌作用。内服对于脓肿、瘰疬、疮疡等有弛缓肿胀及缓和疼痛之功。且有利尿、镇呕、通经之效。

麻子仁 桑科桑的果实。亦称为宁麻、火麻仁、大麻仁。在中药上用来治体力消耗之人的便秘。亦可做为食用、小鸟的饲料、制油原料等。

蛇床子 伞形科，越年生草本。夏日会生白色小花，果实椭圆形，果实干燥后供药用。含有精油，为兴奋药，治阴痿。外用于妇人阴肿、除黏液分泌物、阴部瘙痒症。

大茴香 八角茴香，木兰科大茴香的果实。含有以茴香油为主要成分的精油，为料理的香味料。为健胃驱风药，亦有刺激胃肠、神经血管，使神经兴奋的功能。

莲　实　睡莲科，莲花的果实。非常的硬，亦称为石莲子。生命力强，有一种名为大贺莲的，自二千年前即发芽、开花。含有维生素C，为解热、健胃、增进食欲的药剂。

枳　实　橘子科，橙橘未成熟的果实或横切成半干燥者。成熟的果实是枳壳。枳壳功效同为芳香性苦味健胃药，治胃部胀满，亦用来治疗胸痛、滞痰等症状。

橙　皮　橘子科橙橘的成熟果实之果皮。皮中含有右旋性柠檬酸及柑果苷等。为芳香性味苦的健胃药，对镇咳、去痰、镇呕、止呃、利尿有效。

陈　皮　橙橘的皮以陈久者为良，名陈皮。以中国大陆的广州、福建等处所产橙橘之皮为正品。陈皮用来治食欲不振、呕吐下泻、咳嗽等。

冬瓜子　瓜科蔓草冬瓜子的种子。为利尿、消炎、镇咳药，用来治肠痈、浮肿、淤血、虫垂炎等。

栝蒌仁　亦写为瓜吕仁。瓜科，多年生草本。果实椭圆形，熟呈黄色。将果实纵切为二，称为栝蒌实，可做为药用。在中药上是用来治疗胸痛、便秘、咳嗽、气喘、狭心症等。

杏　仁　蔷薇科落叶乔木杏树的果实。果实为球形核果，熟时呈黄色，分为甜杏仁、苦杏仁。两者均可供为药用。含有氰酸配糖体。在中药处方上，为镇咳祛痰药，主治支气管炎、咳嗽、气喘，另亦为强壮、利尿之药剂。

桃　仁　蔷薇科落叶乔木桃树的果实。中药上可用于胃部胀满、肠痈、月经不顺等疾病。

决明子　产于中国大陆、台湾等地。中药上用于强壮、利尿、缓解下痢等疾病。

莲　子　莲肉，睡莲科莲药的种子。果实称为莲实或石莲子。花托称为莲房，均可做为药用。在中药上用来治肾结核、淋疾、慢性肠胃炎、贫血。

酸枣仁 鼠李科，落叶乔木酸枣树的种子。主产于中国的河北省。与刺子相似，有刺，果实为椭圆形核果，核仁供药用。为滋养强壮药，治神经衰弱、失眠烦躁等。

车前子 车前科草本车前的种子。在中药上为消炎、利尿之药剂，可治肾炎、膀胱炎、尿道炎，另亦可做镇咳之药剂。全草、叶称为车前叶。

缩砂仁 产于印度、泰国、中国南部类似生姜科植物的种子，称为东京缩砂、唐缩砂。含有砂仁精油等，具有芳香。在中药上用来治胃松弛症、消化不良、呕吐、神经性下痢等。

薏苡仁 禾本科，一年生草本。顶或叶腋生椭圆形果实，中含果实如米，故名米仁。粒大而色白，啮之粘齿者为良。为排脓、利尿、镇痛之药，治浮肿、肌肤粗糙、赘疣、疼痛有效。

白扁豆 扁豆，豆科蔓草藤豆之种子。为消炎、止渴、解毒、整肠药剂，用来治慢性胃肠炎、下痢等。

皂角子 豆科皂荚的种子蒸干之物。含有皂荚皂素，用作解毒药，治肿痈、水肿、疮癣等。

槟榔子 椰子科高木槟榔的种子。含有槟榔碱。在印度、东南亚等地，都将其与石灰混合，用糊椒科金麻的叶包着咀嚼。

在中药上用来驱除绦虫，治消化不良等。

五倍子 漆树科，落叶灌木。叶片为一种五倍子虫刺伤而生囊状赘生物，采集此物，干燥后供药用，做为收敛药剂。

没食子 为谷禾科植物。其幼枝为没食子蜂刺伤而长赘生物，幼蜂哺育其中，逐渐膨大而成没食子。为收敛剂，药效与五倍子同样。治慢性下痢、血痢不止。

阿仙药 槟榔膏、儿茶。茜草科低槟榔树。将附在树上叶子的幼枝用水煮沸所得水性干燥的浓缩物。含有卡铁西丹宁酸，用来做为染色用丹宁原料。药用方面则做为收敛药，放在仁丹等清凉剂内。

芦　荟 百合科芦荟属植物叶液汁的干燥浓缩物。一种是透明芦荟，为无经晶之暗褐色块状物；一种是肝色芦荟，依基源植物，品质有异。含有芦荟苦味素、芦荟大黄素，为味苦健胃、缓下药剂。民间将芦荟的叶子称为“不需医生”，广泛[illegible]用在胃肠病皮肤病等。

动物性中药

牛　黄 牛的胆囊，有时是胆管中病变而成的结石。在佛教经典中亦可看到此名称，使人以为是从印度传来的。印度、澳洲、北美、南美、中国、前苏联、欧洲等地均有产，含有胆汁色素。

在中药上用来治疗心脏病、贫血、心脏神经症等。另外可解宿醉。

熊　胆 月轮熊及喜马拉雅熊的胆囊，通称“熊胆”。主要成分是胆汁酸（乌鲁苏狄斯欧奇西可酸），作为镇服痉挛、强心、解毒、健胃、促进胆汁分泌的药，可治疗腹痛、惊痫、热病、脑膜炎、痉挛等症状。

斑　猫 （斑蝥中国产土斑蝥科的昆虫，横岛斑蝥死后的全干燥品。做为引出发红、发泡的药。

蝉　蜕 熊蝉、油蝉等幼虫脱皮的全部外壳。在市场上一般称为“蝉骸”，用来做为解热、退烧药，治发烧性的疾病、小儿的痉挛及皮肤病等症。

白僵蚕 （白姜蚕） 蚕幼虫的消化管因姆斯卡鲁菌的寄生而发硬死去尸体的全部干燥品。用来做为镇痛药，医治小儿的惊痫。

虻　虫 牛虻、白虻等死后的全干燥品。用来做为驱淤血、通月经的药，治疗月经闭塞、子宫筋肿等疾病，堕胎亦可用之。

地　龙 蚯蚓之类干燥之物。种类很多而且复杂，详细的基源并不明确。做为解热、镇痉挛、利尿的药，在中国是使用除去内脏的污弃物。

土龟甲 （土别甲）龟的背甲及腹甲的干燥品。一般以背甲为多，用来做为解热、强壮的药，可以解结核热及增进体力。

蛤　蚧 取出蛤蚧的内脏，将其摊开全部干燥之物。市面上卖的通常是将两只蛤蚧的腹面相并成一对出售。做为补血、强壮镇咳之药，用来治疗肺结核，亦可放入药用酒。

阿　胶 用水煮驴、骡等的皮肤制成的胶。中国浙江省是主要的产地。鹿茸胶是鹿类的幼角所制成的胶。玉阿胶是烧炙胶的小片膨胀之物，品质不佳。用来做为止血等药，可医治出血、咳嗽、小便次数减少或次数过于频繁的症状，亦可用来化脓。

土　鳖（大） 斑鳖蠊科的萨摩蜚蠊，及鳖蠊科蜚蠊雌性的全部干燥品。用作驱淤血的药，与虻虫同样用来治疗月经困难、子宫筋肿等症状。

土　鳖（小） （水鳖虫）在中国江苏、台湾将蜚蠊全部干燥的物品称为土鳖。在香港都拿其做为食用，据说含有类固醇。

鹿　茸 栖息在中国东部、西伯利亚东部的满洲赤红鹿（马鹿茸）及满洲鹿（花鹿茸）尚未角化的幼角。前端部分称为上台是佳台。使用时如要浸酒则切成薄薄的圆片。仅切幼角者称为锯茸，附有头盖骨者为砍茸。做为强精保健药很得一般人的喜爱，近年来在前苏联、中国、日本将其与酒浓缩制成的物品称为鹿茸精，为消除疲劳、强精、促进胃肠机能的温补药。

蟾　蜍　将蟾蜍的耳腺等分泌出来的乳白色毒液，制成固体的物品。因其含有喜诺普方林、普方达林等的强心成分，做为可心利尿药可与六神药等的家庭药配合。此外有镇痛、解毒的作用，另可做为医治恶性肿疡等的外用膏药。是虾蟆油的主要成分。

海狗肾　海狗为哺乳类、鳍脚类、海豹类之膃肭兽，取其雄性兽之陈茎及睾丸予以干燥保存，为强壮、强精药。

犀　角　栖息于非洲黑犀牛等的角（水犀角），及栖息于印度、缅甸等印度犀的角（乌犀黑）。均是削薄使用，现在市面上贩卖的全部都是水犀角，乌犀角是昂贵之物，市面上几乎不出售。为解热、镇痛、止血、解毒之药剂，用来治发疹性热性病，尤其为小儿麻疹的特效药。

羚羊角　有蹄类、鰡草类、羚羊之角。市面上出售的种类很多，为解热、镇痛、镇痉之药剂，用来治痉挛、神经症、歇斯底里等症。

麝　香　由栖息在喜马拉雅山山麓地带的母麝香鹿之脐带与生殖器之间的香囊所得的分泌物，通常连香囊亦予以搀取。有镇静、镇痉、强心的作用，用来治失心、痉挛、腹痛、神经症等。由于价钱非常的昂贵，故往往有他物混杂代替。芳香成分是麝香酮，为香料原料，但却非有效成分。

牡　蛎　牡蛎科，牡蛎的壳。成分是霰石型的炭酸钙，与十数种的氨基酸类组合而成。在中药上尽充当为胸腹部悸动、心悸亢进、胸口发闷等的治疗剂

石决明 鲍鱼类的贝壳，用来治眼病。

龙　骨 古大巨象、巨犀、巨鹿等大爬虫之类哺乳动物的化石。古代从恐龙联想为其龙之骨，此骨供为药用。以舐之粘舌，白地绵纹者及色青白者良。

为镇静、镇痉之药剂，用于心悸亢进、失眠症、精神不安、异常兴奋等的主要矿石药剂。

矿物性中药

石　膏 市面上卖的软石膏为水状，含有硫酸钙。为清凉解热之药，用于急性热病之烦渴、口渴、气喘、胃痛、糖尿病等。

代赭石 以钉头代赭为良品。为天色的赤铁矿，氧化二铁为其主要成分。用于止血、补血、制止打嗝等。

青蒙石 云母的一种。用于镇咳、止血、解热，亦可治肺结核。

滑　石 有利尿、消炎作用，用于膀胱炎、尿道炎、小便减少、口渴等。

赤石脂 含有氧化铁及含水硅酸铝的赤色胶块黏土，有收敛作用。

朱　砂 亦称为辰砂、丹砂等。天然品非常昂贵，有一种称为镜面辰砂者为良品。为镇静、解毒之药，用于精神不安定症、失眠症、目眩等。

灵　砂 合成的硫化水银。与天然品同样，但价格较低。

芒　硝 用于宿食、腹部有坚块者、腹部膨胀等的缓下药。可与大黄同时使用。

民间中药

旃　那　分布在印度、非洲东部的豆科低木旃那的叶。依产地分为吉奈贝利旃那（印度）与亚基山多旃那（非洲）两种。含有活性成分、蒽醌诱导体，用来做通便剂。

熊果叶　产于欧洲等高地杜鹃科小低木熊果树的叶片。有效成分是熊果精，为尿路防腐、收敛、利尿药，用于膀胱炎、尿道炎、肾盂肾炎等。

塞内加　北美原产姬荻科草木塞内加的根。含有石碱配糖体，为祛痰药，用于支气管炎、支气管气喘。

十　药　蕺菜，蕺菜科草本植物蕺草的全草。生的时候有特异的臭气，做成煎剂取代茶饮用可治高血压、便秘、淋疾、蓄脓症，生药用火烤炙外用可治切伤、化脓症。

繁　缕　瞿麦科繁缕的全草。用于虫垂炎、胃肠炎、浮肿、浮汁不足等，对于产后的调养亦有效。

接骨木　水蔓科接骨木的茎横切之物。民间用来做为利尿药剂。中医上接骨木用于跌扑击伤。为镇痛药，治手足偏风及风湿腰痛、骨间诸痛。

现之证据　福罗草科现之证据的全草。民间在保健上用健胃、止下痢药，往往代茶饮用。另外还用作肿疮、皮肤病的外用药。药效即是“现之证据”之意。

当　药　龙胆科当药的全草。含有苦味配糖体，非常的苦，做为胃肠药相当的有名，治宿醉时是将其研磨成粉末饮用。持有发毛作用的成分，往往用来做为养毛剂的原料。

弟切草　弟切草科弟切草的全草。做成煎剂饮用可治疝气、浮肿。

古时某鹰师将此药草将做为伤口之秘密药方，不料却让其弟向外界泄露，鹰师盛怒之下杀弟，故名弟切草。

滨地车 番石榴科海边植物蔓的全草。用来治胃溃疡、胃炎。青汁具有效果。

忍 冬 水蔓科水蔓的叶。外用治肿疮、痔等，做为利尿药、煎剂可代茶饮用。

梓 实 紫葳科之落叶乔木梓树的果实。为利尿药，常用于心脏病。

棕榈叶 椰子科棕榈的叶。煎剂用于脑出血、半身不遂、高血压症，代茶饮用。

贯众果 山毛榉科，落叶乔木贯众树的叶子。时有白果的叶混杂。用于诸内脏结石的深化、预防，有效成分时为丹宁酸。

将军木皮 松柏科，常绿灌木红目柏的树皮。可以帮成煎剂用来治胃溃疡、胃炎等。另烧成焦炭者可用来治痔疾。

菱 实 红花科水生植物菱或卷菱的果实。民间用来做为胃药。

藤 瘤 用于胃病、胃癌。

梅寄生 寄生于梅树或其同科植物的一种多孔菌。用于治疗胃癌。

第三章

制剂通则

丸 剂

丸剂是指药物细粉加适宜的黏合剂制成的球形制剂。

丸剂有蜜丸、水丸、糊丸和浓缩丸等类型。

供制丸剂用的药粉除另有规定外，应通过六号筛。

蜜 丸

蜜丸是指药物细粉用蜂蜜为黏合剂制成的丸剂。

蜜丸生产与贮藏时均应符合下列有关规定：

（一）蜜丸所用蜂蜜须经炼制后使用。炼蜜程度有下列三种：1. 嫩蜜 105～115° 2. 中蜜 116～18° 3. 老蜜 119～112°。

制备蜜丸时可根据品种、气候等具体情况选用。

（二）除另有规定外，用搓丸法制备蜜丸时，炼蜜应趁热加入药粉中，混合均匀。但处方中含有较多树脂类、胶类以及具有挥发性的药物时，应在60℃左右加入。

用泛丸法制备蜜丸时，炼蜜应加开水稀释后使用。

（三）泛丸法制备的蜜丸，均称“水蜜丸”，除另有规定外，应在80℃以下进行干燥。

（四）蜜丸宜密封贮存，水蜜丸宜密闭贮存，防止受潮发霉变质。

重量差异限度

丸剂的重量	重量差异限度
3克或3克以下	±7%
3克以上至6克	±5%
6克以上至9克	±4%
9克以上	±3%

检查法：

取蜜丸十粒，分别精密称定重量后，每丸重量与标示丸重相比较，应符合上表规定。超出差异限度的药丸应不得多于二丸，并不得一丸超出重量差异限度一倍。

崩解时限

用泛丸法制备的水蜜丸，照下述水丸崩解时限项下的方法检查，应符合规定。

水 丸

水丸系指药用细粉用冷开水（或根据制法用黄酒、醋、药汁、浸膏、糖浆等）为黏合剂制成的丸剂。

水丸生产与贮藏时均应符合下列有关规定：

（一）除另有规定外，水丸应在80℃以下进行干燥，并经常翻动。含较多挥发性成分的水丸应在60℃以下进行干燥，不宜加温干燥而应阴干。

（二）水丸须包衣或包衣后打光者，按制法项下规定的包衣材料进行包衣和打光。

（三）水丸应大小均匀，色泽一致。

（四）除另有规定外，水丸宜密闭贮存，防止受潮发霉变质。

崩解时限

除另有规定外，取水丸约1克，照片剂崩解时限面下的方法，加挡板检查，一小时内应全部崩解并通过筛网。含浸膏的水丸，在二小时内应全部崩解并通过筛网；如操作过程中，丸剂粘附挡板妨碍检查时，应另取水丸1克，不加挡板按规定检查，在二小时内全部崩解并通过筛网。

糊　丸

糊丸系指药物细粉用米糊或面糊作为黏合剂制成的丸剂。

糊丸生产与贮藏时均应符合下列有关规定：

（一）除另有规定外，糊丸应在80℃以下进行干燥，并经常翻动。含较多挥发性成分的糊丸，应在60℃以下进行干燥。

（二）糊丸须包衣或包衣后打光者，按制法项下规定的包衣材料进行包衣和打光。

（三）糊丸应大小均匀，色泽一致。

（四）除另有规定外，糊丸宜密闭贮存，防止受潮发霉变质。

浓缩丸

浓缩丸系指药物或部分药物提取的清膏或浸膏，与药物细粉或适宜的辅料制成的丸剂。

浓缩丸生产与贮藏时均应符合下列有关规定：

（一）浓缩可按制法规定，采取煎煮、渗漉等方法，取煎液、漉液浓缩成规定要求的清膏或浸膏。

（二）除另有规定外，浓缩丸应在80℃以下进行干燥。

（三）浓缩丸须包衣或打光者，按制法项下规定的包衣材料进行包衣和打光。

（四）浓缩丸宜密封贮存，防止受潮发霉变质。

崩解时限

除另有规定外，取丸约1克，照水丸项下的方法检查，二小时内全部崩解并通过筛网。

重量差异限度

照蜜丸项下的方法检查，包衣的深缩丸在未包衣前检查，应符合规定。

散　剂

散剂系指一种或数种药物均匀混合制成的粉末状制剂。根据医疗用途的不同，分为内服散剂、煮散剂和外用散剂。

散剂生产和贮藏时均应符合下列有关规定：

（一）散剂中药物均应粉碎，除另有规定外，应通过六号筛。煮散剂应通过二号筛，儿科和外科用者应通过七号筛，眼用散剂应通过九号筛。

（二）散剂应干燥、疏松、混合均匀、色泽一致，如含有毒、剧药品或贵重药物时，应采取逐级稀释的方法，习称“配研法”，混合均匀并过筛。

配研法

先将量小的药物另行研细后，加入等容积的其他药物粉末，研磨均匀后，再加入与此等容科学分析的其他药物粉末研匀，如此倍量增加，至全部混合均匀，色泽一致，过筛。

（三）必要时散剂中可加入稀释剂、着色剂、矫味剂等，但必须符合本书或卫生部门批准的质量标准的规定。

（四）眼用散剂应在清洁、避菌环境下配制，避免微生物污染。

（四）除另有规定外，散剂宜密闭贮存，防止受潮。

均匀度

取散剂适量，置光滑纸上，用适当工具将其表压平，在光亮处观察，应呈现均匀的色泽。

装量差异限度

按剂量分装的散剂，装量差异限度不得超过下表的规定：

散剂装量	装量差异限度
0.3克或0.3以下	±10%
0.3克以上至1.5克	±5%
1.5克以上至6克	±3%
6克以上	±2%

检查法

取散剂十包（或瓶），分别精密称定每包（或瓶）的重量后，每包（或瓶）内容物重量与标示量相比较，应符合上表的规定。超出装量差异限度的散剂应不得多于2包（或瓶），并不得有一包（或瓶）超出装量差异限度一倍。

膏 药

膏药系指含有药物的、以铅硬膏为基质的外用制剂。铅硬膏为食用植物油与黄丹经高温炼制成面。

膏药生产与贮藏时均应符合下列有关规定：

（一）生产膏药时，药物可适当切段后置油中浸泡，并在不超过240℃下炸枯。不耐油炸的药物，宜待其他药物炸至枯黄后加入。

（二）炸药后的油，应先炼至320℃左右使“滴水成珠”，稍放置，在不低于270℃时加入黄丹，搅拌使充分化合后，立即投入水中浸渍。

（三）挥发性药物、矿物类及贵重药物，应开成细粉，在摊涂前加入膏药中。加入时的温度应不超过70℃。

（四）膏药应湿润细腻，摊涂均匀，加温后能贴于皮肤上。

（五）膏药宜干燥处避热贮存。

煎膏剂

煎膏剂系指药物用水煎煮，去渣浓缩后，加糖或炼密制成的稠厚状半流体制剂。

煎膏剂生产与贮藏时均应符合下列有关规定：

（一）除另有规定外，药物须适当粉碎，加水煎者2～3次，每次保持沸腾后2～3小时，滤过，合交滤液，静置，取上清液浓缩至规定比重，得清膏。

（二）清膏按规定量加糖或炼蜜收膏，即得煎膏。除另有规定外，加糖划炼蜜量一般为药物量的25%。

（三）煎膏剂应无焦臭、异味。

（四）煎膏剂宜密封存。

异物检查

取煎膏5克，加水稀释至100ml，应无焦块、药渣等异物。

酒　剂

酒剂系指药物用白酒浸制成的澄清液体制剂。

酒剂生产贮藏时均应符合下列有关规定：

（一）生产酒剂所用的药物，除另有规定外，一般应适当粉碎后使用。

（二）生产酒剂用的白酒，应符合卫生部关于白酒卫生质量标准的规定。

（三）酒剂可照酊剂项下的浸渍法、渗漉法或用其他适宜方法制备。白酒的浓度和用量、浸渍温度和时间均按各该品项下制法的规定为准。

（四）浸出液须静置澄清，过滤后分装。

（五）酒剂可按各该品项下制法规定，加入糖或蜂蜜调味。

（六）酒剂宜密封，置阴凉处贮存。

乙醇量

酒剂中含有的乙醇，照乙醇量测定法项下的方法测定，应符合各该品项下的规定。

胶　剂

胶剂系指以动物皮、骨、甲或角等为原料，用水煎取胶质，浓缩成干胶状的内服制剂。

胶剂生产与贮藏时均应符合下列有关规定：

（一）胶剂所有原料，应用水漂洗或浸漂，除去非药用部分，切成小块或锯成小段，再漂洗。

（二）加水煎煮时，须保持沸腾，共煮3～7次，至煎液清淡为度。每次煎煮约24小时，并随时补加热水。

（三）煎液合并、滤过，滤液静置澄清，再滤过，加热浓缩，浓缩后的胶液，在常温下应能凝固。

（四）胶凝前，可按制法项下规定加入黄酒、冰糖、食用植物油等。

（五）胶凝后须按规定重量切成小块，阴干。

（六）胶剂应为色泽均匀、无异常臭味的半透明固体。

（七）胶剂宜密闭贮存，防止受潮。

冲 剂

冲剂系指以药物的细粉或提取物等制成干燥颗粒状的内服剂。分为可溶性冲剂和混性冲剂。

冲剂生产与贮藏时均应符合下列有关规定：

（一）冲剂生产时，可加适宜的辅料，与药粉混合均匀，制粒烘干，再除去细粉。

（二）冲剂的颗粒一般应通过一至三号筛，通过四号筛者不应超过全量的5%。

（三）冲剂应干燥，颗粒均匀，色泽一致，无结块潮解现象。

（四）除另有规定外，冲剂宜密闭贮存，防止受潮。

溶解性检查

取可溶性冲剂1份，加热水20份，应能溶解，无焦屑等杂质。

差量差异限度

除另有规定外，按散剂项下的方法检查。单剂量包装的冲剂，装量差异应在±5%以内。

片　剂

片剂系指药物经加工压制成片状的内服或外用制剂。

片剂生产与贮藏时均应符合下列有关规定：

（一）片剂所用的原料均应符合本书规定的或经卫生部门批准的质量标准，并按处方规定量投料。某些易降低药效的原料，可根据实际情况适当增加投料量，以保证药品质量。

（二）片剂所用的辅料、附加剂与包衣材料均应符合本书规定的或经卫生部门批准的质量标准，其品种与用量应不影响用药安全有效，并注意避免又检验产生的干扰。

（三）原料与辅料应混合均匀。剂量小或含有毒、剧药品片剂、可根据药品的性质，采用分级稀释或溶剂深解等适宜方法进行混合、使药品分散均匀，以保证安全有效。

凡属挥发性或遇热分解的药品，在制片过程中应避免受热损失。

（四）制成的颗粒应控制水分，以适应制片工艺的需要，并防止片剂在贮藏期间发霉变质失效。

（五）凡具有不适的臭味、刺激性、易潮解或遇光易变质的药物，制成片剂后，可包糖衣或薄膜衣。对一些遇胃液易破坏，刺激胃黏膜或需要在肠内释放的药物，制成片剂后，应包肠溶衣。含毒药的外用片，应着色并压制成与内服片能明显区别的片形。

（六）片剂需加色素以示区别时，所用色素的品种及用量，应符合卫生部的规定。

（七）片剂外观要完整光洁，色泽均匀，应有适宜的硬度，以免在包装储运过程中发生碎片。

（八）除另有规定外，片剂宜密闭贮存，防止受潮发霉变质。

重量差异限制

片剂重量差异限度不得超过下表的规定：

片剂的平均重量	重量差异限度
0.3 克以下	±
0.3 或 0.3 克以上	±5.0%

检查法

取药片 20 片，精密称定总重量并求得平均片重后，再分别精密称定各药片的重量。每片重量与平均片重相比较，超出重量差异限度的药片不得多于 20 片。并不得有一片超出重量差异限度一倍。

糖衣片、薄膜衣片与肠溶衣片应在包衣前检查片芯的重量差异，符合上表规定后，方可包衣。包衣后不再检查重量差异。

崩解时限

检查装置采用升降式装置，主要结构为一能升降的金属支架与下端镶有金属筛网的玻璃管。管长 10cm，内径 2.8cm，外径 30～32cm，筛孔内径 2.0mm。玻璃管用金属固定后，钩悬于仪器的支架上下移动的总距离为 15mm（单向距 7.5cm），往返移动速度每分钟为 30～32 次（以一上下为一次）。下降璃管下降时，筛网距水浴底约 4cm，上升时，筛网应在水面下约 1cm 处钻三孔，孔间的距离应相等，其中各焊接一根等长的不锈钢丝，钢丝的另一端和一个不锈钢丝圆圈焊接，圆圈的直径2.6cm，挡板高1.5cm，重1.95～2.95克。

检查法

取药片5片，置上述装置的玻璃管中，调节水浴温度至37℃±2℃，按规定的速度上下移动，除另有规定外，各片均应在15分钟内全部溶化或崩解成碎粒，并通过筛网。如部分颗粒不能通过筛网，应另取药片5片，重新检查，检查时加入档板，塑料片向下。检查结果应在崩解时限内全部溶化或崩解，并通过筛网。

糖衣片或薄膜衣片的崩解时限按上项方法检查，应在一小时内崩解并通过筛网（水溶性的包衣碎片除外）。

肠溶衣片检查法：除另有规定外，取肠溶衣片5片，置上述装置的玻璃管中，恒温水浴内装人工胃液，调节水浴温度至37℃±2℃，按上述检查方法规定的速度上下移动操作二小时，每个药片均不得崩解或溶化。继续放药片的玻璃管取出用水洗涤2次，每次10毫升，再用人工肠液代替人工胃液，并加入执法板，按上述方法进行检查，一小时内应全部溶化或崩解，并通过筛网。如有部分颗料不能通过，可另取5片检查，应符合规定。

人工胃液与人工肠液的配制法如下：

（一）人工胃液：取稀盐酸24毫升，加水至1000毫升，用N/1盐酸液或N/1氢氧化钠液调节PH值至1.2～1.4。

（二）人工肠液：取M/5磷酸二氢钾液250ml与M/5氢氧化钠液196.7毫升，加水至1000毫升（PH值7.3～7.5）。

注射剂

注射剂系指药物制成的无菌溶液、无菌混悬液或供临用前配成液体的无菌粉末，供注入体内的制剂。

注射剂生产与贮藏时应符合下列有关规定：

（一）注射剂所用的原料、辅料均应符合本书规定的或经卫生部门批准的质量标准，并按处方规定量投料。某些易降低药效的原料，可根据实际情况适当增加投料量，以保证药品质量。

（二）注射剂所用的溶剂包括水性溶剂和油溶剂等。最常用的水性溶剂为注射用水，除另有规定外，亦可用氯化钠注射液或其他适宜的水溶液。

一切水性溶剂均应符合热原检查法项下的规定。

常用的油溶剂为麻油、花生油、茶油等，除符合各该油项下的规定外，并应精制使符合下列规定：

（一）应无异臭、无酸败味；色泽不得深于黄色5号标准比色液；在10℃时应保持澄明。

、（二）皂化值为185～200；碘值78～128；酸值不大于0.56。其他溶剂必须安全无害，用量应不影响疗效。

（三）配制注射剂时，查按药的的性质加入适宜的附加剂。附加剂的品种和用量应不影响用药安全有效，并注意避免对检验产生干扰。附加剂如为抑菌剂，用量应能抑制注射液内微生物的生长。常用的抑菌剂与用量（g/ml）为苯酚0.5%，甲酚0.3%，三氯叔丁醇5%，硝酸苯汞0.002～0.01%等。加有抑菌剂的注射液，仍应用适宜的方法灭菌。注射量超过5ml的注射液，添加的抑菌剂必须特别谨慎选择。供静脉（除另有规定外）或椎管注射用的注射液，均不得添加抑菌剂。

（四）容器除另有规定外，应符合注射剂用玻璃容器检查法的规定。容器胶塞应符合石油化学工业部门规定的标准。

（五）配制注射液时，灌注的药液必需澄明，容器应洁净并采用高温干燥或其他适宜的方法除去热原后使用。

配制注射用油溶液时，应将先精制的油在150℃干热灭菌1～2小时，并放冷至适宜的温度。配制注射用混悬液时，除另有规定外，药物的细度应控制在15cm以下，15～20um者不应超过10%。

供注射用灭菌粉末的原料应无菌，必要时可按无菌操作法用灭菌的药筛筛过。凡用冷冻干燥者法，其药液应无菌，灌装时装量差异应控制在±4%以内。

（六）灌装注射液时，应按下表适当增加装量，以保证注射量不少于标示量。

除另有规定外，供多次用量的注射液，每一容器的装量不得超过10次注射量，增加的装量．应能保证每次注射用量。

标示装量	增加量	
	易流动液	黏 稠 液
0.5ml	0.10ml	0.12ml
1.0ml	0.10ml	0.15ml
2.0ml	0.15ml	0.25ml
5.0ml	0.30ml	0.50ml
10.0ml	0.50ml	0.70ml
20.0	0.60ml	0.90ml
50.0ml或50.0ml以上	2.	3%

（七）注射剂在配制过程中，应严密防止变质、污染、微生

物、热原等。已调配的药液应在当日内完成灌封、灭菌，如不能在当日内完成，必须将药液在不变质与不易繁殖微生物的条件下保存。

供静脉及椎管注射者，更应严格控制。

（八）接触空气易变质的药物，灌装过程中应排除空气或填充惰性气体后熔封。

（九）熔封或严封后，可根据药物的性质选用适宜的方法灭菌，但必须保证制成品无菌。

（十）熔封的注射剂在灭菌时或灭菌后，庆用采减压法或其他适宜的方法进行容器检漏。

（十一）制成品除另有规定外，均应进行澄明度或异物检查。

（十二）制成品除应遮光贮存外并应按规定的条件贮存。

注射液的装量检查

注射液的标示装量为 2ml 或 2ml 以下者取样 5 支，2ml 以上至 10ml 者取样 3 支，10ml 以上者取样 2 支，开启时注意避免损失，将内容物分别用干燥的注射器抽尽，在室温下检视；测定油溶液或混悬液的装量时，应先加热摇匀，再有干燥注射器抽尽后放冷至室温检视。每支注射液的装量均不得少于其标志量。如有一支的装量少于标示量时，应再按上述规定取样检查，检查结果应全部符合规定。

注射液的澄明度检查

取供试品，在黑色背景，20W 的照明荧光灯光源下，用目检高，应符合卫生部关于澄明度检查判断标准的规定。凡灌封于不易用目检视的容器内时，可移至洁净透明玻璃容器内检查。

注射用灭菌粉末的装量差异限度

除另有规定外，注射用灭菌粉末的装量差异限度，不得超过上表的规定。

检查法

取供试品5支（瓶），除去标签、铝盖，容器外用乙醇洗净，干燥后，开启时注意避免玻璃屑等异物落入容器中，分别迅速精密称定，倾出内容物，容器先用水，后用乙醇洗净，在105℃干燥一小时，置干器内，放冷至室温，再分别精密称定每一容器的重量，前后两次称得重量的差数，即为每一支（瓶）中内容物的装量。每一支（瓶）中的装量与平均装量相比较，应符合表风装量差异限度的规定。如有一支不符合时，应再按上述方法取样检查，检查结果应全部符合规定。

注射用灭菌粉末的澄明度检查

除另有规定外，取供试品5支，开启时注意避免玻璃屑等落入容器中，照各该药品项下的规定，加新煮沸过的澄明冷水或其他澄明溶剂溶解后，在黑色背景，20W照明用荧光灯光源下，用目检视，应符合卫生部关于澄明度检查判断标准的规定。

无　菌

照无菌检查法项下的方法检查，应符合规定。

酊　剂

酊剂系指药物用不同浓度的乙醇浸出或溶解而制成的澄清液体制剂，亦可用流浸膏稀释制成。

酊剂生产与贮藏时均应符合下列有关规定：

（一）除另有规定外，含有毒、剧药品的酊剂，每100ml应相当于原药物10克；其他酊剂，每100ml相当于原药物20克。

（二）含有毒、剧药品酊剂的有效成分应根据其半成品的含量或效力加以调整，使符合该酊剂项下的规定。

（三）酊剂可用溶解法、稀释法、浸渍法或渗漉法制备

1．溶解法或稀释法：

取药物的粉末或流浸膏，加规定浓度的乙醇适量，溶解或稀释，静置，必要时滤过，即得。

2．浸渍法：

取适当粉碎的药物，置有盖容器中，加入规定量的溶剂，密盖，搅拌或振摇，浸渍3～5日或规定的时间，使有效成分充分浸出，倾取上清液，滤过，压榨残渣，收集压出液，与液合并，静置24小时，滤过，即得。

3．渗漉法：

照流浸膏剂项下的方法，用规定浓度的乙醇适量渗漉，至流出量达到需要量四分之三时，停止渗漉，压榨残渣，收集压出液，与渗漉液合并，添加乙醇至规定的浓度与容量后，静置，滤过，即得。

（四）酊剂久置产生沉淀时，可测定乙醇含量，调整至规定浓度，如仍有沉淀，可滤过或倾泻除去沉淀，测定有效成份并调整至规定标准。

（五）酊剂置遮光容器内密封，在阴凉处贮存。

乙醇量

酊剂中含有的乙醇，照乙醇量测定法项下的方法测定，应符合该酊剂项下的规定。

流浸膏剂与浸膏剂

流浸膏剂或浸膏剂是指药物用适宜的溶剂浸出有效成分，蒸去部分或全部溶剂，调整浓度至规定标准而制成的制剂。

流浸膏剂生产与贮藏时均应符合下列有关规定：

（一）除另有规定外，流浸膏剂每1ml相当于原药物1克。

（二）除另有规定外，流浸膏剂用渗漉法制备，其要点如下：

1. 根据药物的性质，可选用圆柱形或圆锥形的渗漉器。

2. 药物须适当粉碎后，加规定的溶剂均匀湿润，密闭放置一定时间内，再装入渗漉器内。

3. 药物装入渗漉器时应均匀，松紧一致，加入溶剂时应最大限度地排除药物间隙中空气，溶剂应高出药物面，放置适当时间，然后渗漉。

4. 渗漉速度应符合该流浸膏剂项下的规定。

5. 收集药物量85%的初漉液另器保存，续滤液用低温浓缩与初漉液合并，调整至规定标准，静置，取上清液分装。

（三）流浸膏剂久置产生沉淀时，可滤过或倾泻除去沉淀，测定有效成分的含量，根据测定结果适当调整，使之符合规定标准。

（四）流浸膏剂应置遮光容器内密封，在阴凉处贮存。

乙醇量

流浸膏剂中含有的乙醇，照乙醇量测定法项下的方法测定，应符合各该流浸膏剂项下的规定。

浸膏剂生产与贮藏时均应符合下列有关规定：

（一）除另有规定外，浸膏剂的1克相当地原药物2～5克。

（二）除另有规定外，浸膏剂用煎煮法或渗漉法制备。全部煎煮液或渗漉液应低温浓缩至稠膏状，加稀释剂或继续浓缩至规定的标准。

（三）浸膏剂应置遮光容器内，密闭贮存。

胶囊剂

胶囊剂系指药物装于空胶囊中制成的制剂。

胶囊剂分为硬胶囊剂和软胶囊剂。

（一）硬胶囊剂：

是将药物充填于硬胶囊中制成。硬胶囊是由明胶（或加少量甘油）制成的圆筒形大小不同的两节，能互相紧密套合。

（二）软胶囊剂：

是将油类或对明胶无溶解作用的液体药物或混悬液，封闭于球形或椭圆形的软胶囊中制成；由于生产方法不同，可分为滴制法软胶囊与压制法软胶囊。

软胶囊是由明胶、甘油等制成。

胶囊剂生产与贮藏时，均应符合下列有关规定：

（一）小剂量的药物，应先用适宜的稀释剂稀释。

（二）胶囊剂所用的空胶囊可加入着色剂。着色剂的品种及用量，应符合卫生部的规定。

（三）胶囊剂应整洁，不得粘结、变形和破裂，应无异臭。

（四）除另有规定外，胶囊剂应密封贮存。

装量差异限度

取胶囊10粒，分别精密称定重量，倾出内容物，硬胶囊用小刷拭净，软胶囊用乙醚等洗净，置通风处使溶剂挥散，再分别精密称定重量，求出每个胶囊的装量与10粒胶囊的平均装量。每粒胶囊的装量与平均装量比较，除另有规定外，滴制法软胶囊的装量差异应在±7.5%左右，其他胶囊剂的装量差异应在±10%以内，超过装量差异限度的胶囊不得多于2粒，并不得超过平均装量的±10%（滴制法）或±15%。

软膏剂

软膏剂是指药物加入适宜基质制成的半固体外用制剂。

软膏剂在生产与贮藏时均应符合下列有关规定：

（一）软膏剂常用的基质有凡士林、液装石蜡、羊毛脂、蜂蜡、动（植）物油、单硬脂酸甘油脂、十八醇等及其混合物。根据气温高低，可添加适量石蜡或液状石蜡调整基质的软硬度。某些基质中可加入乳化剂制成乳剂型基质，使药物易被皮肤吸收，并易洗除。

（二）供制软膏剂用的固体药物，除另有规定外，应预先用适宜方法制成细粉，并全部通过六号筛。

（三）软膏剂应均匀、细腻，涂于皮肤上应无粗糙感，并应具适当的黏稠性，易涂布于皮肤上而不融化，但能软化。

（四）软膏剂应无酸败味、异臭、变色等变质现象。必要时可加适量防腐剂使稳定。

（五）软膏剂所用的包装容器，不应与药物或基质发生理化作用。

（六）除另有规定外，应置遮光容器中密闭贮存。

眼膏剂

眼膏剂是指供眼用的软膏剂。

眼膏剂在生产与贮藏时均应符合下列的有关规定：

（一）眼膏剂的基质，除另有规定外，一般用凡士林8份，液状石蜡、羊毛脂各1份制成。根据气温高低，可添加石腊或液状石脂，适当调整组成比例。基质应融化后滤过并经150℃灭菌至少一小时。

（二）制备眼膏剂应在清洁、无菌的环境中进行，注意防止微生物污染。所用的器具、容器等，须用适宜的方法清洁、灭菌。

（三）配制眼膏剂时，除另有规定外，如药物易溶于水且性持稳定的，可用少量灭菌水溶解，加已灭菌的基质或羊毛脂适量，研和至水液吸尽，再逐渐加入其余基质，研和；如物不溶于水或不宜用水溶解的，须用适宜方法制成极细粉并全部通过八号筛，再与基质研和。

（四）眼膏剂应均匀、细腻，易涂布于眼部，对眼部无刺激性。

（五）眼膏剂所用包装容器，不应与药物或基质发生理化作用。

（六）除另有规定外，应置遮光、灭菌容器中，密封贮存。

颗粒细度：

取供试品少量，涂于玻璃片上覆以盖玻璃片，置显微镜下，检查分布颗粒，其中最大者应不超过75cm。

第四章

中草药炮制通则

中草药炮制是指对中草药用净选、切制及炮炙等制作方法，制成一定规格的炮制品，以适应医疗要求及调配和制剂的需要，保证用药安全和有效。

炮制时除另有规定外，应符合下列有关要求。

净　选

中草药在切制、炮炙或调剂、制剂前，均应选取规定的药用部位，除去非药用部分、杂质及霉变品。经净选后的中草药，以下简称“净药材”。

洗

中草药凡能用清水洗的，应洗净，但勿使中草药在水中浸泡过久，并注意及时干燥，防止霉变。

水　飞

是取按规定处理后的矿物类药，用水适量共左细，再加多量的水，搅拌，倾出混悬液，下沉部分再按上法反复操作数次，合并混悬液，静置后，分取沉淀、干燥。

切　制

中草药切制时，为使其柔润软化，除必须浸泡者外，应采用少泡多润的原则。规定浸泡的中草药，应按大小、粗细、软硬等分开，并注意气温、时间，防止霉变。切制后的中草药，以下简称“切制品”。

切制品有片、段、块、丝等，它的大小、厚薄通常为：

切片

薄片为1～2mm，厚片为2～4mm。

切段

为1015mm长的小段。

切块

为约1cm的立方块。

切丝

皮类中草药丝宽为2～3mm，叶类中草药为5～10mm。

炮　炙

除另有规定外，常用灼炙方法和要求如下：

炒

中草药炒制时，应注意掌握加热的温度，炒的时间和炒制程度的要求。炒时应大力均匀并不断翻动，使受热均匀。

清炒：取净药材或切制品置锅内，用文火炒至规定的程度时，取出，放凉。

炒集：取净药材或切制品置锅内，用武火炒至表面焦褐色，断面色变深，或至规定的程度时，取出，放凉。炒焦后易燃着的中草药，可喷淋清水少许，再炒干或晒干。

麦炒：取麦皮撒在热锅内，加热至冒烟时，加入净药材或切制品迅速翻动，炒至表面呈黄色或色变深时，取出，筛去麦皮，放凉。除另有规定外，每100千克药材或切制品，用麦皮5～10

千克。

煮

取净药材或切制品，按照各品炮制项下的规定，加入液体辅料，拌匀，煮至辅料完全吸尽或切开后内无白心时，取出，干燥。

有毒的中草药煮制后，除另有规定外，一般除去剩余的汁液。

炖

取净药材或切制品照各品炮制项下的规定，加入液体辅料，置适宜的容器内，密闭，隔水加热或用蒸气加热透或至辅料完全吸尽时，取出，干燥。

蒸

取净药材或切制品照各品炮制项下的规定，加入液体辅料拌匀（或不加辅料），置适宜的容器内，加热蒸透或至规定的程度时，取出，干燥

酒 炙

酒炙时，一般用黄酒，如用白酒，其用量可按省（市、县）卫生部门的规定。

酒炒：取净药材或切制品加黄酒拌匀，稍闷，置锅内用文火炒至规定的程度时，取出，放凉。除另有规定外，每100千克净药材或切制品，用黄酒10～15千克。

酒制（酒煮或酒蒸）：取净药材或切制品，加黄酒，照上述煮法（或蒸法）制备。除另有规定外，每100千克净药材或切制品，用黄酒20～30千克。

醋　炙

醋炙时，均用食用醋。

醋炒：取净药材或切制品，加醋拌，稍闷，置锅内炒至规定的程度时，取出，放凉。除另有规定外，每100千克净药材或切制品，用醋10～15千克。

醋制（醋煮或醋蒸）：取净药材或切制品，加醋，照上述煮法（或蒸法）制备。除另有规定外，每100千克净药材或切制品，用醋20～30千克，必要时要加水适量搅拌。

盐水炙（盐炒）

盐水炙时，应先将食盐加适量水溶解后，滤过，以盐水拌炒，取净药材或切制品，用盐水拌匀或喷洒均匀，稍闷。置锅内用文火炒至规定的程度时，取出，放凉。除另有规定外，每100千克净药材或切制品，用食盐2千克。

姜汁炙（姜制）

姜汁炙时，应先将生姜搅碎后加水煎煮二次，取汁。取净药材或切制品，加姜汁拌匀，置锅内用文火炒至姜汁吸尽或至规定的程度时，取出，晾干。除另有规定外，每100千克净药材或切制品，用生姜10千克或干姜3千克。

蜜　炙

蜜炙时，应先将炼熟的蜂蜜（习称“炼蜜”）加适量的开水稀释后拌炒。取净药材或切制品，加蜜水拌匀，稍闷，置锅内用文火炒至规定的程度时取出，放凉。除另有规定外，每100千克净药材或切制品，用炼蜜25～30千克。

烫

烫制时，常用的辅料为洁净的砂子、蛤粉或滑石粉。取砂子（或蛤粉、滑石粉）置锅内加热炒烫，加入净药材或切制品，不断翻动，炒至规定的程度时，取出，筛去砂子，放凉。

制 炭

制炭时，应注意存性，并防止灰化。

炒炭：取净药材或切制品，置锅内，用武火炒至表面焦黑色，内部焦黄色，或至规定的程度时，喷淋清水，取出，晾干。

焖炭：取净药材或切制品，置煅锅内，密封，煅透存存，放凉后，取出。

煅

煅制时，应注意煅透，使酥脆易碎。取净药材，砸成小块，置无烟的炉火上或置适宜的容器内，煅至红透，取出，放凉。或煅红透后，立即投入规定的液体辅料中、淬酥，取出，干燥，打碎或碾粉。

下篇

各论

第一章

临床医方篇

第一节 内 科

四时感冒

气候变化，风雨不调，忽寒忽热，时风时雨，最易影响人的健康；所以春天容易伤风，夏天容易感暑，秋天容易受湿，冬天容易着寒；这种与时令有关的疾病，称作四时感冒。

冷伤风，热伤风，时行感冒，冒暑，中暑，暑痧，暑湿，伤湿，冒雨伤寒，夹食伤寒，夹色伤寒。

外感伤风（伤风）

症状 鼻塞严重，时流清涕，头痛，身热，恶寒，咳嗽。

治方 怕冷重，发热轻，舌苔白，口不渴，小便清长者，属冷伤风。用：防风10克，杏仁0克，紫苏7.5克，枳壳7.5克，荆介、桔梗、甘草各5克，生姜二片，水煎服。

治方 发热重，怕冷轻，口渴，苔黄，小便黄者，属热伤风。用：葛根15克，防风7.5克，薄荷5克，桑叶15克，连翘15克，桔梗5克，浙贝15克，葱白二茎，水煎服。

冒暑

症状 身热恶寒，汗出而喘，烦渴，倦怠等。

治方 藿香10克，白术7.5克，川朴7.5克，陈皮5克，腹皮、茯苓、扁豆、葛根各15克，滑石25克，甘草5克，水煎服。

加减法 腹痛呕吐舌白者，加砂仁3.5克，兰夏15克，生姜三片，大渴舌红小便深红者，加姜川连2克，芦根一尺，泽泻15克。

中暑（日射病）

症状 暑日昏倒，不知人事，冷汗自出，或吐，或泻，或喘满口渴等。

治方 黄连2.5克，藿香15克，川朴10克，香薷5克，葛根20克，扁豆20克，水煎，羚羊角1.5克磨水冲药服。

暑痧

症状 头眩，恶心，自汗如雨，或吐泻、腹痛等。

治方 川朴10克，香薷5克，藿香10克，山楂15克，枳壳7.5克，陈皮7.5克，青皮5克，滑石25克，甘草5克，莱菔子15克，西瓜翠衣25克，水煎服。

暑湿

症状 自汗，发热，身重，小便不利，不思饮食，或大便溏薄，苔厚微渴等，起于雨淋或冷水浴者。

治方 藿香10克，茯苓15克，泽泻15克，白术7.5克，猪苓10克，川朴4克，桂枝3.5克，水煎服。

症状 四肢困倦，精刈短少，两足痿转，懒言懒动，昏昏嗜卧，头痛而重，心胸，骨节无力，气促，脉虚者。

治方 党参5克，炙蓍7.5克，麦冬3.5克，当归5克，五味九粒，苍术7.5克，白术5克，陈皮2.5克，炙草2.5克，当归5克，泽泻10克，黄柏1.5克，葛根10克，生姜二片，大枣二枚，水煎服。

伤 湿

症状 身体倦重，腰脚酸疼，大便溏泄小便或涩或痢，或胸满不食等。

治方 川朴、苍术、茯苓、半夏各10克，槟榔、藿香、陈皮各3克，白芷3.5克，木瓜7.5克，甘草3. 5克，生姜二片，水煎服。

冒雨伤寒

症状 发热，头痛，咳嗽，身体痛等。

治方 羌活、防风、苍术、藁本各7. 5克，茯苓10克，泽泻10克，陈皮5克，川芎5克，生姜二片，炙草3.5克，水煎服。

夹食伤寒

症状 发热，胸膈痞闷，呕逆，气粗，或头痛、腹痛等。

治方 紫苏、干葛、半夏、白芍各7. 5克，桔梗、川芎、枳壳各5克，陈皮3.5克，川朴4克，白芷4克，茯苓10克，甘草2.5克，水煎服。

夹色伤寒

症状 发热，头痛，胸膈痞满，面赤，足胫逆冷等。

治方 面赤戴阳，脉来眩数者用。

葱白三茎，香豉10克，桂枝3.5克，黄蓍克，白芍7.5克，大枣二枚，生姜二片，炙草5克，水煎服。

治方 足冷，阴缩，脉来迟弱者用。

麻黄2.5克，桂枝3.5克，附片7.5克，细辛2克，白芍7.5克，黄蓍5克，炙草4克，生姜二片，水煎服。

咳　嗽

飞是气管、支气管、肺脏和咽喉的病，都会有咳嗽，原因复杂，症类繁多，可分为：新咳、久咳、干咳、痰咳、咳血等若干种。但是肺为娇脏，俗语说："久咳，痨。"对此种病症，不可大意，纵令咳嗽不重，也应早加注意，从速治愈。

伤风咳嗽，感冒咳嗽，痰饮咳嗽，阴虚咳嗽，天行咳嗽，五更咳，干咳，寒咳嗽，热咳嗽，久嗽，咳嗽失音，咳嗽胁痛，咳嗽呕痰，咳嗽血。

伤风咳嗽（急性支气管炎）

症状 鼻塞流涕，喉头作痒，咽喉间有一种热灼感。初起咳黏液状白痰，或带泡沫，慢慢转为稠厚浓痰。

治方 苏叶5克，薄荷5克，前胡10克，桔梗7.5克，杏仁10克，浙贝10克，法夏10克，水煎服。

感冒咳嗽（流行性感冒咳嗽）

症状 怕冷发热，肩背手足酸痛，流涕，或喉痛，干咳，有时或咳浓痰。

治方 麻黄3.5克，光杏仁15克，浙贝母15克，炙草5克，水煎服。

痰饮咳嗽（慢性支气管炎）

症状 久咳不愈，时好时坏，冬天加重，微有气喘，特别多痰，早起咳呕白痰白沫，平常怕冷。

治方 嫩前胡10克，杏仁15克，桔梗10克，浙贝母15克，陈皮5克，法半夏15克，茯苓15克，炒白术10克，煨姜二片，水煎服。

加减法：寒甚，加桂枝3克。气喘，加炙苏子10克。

阴虚咳嗽

症状 午后潮热，失眠，瘦弱，颧红，盗汗，手足心热，咳嗽历久不愈，或咳唾涎沫，或干咳无痰，或痰中带血，或咳唾脓血。

治方 痰咳发热者用。

银柴胡10克，炙鳖甲1.5克，地骨皮10克，川贝10克，秦艽7.5克，炙紫菀10克，宋半夏15克，玉桔梗7.5克，橘红7.5克，水煎服。

治方 干咳不爽者用。

银柴胡10克，地骨皮10克，川贝10克，疑冬10克，枇杷叶三叶，北沙参10克，百合10克，紫菀7.5克，桑白皮15克，玉桔梗7.5克，水煎服。

治方 咳血痰红者用。

仙鹤草15克，大生地15克，川贝10克，百合15克，阿胶珠10克，侧柏炭15克，桔梗7.5克，炙草7.5克，水煎。

天行咳嗽

症状 时令不正，人多感冒，痰盛，有寒热，咳嗽，或鼻塞声重。

治方 紫苏5克，法半夏10克，光杏仁15克，乌梅一小个，炙草5克，罂粟壳5克，生姜三片，水煎服。

治方 麻黄2.5克，光杏仁15克，糖橘饼一个，水煎服。

五更咳

症状 每日在五更天将明时咳，由伤风起者。

治方 防风7.5克，姜半夏15克，陈皮7.5克，茯苓15克，炙甘草5克，水煎服。

干咳

症状 咳嗽无痰。

治方 冬桑叶15克，枇杷叶15克，洋参5克，阿胶5克，黑芝麻4克，甜杏仁7.5克，甘草4克，石膏15克，开麦冬7.5克，水煎服（因秋燥者宜）。

治方 生地汁200克，白蜜100克，熬沸滤过加参粉20克、茯苓粉40克，密封炖熬成膏，每次服一汤匙，滚水冲服（伤酒积热者宜）。

治方 八味地黄丸，每日服15克（色伤虚火者宜）

治方 大潮洲柑，用炭火煨热，去皮热食。

寒咳嗽

症状 感寒作咳日久，无寒热者。

治方 核桃肉连衣捣烂，加冰糖少许，开水适量，蒸服。

症状 鼻塞，声重，憎寒发热，烦躁不渴，胸紧者。

治方 紫苏5克，葛根15克，杏仁15克，桔梗7.5克，半夏10克，陈皮5克，茯苓15克，炙草5克，水煎服。

热咳嗽

症状 咽喉干痛，烦渴欲饮，鼻出热气，声音不清，咳唾稠黏，痰嗽难出，色黄且浓，或微红腥臭，或坚如蚬肉。

治方 金拂草、枇杷叶、杏仁、桑白皮、茯苓各10克，前胡7.5克，薄荷3.5克，五味子五粒，川贝7.5克，桔梗5克，炙草3.5克，大枣一枚，水煎服。

治方 甜杏仁50克，捣烂，加冰糖15克，煮作饮服。

治方 真子饼，煎水服。

久　嗽

症状 久嗽不止。

治方 海蛤粉50克，胆南星10克，杏仁30克，诃子10克，皂荚10克，青黛10克，研末，姜汁和为小丸，每服一二十粒。

咳嗽失音

症状 咳嗽音哑，误服寒凉药者。

治方 姜朴、薄荷、荆芥各3.5克，防风5克，炙草4克，茯苓10克，藿香2.5克，陈皮2.5克，桔梗7.5克，水煎服。

症状 肺火忧痰，咳而声哑者。

治方 桔梗5克，炙草3.5克，川贝母7.5克，玉竹7.5克，炙桑皮10克，炙杷叶10克，枳壳3.5克，水煎服。

症状 素有咳嗽，复感寒邪，因而声哑者。

治方 金拂草、前胡、半夏各5克，荆芥3.5克，炙甘草1.5克，石膏10克，水煎服。

咳嗽胁痛

症状 气郁，干咳胁痛，有寒热。

治方 柴胡、炒白术、丹皮各7.5克，酒芍、当归、茯苓各10克，炙草5克，木香2.5克，小青皮3.5克，薄荷2.5克，水煎服。

咳嗽血

症状 先有痰嗽，后见血，风感未清者。

治方 炒荆芥3.5克，前胡5克，化橘红4克，川贝7.5克，开麦冬5克，蛤壳10克，瓜姜霜10克，阿胶珠5克，桑皮10克，水煎服。

附注： 与上节阴虚咳嗽参阅。

头痛

风寒头痛，风火头痛，风毒头痛，胃火头痛，肝肠头痛；头痛一症，极为常见，如钻如刺，如破如割，苦楚难当；但原因甚多，不可不分，单用止痛，难于治愈。有几种顽固性头痛，非从原因治疗，就绝不易断根的。但轻微症状，有时用便方也可治愈。

湿热头痛，伤食头痛，痰湿头痛，头风久痛，气虚头痛，血虚头痛，痰厥头痛，偏头痛，肾虚头痛。

风寒头痛

症状 头部刺痛，或抽搐作痛，形寒恶风。

治方 淡豆豉15克，葱白二茎，生姜二片，水煎服。

治方 防风7.5克，白芷5克，紫苏7.5克，生姜三片，水煎服。

风火头痛

症状 头额与眉棱骨俱痛者。

治方 羌活5克，酒芩5克，防风4克，甘草4克，香豉10克，葱白一茎，生姜一片，水煎服。

加减法：痛连鱼尾，加黄蓍10克，当归5克。目赤，加菊花3.5克，细辛1克。痛不止，加川芎7.5克。近火痛剧，加石膏15克。

风毒头痛

症状 头目昏痛，目眩，鼻塞多嚏。

治方 羌活、防风、藿香、僵蚕各5克，荆芥、蝉衣、甘草各3.5克，茯苓10克，川芎7.5克，水煎服。

胃火头痛

症状 动作则痛，烦渴欲饮，面赤便秘。

治方 防风、薄荷、羌活、炙草各5克，荆芥、酒芩、栀子各7.5克，川芎10克，细辛1.5克，酒川连1.5克，白芷3.5克，石膏15克，水煎服。

加减法：热甚脉实，加酒军10克。

肝肠头痛

症状 头昏眩而痛，耳目不清，甚则心烦恶。

治方 菊花7. 5克，桑叶、钩藤尖、白蒺藜各10克，石决明25克，代赭石、珍珠母、瓦楞子、珍珠母各15克，水煎服。

湿热头痛

症状 头痛，肢节重痛，或四肢面目微浮，喜酒者。

治方 羌活、陈皮、防风、苍术、白术各5克，酒芩7.5克，法夏10克，茯苓15克，炙草4克，水煎服。

治方 柴胡7.5克，川芎7.5克，炒黄芩10克，防风10克，炒川连1.5克，炙甘草10克，羌活7.5克，水煎服。

伤食头痛

症状 发热头痛，胸膈痞塞，咽酸嗳臭，畏食。

治方 党参10克，炒白术7.5克，春砂仁3.5克，炙草3.5克，干姜2.5克，水煎服。

痰湿头痛

症状 头痛，呕吐痰多，发作无时。

治方 姜半夏10克，陈皮7.5克，胆南星3.5克，炒枳实5克，白茯苓10克，炙草5克，川芎7.5克，北细辛1.5克，水煎有。

头风久痛

症状 头痛作止不常，有触即发。

治方 柴胡7.5克，川芎5克，炒川连、羌活各7.5克，北细辛1.5克，防风、炒黄芩、炙甘草各10克，水煎服。

痰厥头痛

症状 眼重头旋，恶心烦乱，口吐清水，出气短促，心神不安，语言颠倒，目不敢开，如风露中，头疼如裂，身重如山，胸满呕逆，四肢厥冷。

治方 制半夏、党参、苍术、泽泻、麦牙各7.5克，白茯苓、炙草、姜黄芪、白术各5克，天麻2.5克，橘皮3.5克，茯苓10克，蔓荆子10克，水煎服。

偏头痛

症状 偏头风，痛连鱼尾，常如牵引，发则目不可工、眩晕不能抬柴。

治方 柴胡、茯苓、蔓荆子、法夏各10克，炙草5克，紫苏5克，黄芩7.5克，川芎7. 5克，薄荷3.5克，细辛1.5克、水煎服。

肾虚头痛

症状 头痛耳鸣、腰酸遗滑，肢清脉弱。

治方 制净硫黄、食盐各等分，水调生糊为丸，如梧桐子大，薄荷汤下五丸。

胃 病

胃病的症状，大致是饱满胀痛、食欲不振、呃逆、呕吐等等。其病可分为机能性胃病和实质性胃病二类。实质性胃病，是胃的本脏发生癌肿溃疡等病；其胃本脏并无损伤的，如消化不良、食欲不振等，属于机能性胃病。凡胃病是最缠绵、最不容易根治的，因为胃病的原因及诱因很多，就是治愈后，也要调养得宜，方不致复妇，是故新发的胃病较易治好，久远的胃病较难痊愈。

胃痛，胃气痛，胃胀，心嘈，心脘痛，胃呃，胃虚食少。

胃 痛

症状 胃部作痛，或胀或闷，或呕吐吞酸，或不食，或便难，或得食则瘥，或得食则反剧。

治方 制香附 10 克，苍术 7. 5 克，陈皮 5 克，青皮 5 克，炒枳实 7.5 克，麦牙 15 克，槟榔 5 克，白蔻壳 3.5 克，水煎服。

胃 气 痛

症状 中脘聚痛，胸闷。

治方 白蔻仁 5 克，丁香 4 克，研末，分三次开水调服。

治方 老苏梗10克，小青皮5克，干佛手5克，沉香1.5克，旋覆花10克，代赭石15克，淡吴萸2.5克，水煎服。

症状 外感凉风，内伤生冷，胃脘卒然作痛。

治方 法半夏10克，陈皮10克，草寇仁、川朴、淡吴萸各3.5克，干姜2.5克，水煎服。

症状 因脾胃不和胃痛，消化不良者。

治方 炒查肉、姜半夏、茯苓、炒白术各10克，炒橘红5克，炒玫牙7.5克，莱菔子7.5克，水煎服。

胃 胀

症状 胃胀腹满，脘痛，鼻间焦臭，不能食，大便难。

治方 广木香2.5克，白寇仁2.5克，藿香7.5克，缩砂仁5.5克，炙甘草7.5克，研末，分三四次，加盐少许，水调服。

心脘痛

症状 因冷积痰气心痛者。

治方 法半夏、炒白术、茯苓各10克，白寇仁2.5克，丁香1.5克，木香、干姜、炙草各3.5克，水煎服。

症状 心脘饱闷作痛，噫气有坏蛋味，因食积者。

治方 青皮3.5克，炒山查10克，炒玫芽10克，煨草果3.5克，水煎服。

症状 心脘气壅，攻刺胀痛，属气服者。

治方 沉香5克，炙草10克，缩砂仁7.5克，香附10克，研末，每服5克。

胃 呃

症状 呃逆频频，属胃寒者。

治方 丁香5克，柿蒂7.5克，生姜三片，竹茹15克，橘红10克，台党5克，水煎服。

症状 呃逆属胃虚者。

治方 橘红10克，竹菇20克，台党5克，甘草3.5克，法夏10克，赤苓7.5克，麦冬5克，杷叶一片，生姜三片，大枣二枚，水煎服。

胃虚食少

症状 饮食不思，别无他病，大便软，面色青白。

治方 台党、炒白术、茯苓各10克，炙草3.5克，陈皮7.5克，春砂仁3.5克，水煎服。

呕 吐

呕吐，乃胃病之一种症状，其原因甚多，通常从原因治疗，其痊愈希望较高；否则暂止呕以便饮食，也是一种不得已的办法。除中毒性呕吐，不能用止呕治疗外，其他各种呕吐，都可暂时止呕的，普通呕吐，大概可分做三种目标用药：一是非呕（慢性型），用生姜半夏为主；二是热呕（急性型），用黄连大黄为主；另一种是顽固性呕吐，则用重镇药如伏龙肝、赤石脂之类。吐血须另加止血药，吐虫须另加杀虫药。

寒呕吐，热呕吐，干呕，吐涎沫，吞酸，吐酸，呕吐苦水，呕吐清水，恶心，走哺，食积呕吐，吐粪，吐虫，吐血。

寒呕吐

症状 喜热恶寒，四肢不温，或觉咽酸，吐出之物或酸或冷。

治方 姜半夏 15 克，生姜三片、炒白术 10 克，老苏梗 10 克，砂仁 3.5 克，水煎服。

治方 法半夏 15 克，陈皮 7. 5 克、丁香十粒，茯苓 10 克，水煎服。

治方 党参、炒白术、炒枳实各7.5克，干姜3克，水煎服。

治方 附子理中丸，或丁蔻理中丸，每服一丸。

热呕吐

症状 呕吐，喜冷恶热，烦躁口渴，脉大而快。

治方 葛根、茯苓、法半夏各 10 克，竹菇 15 克、川连 1.5 克，陈皮 3.5 克，炒山栀 5 克，杷叶 7.5 克，生姜二片，鲜芦根一尺，水煎服。

治方 葛根 10 克，虾石膏 10 克，大黄、枳实、竹菇、杷叶、木瓜各 7.5 克，陈皮 5 克，开麦冬 5 克，芦根一尺，通草 4 克，水煎服。

干　呕

症状 干呕无物，或间出涎沫。忽然发作，或酒发作。

治方 甘蔗汁，温服数次。

治方 橘红 10 克，煎汤，加入生姜汁、白蜜各少许，慢慢呷服。

加减法： 胃寒多涎；加炮姜 2.5 克煎。

症状 胃热干呕，口渴心烦者。

治方 栀子15克，竹茹7.5克，水煎，加生姜汁少许服。

吐涎沫

症状 时时呕吐涎沫。

治方 法半夏、干姜各5克，水煎服。

治方 淡吴萸3.5克，炒白术7.5克，茯苓10克，煨益智5克，生姜三片，水煎服。

吞酸

症状 胃中泛起酸味，上刺咽脘。

治方 淡吴萸2.5克，小川连5克，茯苓10克，苍术3.5克，水煎服。

治方 北沙参2.5克，酒炒元胡1.5克，川芎1克，生姜3.5克，川楝子1.5克，盐水炒橘红1.5克，栀子皮2.5克，麦冬3.5克，桔梗1克，知母1.5克，粉甘草1克，水煎服。

附注： 本方属胃热者宜之。有痰，可加竹茹2.5克，半夏3.5克。

吐酸

症状 口中不时吐出酸水。

治方 柴胡、当归、酒炒白芍、茯苓、炒白术各5克，炙草3.5克，炒川连2克，薄荷1克，煨姜二片，淡吴萸3.5克，水煎服。

症状 吐酸兼有宿食味，胃有食滞者。

治方 制苍术5克，姜汁炒川朴3.5克，白豆寇2.5克，广陈皮5克，炙甘草5克，藿香3.5克，春砂仁3克，水煎服。

呕吐苦水

症状 呕出苦水。

治方 柴胡5克，法半夏10克，炒黄芩5克，茯苓7.5克，泽泻7.5克，淡吴萸2.5克，炒川连1克，生姜三片，水煎服。

呕吐清水

症状 呕出苦水。

治方 焦白术7. 5克，党参5克，赤苓10克，炒枳壳5克，广陈皮5克，生姜三片，水煎服。

症状 渴欲饮水，水入则吐者。

治方 白茯苓、猪苓、炒白术各10克，川桂枝2.5克，泽泻15克，水煎服，研末，每服10克更佳。

恶 心

心中怏怏，欲吐不吐。

治方 法半夏、广陈皮、赤茯苓、生姜各10克，春砂仁2.5克，炒枳壳3.5克，水煎服。

走 哺

症状 食入即呕，二便不通。

治方 炒枳壳7.5克，白术7. 5克，炒香附15克，花槟榔3克，水煎服或研细末，每服5克，米汤空腹调下。

食积呕吐

症状 食滞不化，胃胀呕吐。

治方 炒白术7.5克，茯苓、陈皮、姜制厚朴、炒山楂、炒莱菔子、法夏各5克，炒麦芽4克，春砂仁3.5克，水煎服。

吐 粪

症状 粪从呕中吐出，腹不痛者。

治方 熟地10克，山萸5克，五味子2.5克，金樱子7.5克，芡实10克，茯苓10克，巴戟天5克，肉桂1.5克，牛膝7.5克，水煎服。

附注：大便不能，或肠痛者，属肠阻塞，宜速请医生。

吐 虫

症状 虫从口中吐出，虫色淡白者。

治方 党参10克，炒白术10克，干姜2.5克，炙甘草3.5克，乌梅一只，炒川连1.5克，川椒2克，水煎服。

症状 吐出虫色赤而多，尚能活动者。

治方 乌梅肉15克，黄连5克，蜀椒5克，藿香5克，槟榔5克，胡粉2克，研为散，每服10克，空腹时，清水煎如糊服。

吐 血

症状 血从胃中吐出，色多带深紫，而不鲜红，并兼有食物渣滓，大便亦带淤血而易出，为吐血，属胃出血；与咳嗽见血之肺出血症不同。吐血数口即止，不久又发，经年累月而不愈者。

治方 炒黑大豆一合，酒炒熟干地黄40克，酒制当归40克，肉桂40克，炮姜40克，炙草40克，酒白芍40克，蒲黄炭40克，研为散，每服5～10克，水半杯煎，或加酒少许或加童便少许调下。

症状 吐血颇多，急不得医时。

治方 大当归头一只，嚼烂带血吞下。

治方 百草霜10克，糯米汤调下。

治方 生藕节，捣汁，和滚水温服。

附注： 吐血呕血症急而可怕，有因伤酒，因暴怒，因房劳，因劳伤等，原因甚多，求医为妥。

附注： 呕吐之症，症状甚多，病原繁杂，上述者不过举其通常轻可者，重病还是请医生诊明属寒属热，属虚属实，或火或痰，或气或滞，方可用药。

腹　痛

腹痛多数是属于胃肠病。突然暴发的，多属急性炎症；慢慢发作，时痛时止的，多属慢性炎症。其他也有因于肝病、胆病、腹膜、膀胱、子宫病等的。普通轻微腹痛，可照下列各症选用便方，严重的还是请医生诊治的好！

感寒腹痛，伤食腹痛，温热腹痛，伤湿腹痛，伤暑腹痛，气虚腹痛，血虚腹痛，气滞腹痛，酒积腹痛，痰积腹痛，虫扰腹痛，蕴热腹痛，阴寒腹痛。

感寒腹痛

症状 痛时绵绵无增减，得寒益甚，得热或以手按搓之则稍缓。

治方 淡吴萸5克，干姜3.5克，川朴5克，蔻仁3.5克，炒白芍15克，陈皮7.5克，木香5克，水煎服。

治方 党参7.5克，炒白术10克，茯苓15克，木香5克，肉桂1克，春砂仁3.5克，炙草5克，水煎服。

伤食腹痛

症状 腹中胀痛，大便不通，或大便不化，饮食不思。

治方 苍术7.5克，川朴7.5克，陈皮5克，山楂肉15克，麦芽15克，砂仁3.5克，炙甘草5克，莱菔子15克，水煎服。

症状 腹痛，面黄，吞酸，嗳臭，兼有食积者。

治方 炒山楂10克，存仁10克，茯苓15克，法夏10克，广陈皮3克，莱菔子15克，连翘15克，鸡内金7.5克，水煎服。

症状 小儿饮食无度，过饱即睡，致肚硬，热渴，吐泻者。

治方 木香3.5克，炒白术7.5克，茯苓15克，花槟榔5克，山楂10克，鸡内金7.5克，麦芽15克，水煎服。

湿热腹痛

症状 腹痛按之更甚，小便短赤，苔厚，口渴，发热。

治方 煨葛根15克，炒黄芩5克，滑石15克，车前子15克，柴胡5克，木通5克，生熟薏仁15克，水煎服。

伤湿腹痛

症状 腹痛，小便不利，大便溏泄。

治方 苍术5克，炒白术7.5克，黄柏3.5克，陈皮3.5

克，茯苓10克，泽泻片10克，猪苓7.5克，桂枝2.5克，甘草3.5克，水煎服。

伤暑腹痛

症状 腹胀食减，腹中微痛，泄痢。

治方 香薷5克，厚朴3.5克，扁豆15克，白茯苓15克，炙草2.5克，陈皮5克，白术10克，水煎服。

气虚腹痛

症状 腹痛时觉腹中虚空，似饱非饥，呼吸无力。

治方 党参、法夏、白术各10克，茯苓15克，炙甘草7.5克，木香3.5克，陈皮3.5克，水煎服。

血虚腹痛

症状 腹痛隐隐，如细筋抽扯，针刺牵引。

治方 当归10克，川芎7.5克，白芍15克，干地黄15克，陈皮7.5克，木香5克，水煎服。

气滞腹痛

症状 腹痛引二胁及肩背皆不得俯仰，脉象沉伏。

治方 苍术、制香附、木香、花槟榔、青皮、川厚朴、陈皮、炒枳壳各5克，炙草2.5克，缩砂仁3.5克，水煎服。

酒积腹痛

症状 腹痛连胁，心腹胀满，噫酸宛逆，饮食不下，因平日嗜酒，别无他因者。

治方 建神15克，炒麦芽15克，炒黄连3克，水煎服。

痰积腹痛

症状 腹痛而头眩，或呕冷涎，或下白滞，得食辣物及饮热汤则暂止。

治方 苍术、香附子、陈皮、川芎、枳实各7.5克，法半夏10克，伏苓15克，炙甘草5克，生姜二片，水煎服。

虫扰腹痛

症状 腹痛有时休止，心胸懊恼，不吐不泻，或腹中块起，按之则消，五更心嘈，牙关强硬，恶心，或吐涎沫清水，腹热喜渴，饱食则止，面色时青时白时赤，有蟹爪纹。

治方 木香5克，雷丸、大黄、槟榔各7.5克，乌梅一个，使君子肉15克，陈皮15克，麦芽15克，制研末，每服5～10克。

蕴热腹痛

症状 腹中时觉有热，时痛时止，痛处亦热，手不可近，口干舌燥，小便赤涩，肛门如烧。

治方 赤芍、当归、山栀、酒大黄各7.5克，炙甘草5克，滑石10克，小川连2.5克，水煎服。

阴寒腹痛

症状 腹痛欲大便，或便稀薄色灰黑，脉沉数。

治方 炒白术7.5克，淡吴萸3.5克，川朴5克，法夏10克，高良姜1克，茯苓10克，水煎服。

治方 附桂丁蔻理中丸，依说明服。

泻　泄

泄泻属消化系统病，原因甚多，但治疗颇为简单，除健胃敛饮二大法外，消炎药亦颇重要，再则消导法也常可应用，大概急性病主消炎，慢性病主健肠胃，新病宜消导，久病宜敛收，症重防其霍乱或中毒，宜请医诊治为妥。

寒泄，热泄，风泄，食积泄泻，暑湿泄泻，水泄，不服水土泄，五更泄泻，日久泄泻，老人泄泻，小儿泄泻，清谷泄泻，大便见血。

寒　泄

症状 泄泻，腹中隐隐中痛，小便不减，手足冷。

治方 用桂枝 3.5 克，炒白芍 15 克，川朴、木香、广陈皮各 5 克，煨姜三片，水煎服。

症状 腹胀泄泻，食即呕吐，或泄泻清水，腹中攻刺作痛，雷鸣，米饮不化。

治方 附子 7.5 克，炒白术 10 克，当参 10 克，干姜 2.5 克，炙草 5 克，广木香 3.5 克，水煎服。

排　泄

症状 便色黄赤，腹响作疼，肛门热痛，口烦渴，小便不利，或身热。

治方 广木香 3.5 克，小川连 2 克，炒白术 10 克，茯苓 15 克，猪苓 15 克，泽泻 15 克，滑石 20 克，炒黄芩 7.5 克，水煎服。

风　泄

症状　恶风自汗，泄泻注下，水谷不化，腹胁虚满，肠鸣疔痛，或下血，或如豆汁。

治方　炒白术7.5克，茯苓10克，当归7.5克，炒白芍10克，肉桂1克，当参10克，水煎服。

加减法：若发热，加柴胡7.5克，若虚寒，加附子5克，或炮姜3克。

食积泄泻

症状　泻前腹必痛，腹部按之坚硬。

治方　苍术7.5克，姜厚朴5克，陈皮5克，炙草3.5克，麦芽15克，水煎服。

脾虚泄泻

症状　腹胀满，泄泻，食则沤吐。

治方　党参10克，炒白术10克，炮姜4克，白豆寇3.5克，陈皮5克，炙甘草3.5克，丁香2克，缩砂仁3.5克，水煎服。

治方　白术10克，云茯苓10克，砂仁、川厚朴、陈皮各5克，益智仁7.5克，水煎服。

不服水土泄

症状　远适他乡，忽而时作泄泻。

治方　川朴、紫苏、陈皮各5克，半夏7.5克，腹皮、炒白术、茯苓、藿香梗各10克，煨生姜二片，水煎服。

症状 肠中雷鸣，一泄如注。

治方 车前子 25 克，厚朴 7.5 克，泽泻 15 克，水煎服。

五更泄泻

症状 五更天将明时，必洞泄二三次。

治方 补骨脂 10 克，五味子 5 克，淮山 15 克，茯苓 15 克，山茱萸 10 克，上肉桂 2 克，茴香 2.5 克，粟子十粒，水煎服。

治方 附桂八味丸，每日早晚各一次，每次服 10～15 克。

治方 四神丸 10 克，临睡时用五味子 3.5 克煎汤送下，或痰盐汤下。

附注 四神丸方，用大枣五十枚、生姜 200 克同煮烂，捣枣肉，同酒浸补骨脂 100 克、煨肉豆寇 50 克，炒五味子 50 克，盐炒吴萸 25 克，各药末和为丸。

日久泄泻

症状 泄泻日久不止。

治方 炒白术 40 克，车前子 20 克，水煎服。

治方 大芡实、淮山药各 100 克，入猪肚内蒸食。

治方 炙黄蓍 10 克，党政 7.5 克，升麻 2.5 克，当归身 10 克，土炒白术 7.5 克，炙草 5 克，陈皮 5 克，柴胡 [illegible] 克，诃子肉 7.5 克，肉桂 2.5 克，五味 2.5 克，乌梅一个，为丸服，每服 10 克，日二次。

老人泄泻

症状 老人脾胃虚弱，腹膨作泻。

治方 党参 25 克，炒白术 25 克，茯苓 20 克，炙草 5 克，橘红、山楂肉、芡实、扁豆、淮山各15克，白豆蔻3克，黄连3克，泽泻10克，为丸，每用10～15克。

治方　附桂理中丸，照说明服。

治方　炙并蓍10克，党参7.5克，炒白术10克，升麻2克，当归身10克，陈皮5克，炙甘草4克，柴胡3.5克，羌活5克，水煎服。

暑热泄泻

症状　腹痛，水泻如注，烦渴，尿赤，自汗面垢、或兼呕吐。

治方　桂枝3.5克，葛根、赤苓、白术、泽泻各10克，猪苓7.5克，滑石15克，石膏15克，黄连1.5克，水煎服。

清谷泄泻

症状　泄泻，水谷不化，手脚指冷。

治方　附片7.5克、干姜3.5克，炙甘草3.5克，炒白术7.5克，茯苓10克，水煎服。

加减法：发热，加桂枝3.5克；久泄，加肉桂1克

症状　大便下血，余无他症者

治方　防风、槐花米、黑栀、白术、地榆炭各5克，全当归7.5克，川连炭1.5克，大生地10克，水煎服。

附注：可参阅下节便血症。

便　血

便血一症，以肠病为多，胃病较少，且有属于肛门破裂及痔

疮的，必须分别认清！在用中药方面，也须有辨寒热虚实，才能收效，方不致误。

便血，近血，远血，中寒便血，肠风便血，脏毒便血，酒积便血，湿热便血，湿毒便血，热毒便血。

便 血

症状 血从肛门而下，初起者宜：

治方 当归100克，厚朴4克，枳实4克，大黄4克，明粉3.5克，水煎服。

症状 忽然喷泻鲜血者。

治方 小苏汁半杯，温服。

症状 泻血色鲜紫，大便燥结者。

治方 豆腐花，加真麻油，空腹食之。

症状 便血色稀淡者。

治方 土炒白术，研末，米糊为丸，米汤送下5克。

近 血

症状 先便血，后便粪。

治方 赤小豆芽250克，当归50克，杵为散，每服5～10克。用直醋少许和沸水调下，日服二次。

远 血

症状 先便粪，便便血。

治方 灶心土40克，炙草10克、干地黄15克，白术7.5克、炮姜炭4克，阿胶10克，黄芩炭7.5克，阿胶另溶，水煎药冲后服。

中寒便血

症状 日常便泄，下血稀淡或灰红色者。

治方 党参7.5克，土炒白术10克，炮姜炭7.5克，炙草10克，酒川连2.5克，水煎服。

肠风便血

症状 时多粪前便血，血清而鲜，四射如溅。

治方 当归、川芎、阿胶珠、白芍各10克，大生地15克，黑栀7.5克，地榆炭7.5克，水煎服。

治方 地榆25克，卷柏25克，入砂罐内，用水煮十余沸，温服。

脏毒便血

症状 便血多在粪后，血色浊而黯。

治方 炒黑豆15克，酒炒地黄、酒制当归、酒浸白芍、炙草各5克，炮姜炭、肉桂去皮、炙甘草、蒲黄炭各2.5克，研末，每用10克，用下药煎汤调服，乌药7.5克，制香附15克，水煎。

症状 脏毒便血，便闭脉实者。

治方 黄连100克，槐花米25克，枳壳10克，防风5克，粉草5克，槐角子5克，木香5克，猪牙皂角5克，研为末，用陈热仓米一合，同香附5克为末，放入猪大肠内（一尺长洗净）缚定口，置砂锅内加水，炭火煮烂如泥为度，和药捣如泥，再入黄连等末，同捣为小丸，每服六七十丸，空腹时米饮汤下，忌食生冷、蒜、煎炙等物。

症状 嗜酒过度，酒积便血，大便后下血不止。

治方 白酒药二粒，慢火上焙黄，为细末，每服10克，开水调下。

治方 炒川连、炒黄柏、姜炙川朴各10克，炒当归、炮姜炭、木香、地榆各7.5克，炒阿胶15克，研末，为蜜丸如梧桐子大，每服二十丸，粥汤送下。

湿热便血

症状 时时腹痛，大便时泄时闭，下血鲜红。

治方 熟地15克，酒归身、益智仁、炙草、升麻各1.5克，柴胡2.5克，苏木0.5克，藁本1克，水煎，午饭前服。

湿毒便血

症状 下血色黯不鲜，浊而紫色，或如豆汁，腹中不痛。

治方 用近血症治方，黄连7.5克，当归7.5克，炒阿胶15克，炮姜5克，黄柏炭5克，石榴皮7.5克，炙草5克，水煎服。

热毒便血

症状 过贪食辛热，腹痛，便血色鲜。

治方 赤芍25克，黄连15克，当归25克，大黄5克，炙草10克，木香5克，水煮服。

治方 当归10克，大生地10克，川芎5克，赤芍7.5克，槐花5克，茜根炭5克，酒黄连2.5克，黑山桅5克，水煎服。

治方 干烧灰，米汤服10克。

疟疾

凡寒热分明，起止有定时，称为疟疾。有种寒热难分，起止无定，或一日间，形寒形热，发作二三回的为如疟，及外感未清的，皆不可早服截疟药。

新疟，久疟，风疟，痰疟，食疟，温疟，如疟，夜疟，虚疟，寒疟，间日疟，三日疟。

新疟

症状 寒热交作，起止下时，先寒战而后发热。

治方 柴胡、黄芩、苍术各7.5克，川朴、陈皮、槟榔、青皮各5克，法夏10克，茯苓10克，炙草3.5克，生姜三片，水煎服。

症状 先发热而后发冷者。

治方 柴胡7.5克，川桂枝3.5克，炒白芍10克，钦草5克，炒黄芩7.5克，法半夏10克，煨生姜二片，大枣二枚，水煎服。

久疟

症状 疟日久，时发不愈。

治方 当归15克，法半夏15克，常山7.5克，花槟榔7.5克，红枣200克，好酒少许加水久煮烂，将汤连枣食。

治方 柴胡7.5克，党参、炙芪、归身、法夏、炒白术各10克，陈皮5克，炙草5克，水煎服。

风疟

症状 烦躁头痛，恶寒自汗，先热后寒。

治方 柴胡 7.5 克，法半夏 10 克，紫苏 4 克，川芎 7.5 克，羌活 4 克，香白芷 3.5 克，细辛 1.5 克，槟榔 5 克，生姜二片，水煎服。

痰疟

症状 痰多作疟，热多痰浓者。

治方 酒炒常山 7.5 克，萋霜 7.5 克，知母、贝母、槟榔、煨草果各 5 克，乌梅一个，茯苓 10 克，水煎服。

症状 痰多作疟，寒多痰稀者。

治方 柴胡 7.5 克，炒黄芩、酒炒常山、陈皮、煨草果、花槟榔、川朴各 5 克，青皮 4 克，炙草 4 克，水煎服。

食疟

症状 食则满，腹大善呕，寒热迭作。

治方 制苍术、川朴、煨草果、炒枳实各 5 克，法夏 7.5 克，茶苓 10 克，陈皮 4 克，炙草 4 克，水煎服。

温疟（瘅疟）

症状 但发热而不发寒，心烦，欲呕。

治方 淡竹叶、滑石、杏仁各 10 克，肥知肥 5 克，天花粉 7.5 克，开麦冬 5 克，川贝、橘红、生甘草各 4 克，水煎服。

加减法： 头痛，加淡豆豉 10 克；热甚汗多，加石膏 15 克；舌苔白，加法半夏 7.5 克。

如疟

症状 寒热尚未分明，时间亦未大定，发热恶寒如疟。

治方桂枝 3.5 克，麻黄 2.5 克，炒白芍 10 克，杏仁 10 克，炙草 3.5 克，生姜二片，水煎服。

治方 柴胡、枳实、法夏、白芍各 7.5 克，炒黄苓 5 克，生姜二片，水煎服。

夜疟

症状 疟常发于夜间。

治方 桂枝 3.5 克，炒白芍 10 克，当归 10 克，炙草 5 克，柴胡 7.5 克，生首乌 10 克，煨姜二片，大枣二枚，水煎服。

虚疟

症状 久疟成虚，或虚人患疟，寒热甚微，或发于昼，或作于夜，饮食不思，气虚多汗。

治方 炙黄芪 7.5 克，炒白术 7.5 克，炙鳖甲 50 克，党参、当归、白茯苓、炒白芍各 10 克，炙草 5 克，川芎 5 克，老熟地 15 克，肉桂 15 克，水煎服。

寒疟

症状 疟来寒多微有热，或但寒无热，腰背头颈疼痛。

治方 柴胡 7.5 克，桂枝 3.5 克，川朴 4 克，法半夏 7.5 克，炒黄苓 5 克，干姜 2.5 克，炙草 5 克，虾牡蛎 15 克，花粉 5 克，水煎服。

间日疟

症状 疟疾间一日而发，常先寒后热，或寒多热少。

治方 桂枝5克，炒黄芩10克，石膏15克，知母10克，水煎服。

三日疟

症状 疟疾三日一发者。

治方 生术7.5克，槟榔5克，酒炒常山5克，当归7.5克，茯苓10克，炙草5克，姜制半夏10克，水煎服。

痢疾

痢疾是许多肠胃病之中的一种，属于传染病类，大致可分两种：1.热痢（细菌痢）；2.寒痢（阿米巴痢）。其他尚有许多名称，不过患痢疾时的并发症而已（如噤门痢等），或是以症象为名，如户痢、五色痢等，但中医药的治疗法，却是主要分别寒热，其他再随症加减。但要注意：痢疾和泄泻治法不同，更要注意：痢疾初起，切不可服止墙剂。

新痢，久痢，寒痢，热痢，虚痢，暑痢，湿热痢，白痢，血痢，赤日痢，休息痢，劳痢。

新痢

症状 大便下黏液状粪、里急后重，滞而不畅，或腹痛，或有寒热。

治方 葛根15克，枳壳7.5克，槟榔5克，楂炭10克，陈皮5克，麦芽10克，水煎服。

治方 茶叶，山楂炭，红砂糖，白砂糖各15克，老生姜5克，水煎服。

久痢

症状 痢疾日久，症转虚寒，瓯小者。

治方 赤石脂600克，干姜5克，粳米一撮，水煎服。

治方 木香5克，罂粟壳、炙草、诃子、煨肉果各3.5克，当归5克，水煎服。

寒痢

症状 痢下白如鼻涕，或如鱼脑。

治方 木香5克，焦白术10克，川朴4克，砂仁3.5克，炮姜3.5克，煨肉寇4克，水煎服。

治方 鸦胆子去壳，用桂圆肉五粒，饭前滚水吞下，每日三次。

热痢

症状 下痢背寒齿干，面垢烦冤，燥渴欲饮。

治方 葛根15克，川朴5克，炒黄芩5克，炒川连2克，酒军7.5克，茯苓15克，水煎服。

风痢

症状 痢下清血，腹满肠鸣。

治方 当归、炒白术、炒白芍、白茯苓各7.5克，炒荆芥4克，党参、炒枳壳、防风各5克，水煎服。

症状 痢下色青绿，及有杂色。

治方 苍术、藁本、川芎、羌活各5克，白芷2克，炙草2.5克，细辛2克，葱白二茎，水煎服。

虚 痢

症状 痢下淡红日久，四肢困倦，谷食不化，腹微痛。

治方 升麻2克，香附7.5克，当归10克，炒白芍10克，川芎5克，大生地10克，侧柏叶7.5克，水煎服。

暑 痢

症状 感暑，痢血交下，自汗发热，渴。

治方 炒黄连1.5克，香薷7.5克，厚朴3.5克，炙草2.5克，炒白芍10克，益元散20克（或用滑石），水煎服。

湿热痢

症状 里急后重，登厕则痢下无多，立起则腹痛不止。

治方 藿香、枳壳、川朴各5克，紫苏4克，炒白术7.5克，茯苓10克，腹皮7.5克，木香4克，炒黄连1.5克，水煎服。

白 痢

症状 腹痛后重，不能食，小便清利，痢下色白。

治方 焦白术7.5克，川朴5克，木香3.5克，陈皮3.5克，法半夏7.5克，茯苓10克，炮姜3克，水煎服。

血 痢

症状 痢下挟血或纯血。

治方 马齿苋，捣汁半杯，加蜂蜜少许，煮数滚，空腹食。

治方 炒荆芥3.5克，银花炭7.5克，地榆炭7.5克，炒川连1.5克，炮姜炭2.5克，白头翁5克，赤芍药10克，黄芩炭5克，延胡索5克，水煎服。

赤白痢

症状 痢下赤白相兼，里急后重。

治方 煨木香3.5克，炒川连2克，炒枳实5克，花槟榔3.5克，赤茯苓10克，水煎服。

症状 痢下赤白，腹满胀痛，里急，口渴欲饮，小便赤啬。

治方 赤芍10克，槟榔4克，青皮4克，炒枳实5克，木通4克，银花炭10克，水煎服。

休息痢

症状 下痢时发时止，昼夜无度，脐腹撮痛，诸药不效。

治方 诃子15克，椿根白皮75克，母丁香二十粒，共研细末，醋煮米糊为丸，如梧桐子大，每服三四十丸，陈米汤入醋和少许送下，每日二次。

症状 因饮食不节而造成休息痢者。

治方 木香3.5克，炒川连2克，炒白术5克，枳壳5克，山楂炭7.5克，水煎服。

症状 因补啬太早，积滞未清，成休息痢者。

治方 木香3.5克，炒川连3.5克，枳实5克，茯苓10克，水煎服。

症状 湿热伏滞，成休息痢者。或因调摄失宜者。

治方 升麻1.5克，陈皮2.5克，木香3.5克，炙草3.5

克，柴胡4克，炙芪5克，党参、归身、茯苓、土炒白术、白芍各7.5克，水煎服。

劳 痢

症状 久痢不愈，虚象丛生，或五心烦热。

治方 干山药、石莲肉等分为末，姜茶送服。白多倍山药，红多倍莲肉。

虚 弱

虚弱的原因：

1. 先天不足。

2. 后天失调，营养不足，或大病后，失血后，气血耗损。

3. 慢性消耗病：如肺痨、胃病等，日见衰弱。

4. 七情六欲所伤，或生活放荡，饮食失度，操劳不节，好色等渐成虚损。

气虚，血虚，肾亏，盗汗，遗精，尿后漏精，失眠，眩晕。

气虚（神经衰弱）

症状 食欲不振，容易疲劳，动作气喘，面色苍白，目光呆滞。

治方 党参、炒白术、炙黄蓍、制首乌各10克，淮山药、核桃肉、茯苓各15克，陈皮7.5克，炙草7.5克，五味子3克，砂仁3.5克，水煎服。

血虚（贫血）

症状　面白无色，心跳，头晕，眼花，皮肤枯燥，失眠，口燥等。

治方　炙黄蓍、山萸肉、丹皮、柏子仁各10克，炒白芍、当归身、枸杞子、制首乌各15克，熟地20克，开麦冬1克，远志7.5克，水煎服。

肾亏（神经衰弱及性神经衰弱）

症状　腰酸足软，小便失禁，夜尿，早泄，阳痿，梦遗等。

治方　老熟地20克，云茯苓、淮山、泽泻各15克，山萸肉、丹皮、附子、菟丝子各10克，桂心1.5克，五味子3克，水煎服。

盗　汗

症状　时时睡后出汗，面色白者。

治方　莲子七个，黑枣七个，浮小麦20克，马料豆20克，水煎服。

治方　淮山末15克，临卧酒水调服。

治方　当归5克，麻黄根3.5克，炙蓍、生地、熟地、淮山各10克，炒白术7.5克，炒白芍7.5克，虾牡蛎15克，白扁豆15克，水煎服。

治方　病后暴虚，自汗和盗汗。

治方　虾牡蛎20克，麻黄根3.5克，浮小麦15克，炙蓍5克，水煎服。

遗　精

症状　肾亏遗精。

治方　六味地黄丸，每服10～15克，每日二次，淡盐汤下。

症状　色欲过度，精液时时不觉流滑而出。

治方　熟地、牡蛎、山萸、淮山各15克，丹皮、茯苓、泽泻、龙骨各10克，苁蓉7.5克，菟丝子7.5克，鹿茸5克，水煎服。

治方　都气丸或金锁固精丸，淡盐汤送下10克。

症状　遗精有梦，心肾火重者。

治方　三才封髓丹，淡盐汤送下10克。

附注：梦遗滑泄之症，虽多肾亏之体，但其他原因尚多，治法亦广。上列各方不过举其大概，如病顽痼，便应求医，免成虚劳。病人自己，尤宜清心寡欲，以求速效。

尿后漏精

症状　小便过多，小便后精常漏出，尿管不痛者。

治方　补中益气汤下缩泉丸5克。

症状　小便频数，小便后精常漏出，尿管作痛者。

治方　知柏八味丸，淡盐汤送下10克。

失　眠

症状　夜不安眠，忽寐忽醒或为警惕，或为恐畏。

治方　茯苓　茯神、白术、淮山、枣仁、寒水石各5克，远志3.5克，炙草3.5克，朱砂2.5克，党参2克，水煎服。

治方　生地15克，开麦冬10克，北五味七粒，水煎服。

症状 虚火上逆，心烦不得卧。

治方 净辰砂1.5克，酒川连1.5克，炙草2.5克，生地5克，当归头3.5克，黑山栀3.5克，水煎服。

症状 年老人不寐者。

治方 党参10克，炒白术7.5克，酸枣仁15克，炙耆7.5克，茯苓15克，炙甘草5克，立煎服。

症状 虚劳，心烦不眠者。

治方 酸枣仁15克，知母10克，茯苓10克，川芎5克，甘草3.5克，水煎服。

症状 劳心过甚不寐者。

治方 辰茯神15克，远志7.5克，炒石菖蒲2.5克，党参5克，开麦冬5克，水煎服。

附注：尚有气虚、惊悸、病后、失意、颠狂、痰水等失眠症，宜请医生诊明治疗。

眩 晕

症状 肾虚脑弱，起立则头晕视黑者。

治方 六味地黄丸或杞菊地黄丸。淡盐汤每日服10～15克。

症状 一切因失血过多，如吐血、衄血、便血、伤胎，或金疮跌蹼者。

治方 川芎10克，当归15克，水煎服。

症状 气虚神弱，胃口不佳，时时头眩。

治方 党参10克，炒白术7.5克，陈皮5克，法半夏7.5克，茯苓10克，炙甘草5克，水煎服。

症状 血虚挟痰头眩者。

治方 当归10克，川芎、茯苓、法半夏各7.5克，陈皮5

克。炙草3.5克，水煎服。

附注：尚有风痰，风火、风寒、痰火、中暑、气郁、伤湿、伤风等头眩，不属此类。

第二节 妇 科

妇 女 病

妇女病除月经带下胎前产后四种外，其他疾病都可照男子病一样治疗。妇女又每多讳疾，故此将这几种较普通的病症，列举上数项治方，以便家庭自疗之用。但妇人感情易动，证多缠绵，稍觉疑难，还是求正式医师医治为妥，否则须防日久根深，贻害一生。

月经不调，经前腹痛，经来先期，经来后期，经来先后无定，经水一月再来，经行不止，经来色淡，经来色紫，经来涩少，经来太多，妇女血崩，白带，赤带，妊娠外感，妊娠伤风，妊娠腹痛、妊娠恶阻、妊娠泄泻，妊娠腰背痛，妊娠吐泻，妊娠疟，产后伤风，产后发热，产后腹痛，产后头痛，产后恶露不下，产后恶露不多，产后恶露不止，产后恶露不尽，产后惊悸，产后儿枕痛，乳汁不来，乳核，乳痞，乳膨胀。

月经不调

症状 妇女行经，或早期，或后期，或过多，或过少，或腹痛。

治方 全当归、生地、炒白芍各15克，川芎、香附、炒黄芩、炒白术7.5克，青皮5克，玄胡索5克，水煎服。

经前腹痛

症状 临经先腹痛，经来多而色紫黑成块。

治方 酒当归15克，酒白芍15克，黑山栀7.5克，丹皮10克，酒香附、醋炒郁金、酒炒黄芩、柴胡、生甘草各4克，水煎服。

症状 经水将来，腹痛兼腰疼。

治方 川芎、丹皮、延胡索各7.5克，酒白芍、酒当归、生地各15克，制香附10克，木香4克，藏红花1克，水煎服。

加减法：兼发热，加柴胡5克，黄芩7.5克。

症状 经来少腹先痛。

治方 川芎、制香附、台乌药各7.5克，全当归、酒白芍、干地黄各10克，甘草3.5克，水煎服。

经来先期

症状 妇女性情躁急，经水不及期而至。

治方 制香附、炒条芩、川芎各5克，归身、白芍、生地各10克，黄连1.5克，甘草2.5克，水煎服。

症状 妇女素无他疾，经水先期，属血热者。

治方 当归身、赤芍、生地各10克，地骨皮5克，麦冬3.5克，川芎3.5克，知母5克，甘草2.5克，水煎服。

症状 妇女形瘦无疾，经水先期者。

治方 当归身10克，生地10克，赤芍10克，川芎5克，炒条芩5克，甘草2.5克，水煎服。

症状 妇女形肥，多痰多郁，经水先期者。

治方 当归身10克，川芎5克，生地10克，陈皮3.5克，法半夏7.5克，云苓7.5克，炒芩7.5克，甘草5克，制香附7.5克，川连2.5克，生姜一片，水煎服。

经来后期

症状 经水过期始至。

治方 当归10克，熟地10克，香附10克，白芍10克，川芎5克，红花2.5克，桃仁3克，甘草2克，木通2.5克，水煎服。

症状 妇女性情急躁而多怨怒，经水后期。

治方 川芎、当归、白芍、熟地各7.5克，青木香、槟榔、玄胡索、青皮、炒香附各3.5克，水煎服。

症状 妇女形瘦食少，经来后期。

治方 当归10克，川芎、党参、白术各7.5克，茯苓10克，陈皮4克，炙草2.5克，水煎服，并服地黄丸。

症状 妇女气血虚弱，经来后期。

治方 党参、炒白术、茯苓各7.5克，炙草5克，当归7.5克，老熟地7.5克，川芎7.5克，炒白芍7.5克，水煎服。

症状 妇女经来后期，色紫成块，腹痛。

治方 香附、川芎各5克，干地、当归、炒白芍各7.5克，炒川连2克，水煎服。

症状 妇女肥盛，饮食素多，经来后期。

治方 当归、茯苓、川芎、党参、炒白术各7.5克，陈皮5克，法夏5克，炙甘草3.5克，水煎服。

经来先后无定

症状　妇女经来无定期，或先或后，或断或续。

治方　酒当归15克，酒炒白芍15克，酒炒菟丝子15克，熟地黄7.5克，炒淮山药7.5克，炒黑荆芥穗2.5克，云茯苓5克，柴胡1.5克，水煎服。

经水一月再来

症状　经水过多，行而再行，身体困倦，面色痿黄。

治方　熟地50克，酒川芎10克，土炒白术15克，续断10克，酒当归25克，酒炒白芍10克，甘草5克，黑芥穗7.5克，蒸山萸肉15克，水煎服。

经行不止

症状　经来不断，淋沥无止。

治方　旧莲蓬烧灰，热酒调服。

治方　旧莲蓬烧灰，热酒调服。

治方　白鸡冠花10克，煎水代茶。

症状　因肝火妄动，经行不止。

治方　老熟地50克，酒当归25克，酒炒白芍10克，续断5克，酒川芎10克，山萸肉15克，土炒白术15克，甘草5克，黑芥穗7.5克，水煎服。

症状　因愤怒伤肝，经来不止。

治方　柴胡7.5克，当归15克，酒白芍15克，土炒白术10克，茯苓10克，薄荷2.5克，炙甘草7.5克，煨姜二片，不煎服。

症状 因忧思郁结，经来不止。

治方 酒当归5克，党参、茯苓、炒黄蓍各7.5克，土白术、炒枣仁、桂圆肉各10克，炙草2.5克，青木香0.5克，远志5克，红枣二枚，生姜一片，水煎服。

经来色淡

症状 经来色淡不红。

治方 党参、炒白术、茯苓、归身、川芎、制香附、炒白芍、熟地、炙蓍各7.5克，炙草3.5克，水煎服。

经来色紫

症状 妇女经来色紫。

治方 制香附5克，全当归7.5克，炒川连2克，白芍7.5克，大生地10克，制川芎7.5克，水煎服。

经来涩少

症状 妇女人瘦，经来甚少。

治方 当归10克，党参7.5克，酒白芍10克，川芎7.5克，地黄15克，水煎服。

症状 妇女身体过肥，经来少者。

治方 全当归15克，陈皮7.5克，制川芎7.5克，法半夏10克，茯苓10克，炙草4克，水煎服。

经来太多

症状 妇女经来太多，色深者。

治方 当归10克，川芎7.5克，炒白芍10克，干地黄15

克，炒黄芩7.5克，酒川连1.5克，水煎服。

加减法：前方或去川连、黄芩，加艾叶7.5克，阿胶珠10克，炮姜炭2.5克，土炒白术7.5克，用治经多色淡者。

妇女血崩

症状 妇女忽然暴崩下血不止。

治方 虾牛角腮、续断、丹皮炭、杭白芍各10克，阿胶珠、地榆炭、当归、莲房炭、干地黄各15克，水煎服。

注意：血崩原因甚多，病势险急，宜审情缓急，请教医师。

妇女每月行经，为生理上通常之事，以每隔二十八日为正常。行经年龄，以女子十三四岁至四十八九岁为最普通；经来时日，以三至五日为多，最多亦不超过七日。若异此常便，皆须防有其他疾病，宜早早调理，否则易成痼疾，或大伤身体，轻则痛苦终身，重则立致夭折，或以母体亏弱，影响后代，贻患无穷。

白　带

症状 妇女阴部流出白色清冷稠液，腰腿酸痛，头晕眼花，面色呆滞，精神短少。

治方 炒白术15克，云茯苓15克，淮山25克，粉萆解10克，白芡实25克，海螵蛸15克，菟丝子10克，虾牡蛎20克，炙黄耆10克，白鸡冠花10克，水煎服。

加减法：色带黄色者，加椿根皮15克，白权花7.5克，苡仁15克。色兼赤色者，加黄柏炭7.5克，赤芍10克，丹皮炭10克。腰酸，加杜仲15克，结断15克。带浓臭秽者，加黄芩炭7.5克，黄柏炭5克，法半夏10克，车前子10克，银花7.5克，土茯苓15克。

赤带

症状 妇人带下，似血非血，淋沥不断，因肝火者。

治方 酒当归、醋炒白芍、黑小豆各25克，牛膝5克，酒炒生地15克，炒阿胶7.5克，丹皮7.5克，黄柏5克，酒炒香附2.5克，红枣五枚，水煎服。

症状 妇人赤带，微有寒热，心烦，因阴虚火旺者。

治方 柴胡、炒黄芩、黑山栀、法半夏各7.5克，炙甘草5克，红枣三枚，川连炭1.5克，麦冬3.5克，虾牡蛎25克，当归、炒白芍、酒生地各10克，水煎服。

妊娠外感

症状 妇人怀孕外感。

治方 桔梗、陈皮、炙草各3.5克，紫苏、枳壳、柴胡各5克，干葛、茯苓、川芎各7.5克，水煎服。

妊娠伤风

症状 妇人怀孕伤风。

治方 紫苏7.5克，陈皮3.5克，炙草3.5克，葱白二个，煨姜一片，豆豉5克，水煎服。

妊娠腹痛

症状 妇人怀孕，腹中疼痛。

治方 当归10克，川芎10克，炒白芍40克，茯苓、白术、泽泻各15克，水煎服。

治方 甘蔗去皮，有孕一月用蔗一节，多则照加，切片煎汤频服。

治方 川芎5克，当归7.5克，水一碗加酒一匙煎服。

妊娠恶阻

症状 妇人怀孕初期，呕吐，喜酸恶食，或嗜一物，或大吐，或时吐痰与清水。

治方 茯苓5克，党参25克，酒当归25克，土炒白术、开麦冬、酒炒白芍各7.5克，熟地黄15克，陈皮7.5克，砂仁一粒，砂苏子2.5克，炒神2.5克，水煎服。

治方 制半夏7.5克，赤苓5克，干地黄5克，橘红3克，炒白芍3克，川芎3克，玉桔梗3克，生姜一片。紫苏3克，水煎服。

妊娠咳嗽

症状 妇人怀孕咳嗽，鼻塞流清涕，并恶风发热者。

治方 紫苏、台党、陈皮、茯苓、桔梗、枳壳、黄芩、炙草各5克，前胡7.5克，薄荷2克，生姜二片，水煎服。

妊娠泄泻

症状 妇人怀孕泄泻。

治方 炒白芍10克，当归、生地、川芎各5克，炒白术7.5克，水煎服。

症状 怀孕泄泻久不止，口渴。

治方 台党7.5克，炒白术10克，酒炒白芍5克，炙草2.5克，茯苓5克，诃子肉3.5克，炒干姜2.5克，乌梅小粒，水煎服。

妊娠腰背痛

症状 妇人妊娠，腰背酸痛。

治方 杜仲100克切片，用泅糯米炒断丝，川续断50克酒拌炒，共研末，淮山100克煮糊，和为丸如梧桐子大。每服七八十丸，空腹时米汤送下。戒发怒，忌食酒醋猪肝发火之物。

妊娠吐泻腹痛

症状 妇人妊娠吐泻腹痛。

治方 台党、炒淮山、蒸萸肉各20克，枸纪子、续断、酒炒菟丝子、炒黑杜仲各7.5克，炙草2.5克，土炒白术30克，炒砂仁2粒，制附子1克，上肉桂1克，水煎服。

妊 娠 疟

症状 妇人怀孕感寒停食，发为疟疾。

治方 炒白术、草果肉、白茯苓各7.5克，炒良姜、橘红、藿香叶、缩砂仁各5克，炙草3.5克，生姜二片，红枣一枚，水煎服。

症状 妇人怀孕疟，身弱者。

治方 台党5克，炒白术10克，云茯苓10克，炙草5克，陈皮5克，炒子芩5克，法半夏7.5克，水煎服。

产后伤风

症状 妇人产后伤风，恶露已净，头痛，身热，咳嗽。

治方 制香附10克，紫苏15克，陈皮7.5克，炙草2.5克，生姜三片，葱白二茎，香豉10克，水煎服。

症状 妇人新产感冒。

治方 川芎、当归、炒白芍各10克，软柴胡7.5克，炒荆芥2克，生姜二片，水煎服。

产后发热。

症状 妇人产后，头疼，恶寒而发热者。

治方 软柴胡7.5克，川芎7.5克，当归10克，炒白芍5克，葱白头二茎，丹皮7.5克，生地10克，水煎服。

症状 妇人产后，血虚，至夜发热，小腹腰肋作痛。

治方 全当归10克，川芎7.5克，炒白芍10克，大生地10克，炙黄蓍7.5克，肉桂1克，水煎服。

症状 妇人新产，无病，发小热。

治方 益母草15克，煎汤服。

产后腹痛

症状 妇人产后腹痛，腹中无块者。

治方 川芎5克，当归20克，炮姜炭2克，炙草2克，防风3.5克，吴萸3克，白豆蔻2.5克，桂枝3.5克，水煎服。

加减法：伤寒食，加肉桂1克，伤面食，加麦芽10克；伤肉食，加山楂炭10克，砂仁3克；大便不通，加肉苁蓉7.5克。

症状 产后腹痛有块者。

治方 全当归20克，川芎7.5克，桃仁打七粒，炙草2.5克，炮姜炭2.5克，玄胡5克，水煎服。

症状 妇人产后日久，忽然虚寒腹痛。

治方 当归75克，生姜125克，羊肉250克，酒水煎服。

产后头痛

症状 妇人产后头痛。

治方 大川芎 7.5 克，台乌药皮 7.5 克，研末加水酒调下。

治方 炒荆芥 1 克，种芎 2.5 克，陈皮 2.5 克，白术、炒白芍、炒黄芩各 5 克，丹皮 2.5 克，炙草 2.5 克，水煎服。

产后恶露不下

症状 妇人产后，腹部胀满痛，恶露不下。

治方 当归 10 克，种芎 7.5 克，杜红花 3.5 克，桃仁 7.5 克，炮姜 5 克，益母草 10 克，水煎服。

产后恶露不多

症状 妇人产后，恶露甚少，腹不胀痛者。

治方 当归、紫丹参、益母草、白芍、川续断、茯苓各 10 克，牛膝 7.5 克，炙草 3.5 克，红枣二枚去核，水煎服。

产后恶露不止

症状 妇人产后，恶露不止，并无他病，渐见虚弱者。

治方 升麻 1.5 克，炒白芍 7.5 克，炙黄蓍 10 克，熟地炭、炒白术、台党、阿胶珠、归身炭各 15 克，水煎服。

症状 妇人产后，恶露不止，不腹刺痛者。

治方 全当归 10 克，炒白芍 10 克，白芍 20 克，川芎 7.5 克，干地黄 10 克，玄胡索 5 克，炒蒲黄 6.5 克，炒黑干姜 2 克，水煎服。

产后惊悸

症状 妇人产后惊恐心悸，血块未消者。

治方 全当归15克，川芎7.5克，桃仁七粒，炙草3.5克，炮姜2.5克，水煎服。

症状 妇人产后心悸梦惊。

治方 当归10克，酸枣仁15克，茯神15克，远志7.5克，原灯芯2.5克，真金箔三张，丹参5克，五味子3克，水煎服。

加减法：有虚热，加银柴胡7.5克，青蒿子10克。

产后儿枕痛

症状 产后妇人儿枕痛。

治方 全当归15克，川芎7.%克，炒白芍10克，玄胡7.5克，川楝子10克，炮姜3.5克，制香附10克，淡吴萸3.5克，木香3.5克，青皮5克，桃仁七粒，水煎服。

加减法：妇人产后痛，大概都是在七八日以内的、最多不出月，满月以后的病，多可照普通病症一样治疗，上面都是较常见的产后病，但产后的病症甚多，关系重大，请医生诊治为妥。

乳汁不来

症状 产后气血二虚，乳汁不下。

治方 党参25克，生黄蓍25克，酒洗当归50克，开麦冬12.5克，木通1克，桔梗1克，七孔猪前蹄一个，水煎服，连猪蹄食。

治方 大鲫鱼，煲汤同饮。

症状 乳汁不通，内有硬块。

治方 瞿麦穗10克，开麦冬10克，龙骨10克，炙甲片10克，王不留行10克，研为细末，每服5克，热酒调下。

乳 核

症状 乳内结核。

治方 当归、生地、酒炒白芍、川芎、陈皮各4克，青皮3克，制半夏4克，贝母、茯神、远志、桔梗、苏叶各3克，木通、甘草、醋炒香附各5克，生姜一片，生栀子5克，水煎服。

乳 痞

症状 左乳忽大如桃，颜色不变，不痛不发热，体渐羸瘦者。

治方 当归酒炒15克，酒炒白芍25克，茯苓15克，柴胡10克，土炒白术15克，炙甘草5克，陈皮2.5克，党参5克，法半夏15克，瓜蒌15克，川芎5克，水煎服。

乳膨胀

症状 因新产，子不育，蒸乳而胀痛，恶寒发热。

治方 炒麦芽50克，水煎常饮。

附注：上述乳病各症，如不早治，易成重病，若已成为乳癌、乳痈、乳痨者，当请专家诊治。

第三节 儿 科

小 儿 病

小儿科习称恶科，最难应付，因小儿不能自诉痛苦，须凭医生临床经验及育儿经验，方可辨明其疾病。惟有时病起仓卒，或因时间关系，或因环境所迫，无法请医时，如能审明病症，亦可先求应付之法，其普通病症如感冒咳嗽呕吐泄泻，可参阅各类疾病治法外，今举其特有病症十数种，以便为父母者参考。

夜啼，类惊风，痄肋，夜热，水痘，麻疹，遗尿。

夜 啼

症状 夜啼面赤唇红身热者。

治方 淡竹叶 7.5 克，生地 7.5 克，黄芩 4 克，木通 4 克，生甘草 3.5 克，灯芯 3.5 克，水煎服。

治方 吴茱萸 10～15 克，水泡捣敷足心。

症状 夜啼面红多泪，啼哭不已。

治方 干葛 10 克，炒芩 7.5 克，生甘草 5 克，赤芍 7.5 克，薄荷 2.5 克，水煎服。

症状 夜啼面色青白，手冷者。

治方 钩藤 5 克，川芎 5 克，白芍 7.5 克，茯神 1.5 克，甘草 4 克，木香 2.5 克，当归 4 克，红枣二枚，水煎服。

症状 入夜伏卧啼哭，腰曲额汗，眼中无泪，面白夹青。

治方 酒炒白芍 10 克，泽泻 5 克，甘草 2.5 克，淡吴萸 1.5 克，小茴香 1 克，生姜一片，水煎服。

症状 夜啼，不乳，腰曲而啼，食物不化，不发热者。

治方 党参 5 克，炒白术 5 克，淮山 10 克，茯苓 10 克，炙草 2.5 克，炒扁豆 10 克，陈皮 1.5 克，水煎服。

症状 因惊而面赤夜啼者。

治方 栀子、柴胡、丹皮各 5 克，当归、炒白芍、川芎、牛蒡、茯苓各 3.5 克，炙甘草 2.5 克，川连 0.5 克，水煎服。

症状 面色紫黑，气郁如怒，或时主恐[illegible]，或睡中惊惕，或二手抱母，惊啼不已。

治方 干葛 7.5 克，炒黄芩 5 克，赤芍 5 克，甘草 3.5 克，升麻 1.5 克，麻黄 1.5 克，水煎服。

不止再服苏合香丸少许。

类惊风

症状 小儿忽然心神不安，有类惊风。

治方 正辰砂 1 克，炒白术 4 克，茯神 10 克，炙草 1.5 克，大枣一枚，水煎服。

痄腮

症状 两腮肌肉不着骨处肿起，初起焮痛，兼有寒热。

治方 柴胡、葛根、炒黄芩、虾石膏、天花粉各 7.5 克，连翘 4 克，桔梗 4 克，牛蒡子 5 克，甘草 2 克。水煎服。

症状 痄腮口渴便秘者。

治方 赤芍、当归、酒大黄、炙草、栀子、防风各 5 克，薄荷 2 克，连翘壳 7.5 克，水煎服。

夜　热

症状　小儿夜间发热，形气倦怠，面黄懒食，脾虚者。

治方　陈皮5克，青皮、煨诃子、炙草各2.5克，丁香0.75克，水煎肥。

柱　夏

症状　长夏时令，小儿肢体怠惰，足软，嗜卧发热，精神不足，饮食少思，呼吸气短，大便不高，小便赤数。

治方　炒白术5克，炙蓍7.5克，党参5克，当归7.5克，炙甘草2.5克，陈皮3.5克，焦黄柏3.5克，水煎服。

水　痘

症状　初起发热，身见红豆而变成水泡，顶色白亮，根盘散大而红，浆色浅白，顶无痘眼，皮薄色嫩（正痘根窠圆净紧束），自见点至起发结闸，仅五六日之间。如无内病，不必服药，倘热甚不解，二便秘涩，烦闷不安者宜：

治方　连翘壳、防风、炒牛蒂、当归、净蝉衣、荆芥、生甘草、山杷、车前子、耿芎、净滑石、木通、黄芩各2.5克，水煎服。

麻　疹

症状　有时令性及传染性，初发热如感冒、眼中水泱泱如泪，面浮腮赤，多咳，多嚏，多呕，多渴，或泻、或烦躁，或咽痛唇焦。通身红赤，起而成粒，匀净如小，斜目视之，隐隐可见，以[illegible]，[illegible]，色深红，未见麻疹时，口中两颊黏膜，可见小小白斑点。此症以头面先见，次则二颊颐出透，以次布及全身，作二三次出齐，饮食二便调和，神安气平者，亦可不服药。普通初见时可用：

治方 葛根10克，荆芥穗3.5克，连翘壳10克，牛蒡10克，浙贝10克，紫草茸10克，生甘草3.5克，柽柳15克，水煎服。

附注： 若麻疹不出、不透、早收、骤没、泄泻、腹痛、惊搐、鼻搧、谵妄、便闭、喉痛、沉睡、身冷及麻后口疳、牙疳、下痢、百日咳等，皆须防危险变化，早早请医为要。

加减法： 风寒紧束加升麻2克，火甚加山栀7.5克，热高加黄芩、淡竹叶各7.5克，烦躁加栀子、元参各5克，渴甚加麦冬、竹叶各5克，呕者加栝蒌根15克。

遗 尿

症状 小儿时时遗尿。

治方 补骨脂15克，炒研末，临卧时用红酒少许加温水调服。

第四节 外 科

腰背酸痛

腰背酸痛，以脊髓神经症状为多见，例如肾脏病、风湿病、贫血症、神经衰弱，皆有此症。普通止痛药品，虽可制止于一时，实非根本办法，且有时服止痛药过量，容易发生弊端，[illegible]

心脏，切宜谨慎。

腰痛，腰酸，腰软，风湿腰痛，肾亏腰痛，感寒腰痛，闪挫腰痛，背痛，肩背痛，腰胯痛，尾骶骨痛。

腰痛

症状 腰脊至天明则痛，频欲转侧，晓起则止。

治方 酒炒黄柏5克，柴胡7.5克，防风4克，制茅术1克，水煎服。

症状 腰膝酸痛，软麻无力。

治方 牛膝50克，菟丝子50克，酒浸容器内，晒干为末，将原醋煮糊为丸，空腹时温酒分多次送下。

症状 腰痛连及股髀环跳者。

治方 沙苑子10克，桂枝3.5克，茯苓、桑寄生、炒杞子各7.5克，杜仲10克，炒茴香2克，水煎服。

症状 一般腰痛。

治方 胡桃肉、补骨脂、杜仲各10克，水煎服。

腰酸

症状 男子腰酸，肾虚者。

治方 补骨脂50克酒炒，杜仲50克盐酒炒断丝，共研末，用胡桃肉十个，净青盐10克，同捣成膏，炼白蜜少许为丸如弹子大，每服一丸，空腹温酒下。

治方 熟地20克，山萸肉、丹皮、泽泻、淮山各5克，菟丝子7.5克，黑附片10克，补骨脂10克，茯苓[illegible]克，杜仲15克，水煎服。

症状 女子腰酸，有白带者。

治方 萸肉、丹皮、泽泻各 5 克，当归 7.5 克，陈艾 7.5 克，杜仲 1.5 克，附片、茯苓、续断、淮山各 10 克，水煎服。

腰 软

症状 肾亏腰软者。

治方 八味地黄丸，每服 10～15 克。

症状 肾虚积寒兼风袭者。

治方 川乌 3.5 克，炒白蒺藜、酒炒石斛、茯苓各 5 克，炒萆解、淮山、马戟天、酒浸苁蓉、白术、炒补骨骨脂各 7.5 克，水煎服。

症状 受湿而腰软者。

治方 炒白术 10 克、茯苓 15 克，炙草 7.5 克，姜盖 7.5 克。

风湿腰痛

症状 腰中悠悠作痛，骱骨如脱，不可俯仰。

治方 羌活、防风、炙甘草各 7.5 克，炮姜 4 克，茯苓、草解、苍术、桑寄生各 10 克，水煎服。

肾亏腰痛

症状 遗精日久，腰中作痛，不耐久立，坐卧不适。

治方 老熟地 20 克，巴戟肉、肉苁蓉、山萸肉、杜仲、云茯苓、淮牛膝、楮实各 10 克，五味子 2.5 克，淮山、枸杞子各 15 克，石菖蒲 2.5 克，水煎服。

治方 猪腰一对，洗净破开，去白筋，用茯苓 10 克夹入，蒸出汁，连猪腰食，不用加水。

治方 羊腰一对，去白筋，切片、用盐淹去腥水，加杜仲15克，蒸服，酒下。

感寒腰痛

症状 腰部冰冷，脉紧得热则痛减，得寒则痛剧。

治方 附片10克，干姜3.5克，肉桂1.5克，杜仲15克，水煎服。

闪挫腰痛

症状 因闪挫跌，致损伤经络，腰痛不可俯仰。

治方 虎胫骨（酒炙黄）、酒炙败龟板各3.5克，麒麟竭、赤芍、当归、没药、防风、烤醋淬自然铜、乳香、泡白附子、辣桂、白芷、苍耳子（微炒）、骨碎补（炒去毛）各5克、牛膝、天麻、槟榔、五加皮、羌活各1.5克，研末，每服4克，温酒下。

症状 因劳役负重而腰痛者。

治方 苍术、当归、炒芍、葛根、白茯苓、枳壳、陈皮各5克，炙草、白芷、桔梗各4克，水煎服。

附注： 尚有寒湿、风寒、血淤、痰湿、阳虚、阴虚、伤湿、蓄血、气滞、食积、风热、病后等腰痛，原因甚多，可以从原因治疗。

背 痛

症状 久坐而致背脊痛者。

治方 羌活5克，防风4克，柴胡2.5克，炙黄著10克，党参5克，升麻1.5克，归身10克，炒白术克，陈皮4克，炙草2.5克，水煎服。

症状 肥人背痛喜捶者。

治方 妙白术、姜半夏、党参各7.5克，云苓10克，陈皮5克，木香4克，炙草3.5克，水煎服。

症状 瘦人背痛者。

症状 炒黄蓍、熟地、炒白芍、炒党参各10克，当归5克，川芎5克，水煎服。

肩背痛

症状 肩背痛，脊强，腰似折，项似拔者。

治方 羌活、独活各5克，川芎、防风、藁本、炙草各2.5克，蔓荆子1.5克，水煎服。

症状 肩背痛不可回顾者。

治方 柴胡5克，炙蓍5克，升麻3.5克，防风、羌活、陈皮、党参、炙草各2.5克，藁本1.5克，青皮1.5克，黄柏0.5克，白蔻仁1克，水煎服。

症状 湿热相搏，肩痛沉重而痛。

治方 炙草2.5克，酒炒黄芩、制苍术、羌活、防风各5克，酒炒茵陈、党参、土炒白术、泽泻、猪苓、酒洗知母各7.5克，当归、葛根各10克，水煎服。

腰胯痛

症状 腰胯痛属肝肾伏热者。

治方 姜汁炒黄柏5克，酒炒防已7.5克，肉桂0.5克，水煎服。

治方 老人肾虚，腰痛下连膝痛者。

治方 黑附子5克，酒炒杜仲5克，桂心2.5克，炒补骨脂5克，酒炙鹿茸2.5克，麋茸10克，怕热，可去附子，加肉苁蓉5克，龟片胶5克。加盐酒少许，或加鹿角胶作丸服，每服10克。

尾骶骨痛

症状 尾骶骨上下左右疼痛。

治方 附片5克，肉桂1.5克，熟地20克，山萸肉5克，淮山5克，丹皮5克，泽泻5克，白茯苓15克，水煎服。

小便病

小便有病，概属分泌系病。凡肾脏、膀胱、尿道等有疾患者，排尿即不正常，或太多，或太少，或赤涩，或浑浊，或闭痛，或出血，或流浓。其原因最多为炎症，此外如病菌传染、结石、糖尿病及癌肿或损伤等，均可致小便不正常，轻微的可用便方治疗，严重的必须请教医师。

小便黄赤，小便频数，小便稀少，小便失禁，小便浑浊、小便白浊，小便癃闭，淋病，溺血，小便余沥，遗尿。

小便黄赤

症状 时有寒热，心中烦满，口中生疮，小便黄赤。

治方 赤苓10克，生地7.5克，赤芍7.5克，麦冬、黄芩、木通、甘草、槟榔各5克，水煎服。

症状 暑天汗多，小便赤涩。

治方 茯苓10克，泽泻10克，白术4克，炙草3.5克，五味三粒，洋参 5 克，水煎服。

小便频数

症状 小便频数而尿色清白，身体瘦弱者。

治方 附片、泽泻、丹皮、山萸肉各 10 克，熟地 20 克，淮山药 15 克，肉桂 1 克，茯苓 15 克，补骨脂 7.5 克，水煎服。

症状 小便频数，日甚于夜。

治方 益智仁 10 克，乌药 7.5 克，淮山 10 克 [illegible] 服。

症状 入夜小便频数者。

治方 益智仁 24 粒，盐 2.5 克，共研末，水煎服。

症状 小便频数而多者。

治方 淮山 15 克，莲子 15 克，益智仁 10 克，水煎服。

症状 小便频数，色如浓米泔水，心肾虚，健忘寐少者。

治方 盐炙桑螵蛸、烤正龙骨、茯神、醋炙龟版各 10 克，盐炒石菖蒲 5 克，远志、当归、党参各 7.5 克，水煎服。

小便稀少

症状 小便涩少不利而数者。

治方 茯苓 10 克，泽泻 10 克，炒黄柏 3.5 克，开麦冬 7.5 克，木通 5 克，水煎服。

症状 小便稀滞，不堪滋补者。

治方 甘草 5 克，赤苓、赤芍各 10 克，淡竹叶、黑山栀、木通各 7.5 克，滑石 15 克，水煎服。

加减法：目黄加茵陈 7.5 克；有血加当归 5 克，元胡 5 克；大便不通加大黄 7.5 克。

小便失禁

症状 小便不禁，淋沥稀痛，尿色清白，膀胱虚寒者。

治方 菟丝饼7.5克，炙桑螵蛸5克，炮附子4克，去子茴香1.5克，水煎服。

小便浑浊

症状 小儿小便浑浊而白，将成泔。

治方 赤茯苓10克，陈皮3.5克，滑石5克，甘草3.5克，缩砂仁2克，赤芍5克，水煎服。

症状 小儿泄泻，小便初出淡黄，良久转浑浊。

治方 青皮、煨诃子肉、炙草各2.5克，白术、陈皮各5克，水煎服。

小便白浊

症状 小便黄赤，口渴，脉数，尿道流出白浊如米泔，如腐花，如脓液者。

治方 炒黄柏3.5克，黄芩、开麦冬、山栀、知母各5克，茯苓、生地、泽泻各10克，水煎服。

症状 小便如常，肾亏脉弱，足膝无力，时流白浊，凝白，油，旋澄下如膏者。

治方 丹皮、山萸肉、麦冬各7.5克，茯苓、泽泻、淮山各10克，草解、熟地各15克。

症状 小便白，频数不清，或时下白浊，尿道不痛者。

治方 草解10克，甘草梢5克，乌药7.5克，茯苓10克，盐拌益智仁10克，盐水炒菖蒲3.5克，水煎服。

症状　白浊日久。

治方　生白果，捣烂，煮滚服。

附注：白浊原因尚多，有因忍尿、忍精、肾虚、痰湿或花柳白浊，宜请医诊治。

小便癃闭

症状　小便淋沥，点滴而出，日数十次，病久多患之。

治方　去心麦冬7.5克，生地10克，茯苓10克，泽泻7.5克，西洋参7.5克，水煎服。

症状　因夏秋暑热而小便癃闭者。

治方　六一散30克，鲜荷叶包裹，刺孔煎服。

症状　大便泄泻，小便闭涩者。

治方　茯苓15克，猪苓7.5克，通草7.5克，生薏米15克，扁豆15克，花粉15克，水煎服。

症状　小便闭塞，或黄赤作痛者。

治方　辰砂1.5克，滑石30克，甘草梢7.5克，水煎服。

症状　小便癃闭。

治方　牛膝7.5克，车前子10克，共打，水煎服。

症状　寒闭小便不通者。

治方　食盐半斤，炒热，布包，熨脐上下。

附注：小便癃闭症，尚有甚多原因，如尿道有阻塞，宜请医通放或诊治。

淋　病

症状　小便滴沥稀痛。

治方　茯苓15克、泽泻、猪苓、[illegible]胶、车前子各10克、水煎服。

治方 滑石、茯苓各15克，白术、贝母、白芍、通草各5克，水煎服。

症状 小便难稀如淋，短而不作痛者。

治方 生地、茯苓、泽泻、淮山各10克，丹皮、山萸肉、肉苁蓉各7.5克，水煎服。

症状 小便难稀如淋，茎中痒而不痛者。

治方 八味地黄丸，每服15克，淡盐汤送下。

症状 口苦咽干，小便赤稀，欲成淋者。

治方 石莲肉15克，白茯10克，炙黄蓍、党参、开麦冬、地骨皮、黄芩、炙草各5克，石菖蒲1.5克，炒车前子7.5克，水煎服。

症状 小便稀痛成淋。

症状 葵花根，适量，煮数滚服。

治方 生地20克，木通5克，淡竹叶七片，甘草梢5克，水煎服。

附注 淋病尚有血淋、气淋、石淋、砂淋、膏淋、劳淋、老人淋、花柳淋，宜请医治疗。

溺 血

症状 小便下血，或同尿出，或先血后尿，或先尿后血，或纯为血液。

治方 车前草新鲜者，捣汁半杯和温开水服。

治方 淡竹味7.5克，开麦冬7.5克，车前子10克，郁金4克，白茅花4克，陈柳枝5克，地榆炭7.5克，灯芯花10个，水煎服。

症状 小便自利，溺后有血数点者。

治方 茯苓10克，猪苓7.5克，泽泻10克，川桂枝1.5克，桃仁七个，赤芍7.5克，水煎服。

症状 小儿溺血，在一岁以内者。

治方 大甘草30克，三碗水煎存一碗，不拘时服完。

小便余沥

症状 小便后，时时尚有数滴，有如小便未尽者。

治方 附子七味丸，每服10～15克，常服。

遗　尿

症状 小便不知自出，每在睡中。

治方 大甘草头，煎汤夜夜饮之。

治方 补骨脂，盐水泡一夜，晒干研末，临卧时服2克，开水下。

治方 薏苡仁，盐炒煎服。

治方 羊脬（即羊尿泡）入清水令满，缚紧二头，煮熟后，剖开去水服之。

症状 咳而遗尿者。

治方 茯苓15克，桂枝7.5克，甘草5克，生姜10克，水煎服。

症状 肾虚遗溺。

治方 八味地黄丸，每服10～15克。

症状 夏月暑病遗溺者。

治方 石膏30克，知母10克，甘草5克，粳米半匙，党参5克，水煎服。

第五节 眼 科

眼 病

眼病以炎症为最常见；至于视昏目眩，乃视觉障硬，或脑病，或为贫血；外如夜盲症，角膜干燥症等，为缺乏维他命A的缘故；如眼倦畏光等，为缺乏维他命B的缘故。普通的轻浅病症，是可以自疗的，严重时宜早日请教专科医生。

目赤，目赤痛，风火眼痛，目昏糊，目肿，目昏多泪，目黄，目沥昏花，目晨昏，目羞明，目夜昏，雀盲。

目 赤

症状 目中白睛发赤，或兼身热，目肿作痛，或目赤啬不痛。

治方 荆芥穗3.5克，赤芍、木贼草、桑叶各10克，甘菊花3.5克，当归、青箱子、黄芩、决明子各7.5克，龙胆草3克，水煎服。

症状 目赤，有红丝、红点、红片，翳膜遮睛，昏暗羞明，隐涩难开。

治方 川芎、龙胆草、楮实、薄荷、羌活、荆芥穗、苍术、大黄、甘草、草决明、木贼、连翘、甘菊、密蒙花、桔梗、石膏、白芷、地骨皮、槟榔、石决、石燕、白蒺藜各5克，捣筛为细末，每次服10克，食后清水一杯调下。忌鱼鸟猪肉。

目赤痛

症状 二目睛赤而痛。

治方 炒瞿麦、炒山杷、炙草、酒炒大黄、木通、扁蓄、炒车前子各 4 克，煅滑石 5 克，灯芯 2.5 克，水煎服。

风火眼痛

症状 目赤胀痛，作痒多泪，畏见风日，鼻塞。

治方 干鹅小食草 10 克，青黛 2 克，川芎 2 克，研末，每用少许，吸入鼻中，口含温水，以泪出为度。

目昏糊

症状 病目日久，视物不清。

治方 枸杞子 15 克，甘菊花 7.5 克，熟地黄 25 克，白蒺藜 5 克，水煎服。

治方 熟地 40 克，茯苓、白芍、丹皮、泽泻、甘菊、归身、枸杞各 15 克，刺蒺藜 15 克，淮山、石决、山萸肉各 20 克，炼蜜为丸，每服 15～20 克。

目 肿

症状 眼泡肿，泪热而痛。

治方 炒牛蒡 10 克，羌活 5 克，川莲 2 克，黄芩 5 克，薄荷叶 3.5 克，防风 5 克，连翘 7.5 克，水煎服。

加减法 大便闭，加大黄 7.5 克；痛甚，加川当归 7.5 克，地黄 10 克；心烦不得卧，加栀子 7.5 克。

目昏多泪

症状 目昏糊，时流眼泪。

治方 鲫鱼胆二枚，人乳一匙，饭上蒸一二次，点眼。

症状 目流脓泪。

治方 龙胆草、当归各5克，研末，温淡米酒调下。

目 黄

症状 二眼白睛作黄色，烦渴有热者，或小便不利而身微肿者。

治方 麻黄3克，石膏15克，白术15克，炙草7.5克，生姜二片，大枣二枚，水煎服。

附注：因黄疸病而目黄者，用治黄疸方。

目涩昏花

症状 目干涩而视物昏花，肝肾虚者。

治方 酒当归、熟地、川芎、白芍、枸杞子、覆盆子、地肤子、酒炒菟丝子各10克，蒸车前子7.5克，为蜜丸，每服7.5克，淡盐汤送下。

目晨昏

症状 晨起二目视物不清，至午渐可者。

治方 川芎、菊花、蔓荆子、连翘各5克，炙草3克，防风3.5克，水煎服。

目羞明

症状 目于光亮处，不能视物，不痛不赤怕热者。

治方 细辛1克，红花1克，川芎2克，藁本、归身、麻黄各2.5克，茯苓25克，防风4克，羌活4克，桃仁九粒，水煎服。

附注：目又赤又痛者，切不可服此方。赤痛者，宜照以上眼赤眼痛治法。

目夜昏

症状 目入夜则昏。

治方 桑白皮15克，地骨皮25克，炙甘草7.5克，水煎服。

雀盲

症状 二目至目暮，即无所见。

治方 苍术5克，水煎服。

治方 防风10克，黄芩10克，桔梗、白芍、大黄、芒硝各5克，水煎服。

附注：雀盲是缺乏维他命A所致。

第六节 口腔科

口 齿 病

口齿疾病，亦大多数为炎症，同属半外科性，可以服药内治，也可用药外搽。多数原因是热性传染病的续发症，或者是营养极度不良的患者，或本身的损浊。如牙齿蛀坏等。现在所列举的是病情轻较易治疗的口齿病症。

口臭，口淡，口咸，口啬，口燥汤，口流涎，口苦，口疮，口糜，多唾，唇燥裂，口甘，口酸，牙痛，火牙痛，风火牙痛，风虫牙痛，阴虚牙痛，虚火牙痛，胃火牙痛，蛀牙痛，牙龈肿痛，齿衄。

口 臭

症状 口气甚臭。

治方 藿香煎汤含嗽。

症状 口中如胶而臭者。

治方 地骨皮、知母、桑皮、山杷、开麦冬、甘草、食盐各5克，煎汤噙咽。

症状 大病后，口臭腹痛者。

治方 炒苏子、川朴、陈皮、炙草、制半夏、前胡各4克，当归2.5克，沉香2.5克，水煎服。

症状 食韭菜而口臭者。

治方 连翘，为末糊丸，茶吞10克。

治方 乌枣，颇食七八枚。

口 淡

症状 病后胃虚口淡者。

治方 炙黄蓍5克，当参、炒白术、当归、半夏各7.5克，茯苓10克，炙草4克，橘红4克，水煎服。

症状 胃实热口臭，二便秘涩，或口疮咽痛等症。

治方 鲜枇杷4克，干熟地黄5克，焙天冬4克，生干地黄5克，去心麦冬4克，炒枳壳3.5克，山茵陈4克，炙甘草3.5克，石斛4克，黄芩3.5克，广木香3.5克，水煎服。

口 咸

症状 口中觉有咸味。

治方 老熟地15克，淮山10克，茯苓10克，泽泻7.5克，乌贼骨5克，丹皮7.5克，山萸肉7.5克，五味子2.5克，水煎服。

口 啬

症状 口啬而无味。

治方 葛根7.5克，防风5克，薄荷3.5克，茯苓10克，黄芩5克，全瓜蒌10克，水煎服。

口燥渴

症状 无病自渴，或病后渴。

治方 干葛7.5克，草果仁（煨）10克，乌梅肉7.5克，炙草5克，水煎服。

治方 洋参、干葛、茯苓7.5克，炙草3.5克，水煎服。

口流涎

症状 口角流涎，浸淫不止，不渴，小便清长者。

治方 炒白术、表皮、炮姜各2.5克，法半夏5克，广香5克，丁香4克，水煎服。

症状 口角流涎，浸淫红赤，口渴，溺短赤者。

治方 炒白术2.5克，滑石2.5克，扁豆15克，茯苓15克，金石斛15克，川连1克，葛根1克，甘草0.5克，研末，小儿每服3～4克，大人服10～15克，灯芯汤调下。

口　苦

症状 口中时有苦味。

治方 柴胡、龙胆草酒炒、泽泻、赤苓各5克，木通、甘草、炒车前子、酒炒生地、酒拌归尾、炒杷子、酒炒黄芩各2.5克，水煎服。

口　疮

症状 口舌生疮，赤烂，热痛难堪。

治方 黄连10克，菖蒲3.5克，水煎服。

治方 硼砂7.5克，寒水石5克，黄柏3.5克，辰砂3.5克，冰片1克，研极细末，用苦茶漱口，然后搽之。

治方 黄柏10克，炙草5克，青黛2.5克，研末撒患处。

治方 防风7.5克，甘草4克，黑山杷5克，藿香3.5克，煨石膏10克，水煎服。

口 糜

症状 火热甚盛，口中糜烂作痛，初起者宜。

治方 生地25克，木通5克，甘草5克，灯芯2.5克，淡竹叶七片，水煎服。

症状 口中生糜气息，泄泻。

治方 川连2.5克，炒白术10克，茯苓15克，甘草5克，水煎服。

症状 口糜，大便闭者。

治方 酒大黄7.5克，酒炒黄芩、元明粉、加翘各5克，炙草3克，炒山栀4克，薄荷叶3.5克，竹叶七片，水煎服。

症状 一切口糜。

治方 黄柏5克，青黛1.5克，冰片适量，研末搽用。

多 唾

症状 时时多唾口水。病后脾胃寒者多见此症。

治方 干姜4克，当参10克，炒白术、炙草、益智仁各7.5克，水煎服。

唇燥裂

症状 口唇干燥开裂。

治方 橄榄捣碎，泡汤服，并研烂核中仁敷之。

治方 赤芍、当归、炙草、酒大黄各7.5克，薄荷1.5克，水煎服。

口甘

症状 脾热口中作甘。

治方 升麻1.5克，制半夏、兰香、连翘、白豆蔻、桔梗各2.5克，甘草5克，防风根5克，石膏10克，知母7.5克，水煎服。

口酸

症状 口中味酸，或吞酸呕吐胁痛。

治方 川黄连15克，泡吴萸2.5克，茯神5克，龙胆草1.5克，水煎服。

牙痛

症状 湿热蕴积，风寒外束，或冷饮内遏，牙痛不止。

治方 升麻2.5克，甘草、羌活、防风、川芎、生地各5克，细辛2克，荆芥、独活、薄荷各3克，石膏10克，水煎服。

治方 荆芥穗3.5克，防风3.5克，牡丹皮3.5克，生地3.5克，牛蒡子1.5克，青皮1.5克，甘草1.5克，水煎服。

火牙痛

症状 牙疼龈肿，阵阵作痛，时发时止。

治方 夏枯草5克，黑山栀5克，玄参7.5克，知母7.5克，金银花10克，连翘壳10克，甘草3克，水煎服，或加犀角、羚羊角各4克。

风火牙痛

症状 牙痛燃热，可酌用牙痛加减，再用下法。

治方 薄荷10克，羌活15克，大黄5克，水煎，漱口吐去。

治方 月石、青盐、火硝各10克，冰片1克，研极细末，敷患处。

症状 牙痛连头面俱肿。

治方 露蜂房，烧存性研末，加酒少许调漱。

风虫牙痛

症状 蛀牙兼风痛者。

治方 芭蕉根，捣汁一碗，煎热噙漱，吐去再换。

治方 露蜂房，醋煎热漱，或加细辛、乳香少许均可。

治方 桃仁一枚，针刺于火上烧烟出，吹灭，置痛齿上咬之。

阴虚牙痛

症状 虚火牙疼。

治方 枸杞50克，蒸瘦猪肉食。

治方 牛膝去心盐水炒25克，猪腰一对，煮继食。

症状 邪火上冲，牙痛连及头顶者。

治方 知母7.5克，牛膝7.5克，生石膏25克，熟地25克，麦冬10克，水煎服。

虚火牙痛

症状 牙痛遇劳即发，及午后甚者。

治方 六味地黄丸，每服10～15克，淡盐汤下。

胃火牙痛

症状 牙痛口有臭气者。

治方 升麻5克，生地50克，煎激发漱，咽食少许。

蛀 牙 痛

症状 蛀牙作痛。

治方 五倍子、胡椒各适量，研末为丸，塞蚀孔中。

治方 食盐，置蚀孔中。

牙龈肿痛

症状 牙肉肿而痛。

治方 瓦松、白石各等分，水煎漱口，不可吞下。

治方 生地、独活各150克，酒渍一夜噙之吐去。

齿 衄

症状 血从齿缝中或齿龈中渗出。

治方 枸杞子为末，煎汤漱口，缓缓咽下。

治方 白萝卜汁，噙口中漱之，时时换。

症状 口臭，齿痛，血鲜红，热颇剧者。

治方 酒洗生地15克、酒洗当归10克，酒炒川连1.5克，凡破10克，各麻1.5克，或加石膏2.5克，水煎服。

第七节　皮肤科

皮肤病

皮肤疮毒，属外科病，如皮肤感染菌毒或刺激时，即容易发生疮毒，瘙痒肿痛，甚至浓脓流水，溃烂浸淫，痛苦不堪。除疤疽大症，必须请教专科医生外，普通疥癣小疾，原可以自己配方医治的。

疥疮，干疥，湿疥，砂疥，脓窠疮疥，癣，风癣，干癣，湿癣，顽癣，牛皮癣，黄水疮，天泡疮，冻疮，漆疮，疖，软脓疖，秃头癞，隐疹，风疹，丹毒，痔疮。

疥　疮

症状　先从手指丫中起，渐及全身，瘙痒无度，初起者用：

治方　酒大黄、芒硝、防风、白芍、连翘、白术、川芎、当归各 5 克，荆芥、炒山栀、麻黄各 2.5 克，薄荷 3.5 克，飞滑石 25 克，烤石膏、桔梗、黄芩各 10 克，生甘草 20 克（大便闭实者宜之），水煎分二次服。

治方　党参、甘草各 2 克，薄荷 2.5 克，荆芥穗、羌活、独活、炒枳壳、前胡、柴胡、桔梗、赤茯苓、川芎各 3.5 克，防风 5 克（大便通利者宜之），水煎服。

治方　炒枳壳、山栀、连翘、荆芥、当归、羌活各 25 克，浸苦参、香白芷、炒白藓皮各 35 克，研末，炼蜜为丸如梧桐子大，每服四五十丸。

症状 疥疮久不愈，血燥者。

治方 酒炒白芍、生地、当归各15克，川芎、防风、炒白蒺藜、何首乌各10克，荆芥穗、炙草、炒黄耆各7.5克，生姜二片，水煎服。

干 疥

症状 疥疮瘙痒皮起结干痂。

治方 橘红、姜厚朴各1.5克，云苓、藿香叶、川芎、防风、川羌活、蝉蜕各2.5克，荆芥穗、炙草各5克，水煎服。

湿 疥

症状 疥疮痒肿作痛，破流黄水。

治方 南苍术一斤切，砂锅煮取汁，再加水煮取汁，以术无味为度，将汁入小砂锅熬煎成膏，加蜂蜜20克，每服二羹匙，空腹时热水调服。

治方 硫黄末、油核桃、生猪油各50克，水银5克，捣成膏，外擦患处。

砂 疥

症状 疥疮形如细砂，焮赤痒痛，抓之有水。

治方 犀角、木通、石菖蒲、甘菊花、黑元参、赤小豆、赤芍各10克，炙草5克，生姜二片，水煎服。

脓窠疮疥

症状 疥疮按起水泡，大如黄豆，作痒，后变脓泡，疼痛异常。

治方 灯芯2.5克，防风、荆芥、白藓皮、苍术、甘草、苦参、木通各5克，何首乌、金银花、连翘各10克，水煎服。

加减法：夏热，加山栀、黄芩各5克；痒甚，加白蒺藜5克；脾胃弱，去苦参加赤苓10克；大便溏泄，加泽泻7.5克。

治方 生大黄100克，生石膏50克，研细末，麻油调外敷。

治方 密陀僧、硫黄、石膏、雄黄各等分，鸡蛋白调敷。

癣

症状 皮肤生癣，搔痒无休，初聚结于一处，后渐蔓延扩大。

治方 浮萍、当归、种芎、荆芥、赤芍、甘草各5克，麻黄1.5克，葱白二根，豆豉四十粒，水煎热服取汗。

加减法：癣在手臂加桂枝、在背加羌活各3.5克，在膝加牛膝5克。

症状 癣发肿痛者。

治方 苦参20克，炒大黄、独活、防风、玄参各10克，研末，蜜丸如梧桐子大，每服二十丸，饭后开水送下，日二三次。

治方 蛇床子、藁本、尖槟、枯樊、白胶香、五倍子各等分，研细末。干癣香麻油调搽，湿癣干掺，顽癣醋调整。

风 癣

症状 皮肤起片如云，抓之生白屑，不知痛痒。

治方 防风、片芩、金银花、山栀子、木通、当归、川黄连、苦参各5克，飞滑石、升麻各1.5克，桔梗、生甘草各2.5克，荆芥穗、香白芷各3.5克，蝉蜕、牛蒡子、皂角针各4克，生姜一片，穿山甲四片，水煎服，未服前一日，先用茄子藤连根叶煎水熏洗，将癣擦透，次日服药。

干　癣

症状　皮肤生鲜，搔之生白屑。

治方　胡粉炒黄，用醋调涂。

湿　癣

症状　皮肤生癣，形状如虫，搔之有水出。

治方　粗碗一只，以皮纸糊口上，用针戳孔，洒水令湿。将杉木屑堆其上烧之，待将烧完时，轻扫其灰，揭去纸，碗中有杉木油，取涂癣上。

症状　颈项上耳旁湿癣。

治方　芦荟 50 克，甘草 25 克，研极细末，先以湿水洗癣，拭干后将药散涂之。

顽　癣

症状　上半身生癣，年深日久，抓之全不知痛。

治方　大公虾一只，将虾爪破癣，即以虾脑涂之。

治方　士杈皮 150 克，公槟榔 50 克，不见火磨成散，上好阿醋调如薄糊，隔水蒸半小时，收出敷癣上，棉纸盖上。

牛皮癣

症状　皮肤生癣，顽硬如朽木，抓之无知觉。

治方　百部、白癣皮、鹤虫、蓖麻子仁、生地、黄柏、当归各 50 克，用麻油 400 克同熬枯，去渣复熬，至滴水成珠为度，再入黄蜡 100 克，雄黄末少许和匀，待稍冷，藏入瓷钵，退净火气，摊贴癣上。

黄水疮

症状 皮肤生疮，初中粟米，又痛又痒，破流黄水，浸淫成片，随处可生。

治方 红枣40克烧灰用，飞黄丹、松香各20克，共为末，麻油调涂。

天泡疮

症状 遍身燎浆白泡，疼痛难忍。

治方 防风、川芎、当归、煨大黄、薄荷叶、麻黄、连翘各25克，酒炒白芍0.5克，虾石膏、焙黄芩、桔梗各5克，滑石15克，生甘草10克，荆芥穗、土炒白术、黑山栀各1.5克，生姜一片，水煎饭前服。

治方 炒松香25克，青黛、微炒黄丹各10克，炒净铅粉5克，共研细末，湿则干敷，干则麻油调搽。

冻疮

症状 触患耿寒，二耳及手足肌肉硬肿，遇寒则痛，遇热则痒。

治方 肉桂1.5克，远志、五味子各2.5克，炙甘草、炙黄蓍、陈皮各5克，酒白芍、炒白术、党参各10克，熟地、白茯苓、当归各15克，加醇酒和水煎服。

治方 外用阳和解凝膏贴之。

治方 荆芥、胡椒各适量，煎汤洗之。

漆疮

症状　初发面痒而肿，抓之渐似瘾疹，色红，或遍传肢体。

治方　升麻、石膏、连翘、炒牛蒡子、黄连、知母、黑胡、人中黄各5克，竹叶二十片，水煎服。、**治方**　皮硝，滚水化开新笔扫之。

治方　白果树叶、梁水皮、老狮树皮、干荷叶、鲜松木，任用一种煎汤洗之均可。

疖

症状　暑热之时，发生疮疖，并无定处，大小不一，初起红晕肿痛，日久出脓，脓尽则收口，尤以小儿及乳母易患。

治方　大黄、朴硝各等分，为末，醋调敷。

治方　黄柏、川连、黄芩各等分，为末，醋调敷。

治方　苦菜梗，折断有白汁流出，取搽之。

治方　大黄、远志各等分，为末，猪胆汁调敷头面红疖。

治方　连翘、花粉、赤芍、银花、甘草、车前、泽泻各5克，于大小暑前煎服，可预防生疖。

治方　紫葳花半茶盅，煮精瘦猪肉食之，亦可预防。

软脓疖

症状　疖之生而有脓者。

治方　明松香200克，铜绿100克，雄猪胆三个，麻油15克，先溶化松香，入麻油令沸，再下铜绿、胆汁搅匀，入水中，以手扯拔去火毒，瓷罐收贮，用绯光绢量疮大小摊贴，不必更换，听其自落，并可治臁疮（即足胫骨部分疡毒久不愈者）。

治方 蓖麻仁、松香各等分，捣膏贴之。

秃头癞

症状 头生白痂，瘙痒难堪，但不痛，日久蔓延成片，发焦脱落。

治方 松香、柏蜡用油烟火浇，滴入桐油内，搅和待冷，再烧滴炼贮瓷罐内，用时以薄草纸，卷药成条，烧滴秃疮上。

治方 麻黄、防风、连翘、酒大黄、炒白芍、当归、当芎、白术、薄荷各5克，荆芥、黑山栀各2.5克，桔梗、黄芩、烤石膏各10克，甘草20克，飞滑石30克，醇酒浸，焙干为细末，每服5克或10，饭后开水调下，服至头上多汗为验。

瘾 疹

症状 初起如蚊蚤所咬，烦痒异常，搔之则随手而起，甚则遍身痒痛。

治方 牛蒡子、浮萍各等分，为末，薄荷煎汤调下，一次10克，日二次。

治方 石南叶、炮干姜、黄芩、细辛、党参各2克，桂心、麻黄、当归、川芎各3克，炙甘草4克，干地黄1.5克，水酒同煎，热服盖衣令出汗，避风。

风 疹

症状 似疹而痒不已，不时发生。

治方 生芝麻，研细擦之。

治方 真麻油、烧酒各半小杯，和匀炖热服。

丹毒（流火、蛇缠、赤游丹）

症状 红晕起于肌表，肤热色赤，如涂红丹，先发一处，渐及遍身。

治方 连翘、当归、赤芍、防风、滑石、木通、炒牛蒡打蝉蜕、荆芥、瞿麦、柴胡、黄芩、栀子打、车前子、烤石膏、生甘草各2.5克（初起时宜），水煎服。

治方 犀角末5克，防风5克，生甘草2.5克，生黄连1.5克，灯芯二十根（发甚时宜，水煎服。

痔 疮

症状 肛门内外四旁，忽生红瘰，先痒后痛，久成为痔。

治方 柴胡、甘草、丹皮、白芍、银花、当归各7.5克，厚朴、独活、陈皮、槐角、黄芩各5克，黄柏3.5克，生地10克，水煎服。

症状 痔疮痛。

治方 夏枯草、黄柏、枳壳、槐花、马齿苋、五倍子各10克，装入夏布袋内，入瓷罐中，滚水冲洗。

症状 痔疮下血不止。

治方 川芎、当归、黄蓍、地榆、槐花各25克，阿胶、荆芥、血余炭、木贼草各5克，研为细末炼蜜和丸，粥汤服下，每服10克。

症状 痔疮坚硬作痛，及脱肛肿大不收。

治方 熊胆1克，冰片0.5克，研细末，先将大田螺一个，用尖刀挑起螺盖，入药其内，放置片刻，待螺化出浆水，用鸡羽毛扫痔上，频频用之。

治方　大黄100克，水十二碗煎至八碗，加朴硝50克，略滚，倒入桶内，先熏后洗。

治方　槐花500克，用河水熬取浓汁，复入净锅内，熬至极稠，瓷罐收贮。

每用少许，入滚水内化开洗之，痛立止。

附注：痔疮症状甚多，治法亦繁，严重时，请专家除根最妙。

第八节　五官科

耳鼻咽喉病

耳鼻咽喉病症，最常见是发炎，其次发生异物，如生瘤之类，故其疗法，外治多于内治。但这是人身五官，发生了病症，事关重要，须早日治愈，以免影响生活，及变生恶症。

耳鸣，耳聋，耳胀，耳肿痛，耳流脓水，鼻塞，鼻痒，鼻流清涕，鼻流浊涕，鼻衄，咽喉红肿，咽喉肿痛，乳蛾。

耳　鸣

症状　耳内胀而有声响，属风热者。

治方　柴胡、防风、川芎、当归、酒炒白芍、煨大黄、薄荷叶、连翘、枳壳各5克，烤石膏、炒黄芩、桔梗各10克，飞滑石30克，生甘草20克，炒山栀、荆芥穗各2.5克，水煎服。

症状　耳内响如蝉鸣，无休止时，妨碍听闻者，属肾虚，晨起宜服下方。

治方 紫苏、桂枝各3克，白术5克，泽泻、猪苓、茯苓各7.5克，枳壳、橘红各3.5克，生姜一片，水煎服，另吞清木香丸10克。

青木香丸方：青木香10克、炒黑丑末30克，炒补骨脂、毕澄茄、煨槟榔各20克，研末，水泛丸如绿豆大，每服10克。

症状 耳中蝉鸣日久，肾元虚惫者。

治方 八味地黄丸，每服10克，日二次。

治方 黑锡丹，每服3.5克。

症状 痰多气促耳鸣，属痰火者。

治方 芦荟、制胆星各1.5克，酒大黄、柴胡、净青黛各2.5克，龙胆草、酒当归、黑山栀、黄芩、小青皮各5克，广木香1克，麝香1克，研末，每服4克，盐汤下，日二次。

症状 暴怒气逆耳鸣者。

治方 炙草5克，柴胡、炒黄耳、川芎、黑山栀、当归、法半夏、芝芍药各7.5克，水煎服。

耳聋

症状 痰火盛而耳听不聪，脉滑数者。

治方 柴胡、黄芩、白茯苓、法夏各7.5克，酒炒黄连1.5克，枳壳、陈皮各5克，炙甘草3.5克，加竹沥一匙、生姜汁半匙，水煎服。

症状 烦躁多怒，耳鸣不聪。

治方 柴胡、酒拌生地、泽泻各5克，酒龙胆草4克，黑山栀、酒芩、车前子、木通、甘草、酒拌归尾各[illegible]克，水煎服。

症状 病后耳聋，气虚者。

治方 炙黄芪、当归身15克，党参、炒白术、陈皮各7.5

克，升麻2.5克，炙甘草5克，柴胡4克，水煎服。

症状 磁石地黄丸，每服15克，淡盐汤下。

治方 老熟地200克（砂仁10克，酒二匙拌九蒸九晒），丹皮、白茯苓、泽泻各75克，烤磁石、软柴胡各25克，酒润山萸肉、淮山各100克，研末，炼蜜为丸，每服15克，淡盐汤下。

耳胀

症状 头重目赤而耳中作胀者。

治方 羚羊角末、薄荷梗、苦丁茶、夏枯、生香附各5克，连翘10克，黑山栀7.5克，水煎服。

耳肿痛

症状 耳底肿痛，汁水不绝者。

治方 桑螵蛸一个，烧存性，加麝香少许，研细末掺入。

症状 耳湿肿痛。

治方 连翘15克，酒军、元明粉、酒炒黄芩、杷子各10克，甘草、苏薄荷、羌活、防风、荆介各5克，淡竹叶三十片，蜜一匙，水煎服。

治方 烤龙骨20克，净黄丹10克，加麝香少许，研细末，用少许入耳中。

附注：耳肿痛尚有耳内生疮如耳疔、耳防、耳定、耳挺、耳痔、耳痔、耳痈等，症热严重，宜速请专家诊治。

耳流脓水

症状 耳中流出脓水，或红。

治方 川芎、丹皮各5克，当归、白芍各7.5克，干地黄

10克，石菖蒲2.5克，水煎服。

治方 黄丹、烤龙骨、海螵蛸、干胭脂、麝香各等分，研细末吹之。

治方 青黛、人中白、雄黄、黄柏、冰片各等分，研细末吹入。

治方 海螵蛸、朱砂、冰片各等分，研细末吹入。

治方 橄榄核，烤存性，研细加冰片少许和研吹之。

治方 蔓荆子、升麻、前胡、桑白皮、甘草、麦冬、赤茯苓、赤芍各5克，水煎服。

鼻塞

症状 鼻塞不通，属寒症，服表散药不应者。

治方 川芎、麻黄、槟榔、肉桂、防己、细辛、白芷、石菖蒲、木通各0.5克，炎草、木香、小椒各五厘，小煎饭后服。

症状 鼻塞不通，属热症，烦躁多渴，二便不利者。

治方 荆芥、白芷、薄荷、甘草各5克，连翘15克，酒炒黄芩7.5克，酒军、杷子各10克，水煎服。

症状 四时鼻塞，不闻香臭。

治方 荆芥穗、薄荷叶各3.5克，川芎、桔梗、广郁金、陈皮各5克，赤苓、法半夏各10克，连翘壳7.5克，水煎服。

鼻痒

症状 鼻痒不止。

治方 防风、川芎、当归、薄荷、酒炒白芍、连翘各5克，炒黄芩、桔梗各10克，甘草7.5克，黑杷、荆芥穗、白附子、麻黄、土炒白术各3.5克，水煎服。

加减法：大便不利，加大黄7.5克；小便不利，加滑石25克；热甚，加烤石膏15克。

鼻流清涕

症状 鼻中常流清涕，重则塞而头背亦痛，轻则嚏而渐通。

治方 防风、羌活、白芷、薄荷、桔梗、川芎、当归、橘红、炙草各3.5克，细辛2克，法夏、茯苓各5克，生姜二片，水煎服。

症状 鼻流清涕，日久不止。

治方 辛夷、白芷各5克，荆芥、苍术、炒黄芩、法夏、制胆星各4克，水煎服。

症状 伤风流清涕者。

治方 川芎、荆芥各5克，薄荷3.5克，防风、羌活、炙草、白芷各2.5克，细辛1克，水煎服，或研末，清茶调服5克。

症状 冷热不和，鼻塞而流涕多者。

治方 通关散喷入中鼻中。

鼻流浊涕

症状 冷伤风，流厚浊涕者。

治方 干葛、茯苓各10克，前胡、紫苏、法夏各7.5克，陈皮、桔梗、炙草各3.5克，水煎服。

症状 热伤风而流浊涕者。

治方 荆芥、防风、连翘、桔梗、银花、玄参、赤芍、生地、甘草、黄芩、桑白、葛花各3.5克，青黛2.5克，水煎服。

鼻衄

症状　鼻孔出血，面赤心浮，心火旺者。

治方　生地15克，熟地、丹皮各5克，当归、黑栀、川芎各7.5克，白芍20克，水煎服。

症状　鼻孔流血。

治方　犀角末4克，丹皮、白芍、黑栀子各7.5克，生地、白茅根各15克，侧柏炭5克，水煎服。

症状　症状　衄血过多，服凉药不止者。

治方　当归5克，白芍、阿胶珠、黄芩各7.5克，炮姜炭2.5克，水煎服。

症状　每至夜即鼻出血，平日汗多。

治方　炒荆芥穗2.5克，当归、熟地、赤芍各7.5克，生地10克，去核红枣四枚，炙北黄蓍、川芎各5克，陈皮3.5克，水煎服。

症状　有鼻衄老病，小劳即发，月必数次，甚至洗面即流鼻血。

治方　黄蓍、当归、赤苓、生地、白芍、阿胶各7.5克，研末，每服10克，茅花汤调下。

症状　鼻出血不止，时日已久者。

治方　艾叶、山萸肉、丹皮、柏子仁去油各7.5克，鲜荷叶一张，大生地15克，白连肉、淮山各10克，泽泻5克，水煎服。

咽喉红肿

症状　咽喉红肿，干燥而痛，口苦尿黄者。

治方 霜桑叶、苦杏仁、凡皮、连翘、牛蒡子、赤芍药各10克，粉甘草5克，天花粉、浙贝各15克，水煎，冲青橄榄汁半酒杯服。

咽喉肿痛

症状 咽喉红肿作痛。

治方 小川连2.5克，黄芩、黑山栀各7.5克，黄柏5克，水煎服。

治方 牛蒡子、栝根、炒连翘各10克，枯黄芩、桔梗、前胡、甘草各5克，元参、金银花、黑山栀各7.5克，水煎服。

症状 风火上部，咽痛头胀。

治方 连翘、西瓜翠衣各7.5克，滑石、桑皮、杏仁各10克，射干3.5克，水煎服。

治方 薄荷、马勃各5克，连翘10克，射干7.5克，生绿豆衣15克，水煎服。

症状 咽痛不肿者。

治方 生甘草、桔梗、射干、山豆根、连翘壳、防风、荆芥、牛蒡子、黑元参各5克，竹叶十片，水煎服。

症状 一切咽喉肿痛，吹药用：

治方 冰片2.5克，硼砂25克，玄明粉25克，朱砂3克，研为细末，每用少许吹放喉部，日吹四五次。

乳　蛾

症状 咽喉两旁或一侧，红肿如虫蛾，如枣栗，疼痛难于饮食。

治方 熟牛蒡10克，防风4克，炒黄芩、生甘草各5克，白芍、桔梗、黑元参、生地各7.5克，水煎服。

加减法： 见白腐，加马勃5克；大便不通，加大黄7.5克；红肿甚，加板蓝根5克。

治方 牙皂5克，正冰片、腰黄各1.5克，火硝、硼砂各7.5克，僵虫、山豆根各5克（入蜒蚰二条拌匀阴干用），研极细吹入用。

附注： 喉科病症甚多，如喉风一症，即有许多种。另如喉疔、喉杵、喉疳、喉瘴、喉疮、喉瘤、喉癣，均属不平常之喉病。至于白喉与喉痧（即猩红热）属急性传染病，更为喉病之严重者，宜急速就医。

第二章

古代秘方篇

第一节 内 科

方名 立效丸

组成 黄蜡(滤去滓)240克,蛤粉120克研末)。

用法 上二味,每30克作丸5个,每服1~2丸,与胡核仁半个,细嚼温水下。临卧闭口不语。

功效 清肺止咳。

主治 肺虚膈热,咳嗽气息,胸中烦闷,肢体倦卧,咽干口苦,音声不出。

来源 《普济方》

方名 宁气汤

组成 御米壳60克(蜜水淹一宿,炒黄),甘草(炙)、杏仁(去皮尖、麸炒)、紫苑、桔梗各20克,五味子、甜葶苈、人参、半夏(生姜制)、桑白皮(锉炒)、紫苏叶、陈皮各30克。

用法 上为粗末,每次15克,加水一大盏,入生姜7片,煎至六分,去滓,饭后取。

功效 止嗽宁气。

主治 肺气不利，咳嗽声重，咽喉干燥，痰唾稠黏，不得睡眠。

来源 《御药院方》

方名 前胡散

组成 前胡、人参、赤茯苓、紫苏各20克，陈皮、半夏曲、甘草、枳壳、木香各15克。

用法 共为粗末，每服9克，水一盏半，入生姜7片，煎至一盏，去滓，温服之，日3服。

功效 化痰降气止咳。

主治 痰气客于上焦，心下痞闷，不欲饮食，头目昏眩，咳嗽吐痰。

来源 《御药院方》

方名 蜡煎散

组成 款冬花、紫菀、甘草（炙）各3克，五味子（炒）15克，桑白皮（炒）、桔梗、杏仁（去皮，麸炒）、紫苏叶各30克。

用法 上为粗末，每服12克，水一大盏，用黄蜡少许，同煎至七分，去滓，饭后临睡前温服之。

功效 顺肺气，利咽膈，止咳嗽，化痰涎。

主治 肺气不利，咳嗽吐痰。

来源 《御药院方》

方名 参苏理肺丸

组成 人参45克，前胡、陈皮、桔梗、茯苓、干葛、枳壳各90克，桑皮、半夏各60克，苏叶180克，木香15克，甘草24克。

用法 共研细末，水泛和丸。每服3～6克，风寒咳嗽者，用淡姜汤送下;伤酒、伤食、滞火咳嗽者,俱用白开水或清茶送下;久嗽不止者,用梨汤或淡萝卜汤送下。忌辛辣、风寒、动火之物。

主治 肺经不清,一切痰喘咳嗽不止,四时感冒,伤寒伤风,发热憎寒,头痛无汗,鼻塞声重,畏怕风寒,不思饮食等证。

来源 《清太医院配方》

方名 竹沥化痰丸

组成 神曲、苏子、枳实、连翘、楂肉、桔梗、花[illegible]、天麻各60克,茯苓、半夏、胆星、海石、白术、橘红、黄芩、香附、[illegible]贝母、竹沥各120克,青黛30克。

用法 共研细末,水泛和丸。每服6~9克,每日3次,食后用清茶送下。忌食生痰、动火之物。

功效 清肺降火,顺气化痰。

主治 痰气上攻,肺膈不清,胸中痞满,咽喉不利,有痰咳喘。

来源 《清太医院配方》

方名 千金化痰丸**组成** 陈皮、白术、花粉、黄芩、枳壳各120克,知母、半夏、熟军、天麻、甘草各90克,白芥子、胆星、海石、茯苓、当归各60克。

用法 共研细末,水泛和丸。每服3~6克,每日2次,早晚用清茶送下。忌食荤、酒、椒、姜等物。戒气怒、房劳。

功效 健脾理胃,清火化痰。

主治 痰火咳嗽,胸膈不利,头目眩晕。

来源 《清太医院配方》

方名 疏风止嗽丸

组成 苏梗15克，防风、干葛、枳壳、前胡、桔梗、桑皮、杏仁、半夏、茯苓各9克，陈皮、川贝、羌活、黄芩各6克，甘草3克。

用法 共研细面，少兑炼蜜为丸，如绿豆粒大，朱砂为衣。每服9克，每日3服，白开水送下。

功效 疏风解表，宣肺止嗽化痰。

主治 外感风寒，咳嗽痰多，或咳痰不爽。

来源 《慈禧光绪医方选议》

方名 清金止嗽化痰丸

组成 茯苓、杏仁、陈皮、苏子、半夏、苏梗、干葛各120克，前胡、枳实、浙贝、甘草、人参、木香各30克，花粉45克，桔梗120克。

组成 共研细末，水泛为丸。每服3～6克，每日3次，用萝卜汤或清茶、白开水送下。久嗽者用梨汤或蜜汤送下。

功效 润肺定喘，止嗽化痰，清金降火，快膈宽中。

主治 新久痰喘咳嗽，痰实声重，音哑口干，胸膈疼痛，鼻塞流涕，及一切肺经不清，咳嗽痰喘等症。

来源 《清太医院配方》

方名 清肺抑火化痰丸

组成 陈皮、半夏、前胡各30克，熟军、栀子、麦冬、桔梗、枳壳、花粉各18克，海石21克，杏仁12克，百部、川连、甘草各9克，蒌仁12克，黄芩36克。

用法 共研细末，炼蜜为丸，如绿豆大。每服6克，日3次，温水送下。

功效 清肺化痰止咳。

主治 咳嗽痰黄，咽喉疼痛，口干舌燥，大便秘结。

来源 《慈禧光绪医方选议》

方名 梨膏

组成 鸭梨20个。

用法 去核取汁，兑炼蜜收膏。每服1小匙，日3次。

功效 清肺热润肺燥，生津止咳。

主治 干咳久咳，咳嗽燥呛，咽喉干燥，失音气促。

来源 《慈禧光绪医方选议》

方名 蛤蚧膏

组成 麻黄（去根、节）500克，紫苑、艾叶（炮）、槐角（炒）、陈皮、枇杷叶（去毛）、桑白皮、甜葶苈、款冬花、薄荷叶、杏仁（去皮尖）、佛耳草、五叶子、贝母、紫苏叶、皂角（去皮子）各15克，蛤蚧一对，党参50克。

用法 上列药物，除后二味外共捣罗为粗末，用河水慢火煎熬，滤去渣滓，再用绢细细滤过，然后以文武火熬成膏，再将蛤蚧一对米泔水刷洗20遍，酥炙为黄色，为潞党参一起研细末，与膏子和匀，丸如弹子大，每服6克，食后临卧服。

功效 补肺益气，止咳定喘。

主治 咳嗽上气喘满。

来源 《御药院方》

方名 人参定喘汤

组成 人参30克，罂粟壳60克，麻黄、半夏曲、炙甘草各30克，桑白皮15克，阿胶30克，五味子45克。

用法 上药锉散。每次取9克，加水1盏、姜3片，煎至7分，食后温服，每日1次。

主治 喘促气逆，喉中有声，坐卧不安，胸膈紧满。

来源 《世医得效方》

方名 加味三拗汤

组成 杏仁22克，陈皮30克，甘草10克，麻黄36克，辣桂15克。

用法 上锉散。每服12克，加生姜3片煎服。喘甚者，加马兜铃、桑白皮。夏月减麻黄。

主治 外感寒邪发喘。

来源 《世医得效方》

方名 温肺汤

组成 白芍药60克，五味子、干姜、肉桂、半夏、陈皮、杏仁、炙甘草各90克，细辛60克。

用法 上锉散。每服9克，加水1.5盏，煎至8分，以绢帛滤汁，食后服。

功效 温肺定喘，化痰止咳。

主治 肺虚久感风邪，喘咳不能坐卧，不思饮食。

来源 《世医得效方》

方名 治喘嗽方

组成 半夏、麻黄、石膏、杏仁（去皮尖）、细茶、甘草、川芎（少许）、粟壳（少许）、淡豆豉各适量。

用法 共锉为粗末，生姜3片，水煎服。

功效 清热化痰，止喘嗽。

来源 《鲁府禁方》

方名 双仁丸

组成 桃仁、杏仁(去皮尖)各15克。

用法 上二味细研,水调生面少许,和丸如梧桐子大,每服10丸,生姜、蜜汤下。微利为度。

功效 止咳平喘。

主治 上气喘急。

来源 《圣济总录》

方名 柴胡散

组成 柴胡、赤芍、鳖甲各30克,白术0.9克,木香15克,紫苑0.6克,赤茯苓0.9克,半夏、杏仁、人参、前胡、枳壳各0.9克,诃黎勒45克,枇杷叶15克,甘草0.3克。

用法 捣罗为散。每服9克,加生姜0.15克煎服。忌饴糖、羊肉、苋菜。

功效 养阴益气,清肺止咳。

主治 肺痨,胸膈壅滞,痰嗽不止,四肢无力,少思饮食。

来源 《太平圣惠方》

方名 麦门冬丸

组成 麦门冬60克,川椒15克,远志、附子、人参、细辛、桂心、百部、黄芪、杏仁各30克,干姜15克。

用法 捣罗为末,炼蜜和丸,如弹子大。每服1丸,日3次。

主治 肺痨咳逆气喘。

来源 《太平圣惠方》

方名 蛤蚧散

组成 蜜炙蛤蚧1对，人参、百部、款冬花、紫菀茸各15克，贝母、阿胶、鳖甲、柴胡、肉桂、黄芪、甘草、杏仁、半夏各30克。

用法 上药为末，每服9克，水1.5盏，生姜3片，煎至1盏，不拘时温服。

主治 虚劳咳嗽咯血，潮热盗汗，不思饮食。

来源 《世医得效方》

方名 八珍膏

组成 梨汁、萝卜汁、藕汁各500毫升，乳汁500毫升，柏枝汁（捣烂，童便熬浓汁）500毫升，知母、黄柏各60克。

用法 前五种汁共熬成膏，再加入知母黄柏末，入膏搅匀，每服2茶匙，白水送下。

功效 滋阴润肺，清火止咳。

肺痨。

来源 《鲁府禁方》

方名 荆芥汤

组成 荆芥穗15克，桔梗60克，甘草（炙）30克。

用法 共为粗末，每服12克，水1盏，姜3片，煎至六分，去渣，食后温服。

功效 祛风利咽。

风热壅肺，咽喉肿痛，语声不出，或如有物梗。

来源 《太平惠民和剂局方》

方名 荆苏汤

组成 荆芥、苏叶、木通、橘红、当归、石菖蒲、桂各等分。

用法 每服12克，水煎服。

主治 失音。

来源 《普济方

方名 杏仁煎。

组成 杏仁、冬蜜、沙糖、姜汁各3克，桑白皮、木通、贝母各45克，北味子、紫菀茸各30克，石菖蒲15克。

用法 上药加水5升，煎至2.5升，加入杏姜糖蜜，微火煎取.5升。每服90克，日服3次。

主治 咳嗽暴重，声音不出。

来源 《普济方》

方名 诃子饮

组成 组成 诃子(去核)30克，克仁(泡，去皮、尖)30克，通草6克。

用法 上药细切，每服12克，用水1盏，煨生姜5片，煎至八分，去滓，食后温服。

功效 润肺清音。

主治 久咳语声不出。

来源 《济生方》

方名 清音丸

组成 硼砂30克，乌梅30克，薄荷30克，元参30克，寒水石30克，桔梗30克，甘草30克，青黛30克，儿茶60克，石膏90克，绿豆粉120克。

用法 共研细末，炼蜜和丸，丸重3克。每1丸，不拘时噙化，日进3～9丸。忌动火之物。

主治 肺火上炎，咽干舌燥，喉咙不清，失音声哑。

来源 《清太医院配方》

方名 铁笛丸

组成 薄荷120克，诃子30克，熟军30克，砂仁30克，川芎30克，连翘75克，甘草75克，桔梗75克，麦冬60克。

用法 共研细末，炼蜜和丸，丸重3克。不时噙化1丸，徐徐咽下。

功效 润肺宁嗽，生津止咳，清音化痰。

主治 劳役过伤，虚火上炎，咳嗽痰喘，咽喉肿痛，口舌燥干，失音声哑。

来源 《清太医院配方》

方名 失笑散

组成 五灵脂(酒研、淘去砂土)、蒲黄各等分。

用法 共为细末，每服6克，用黄酒或醋冲服，也可水煎作汤剂，用量酌定。

功效 活血祛淤，行滞止痛。

主治 淤血停滞之各种疼痛，如胃痛、小腹急痛、痛经等。

来源 《太平惠民和剂局方》

方名 木香三绫丸

组成 木香30克，三棱、蓬莪术、大麦蘖、神曲、白术、陈皮、干姜各60克，黑牵牛180克。

用法　上为细末，生姜汁面糊和丸，如梧桐子大。每服30～50丸，食后生姜汤送下，每日2次。

功效　宽中顺气，消食化痰。

主治　胸膈痞闷，胁肋胀满，胃脘胀痛。

来源　《御药院方》

方名　平胃散

组成　厚朴96克，苍术150克，陈皮96克，甘草6克，人参、茯苓各9克

用法　上为细末。每服6克，用水1盏，加生姜2片、干枣1个，同煎至7分，去姜枣加盐1捻，清早空腹服下。

功效　化宿食，消痰饮，调气和胃。

主治　脾胃不和，不思饮食，胃脘胀痛，口苦无味，恶心呕哕，噫气吞酸，面色萎黄，肌体瘦弱。

来源　《御药院方》

方名　拈痛丸

组成　五灵脂、蓬术、木香、当归各15克。

用法　共为细末，炼蜜为丸，如桐子大，每服20丸，饭前橘皮煎汤送下。

功效　行气活血止痛。

主治　胃脘痛。

来源　《鲁府禁方》

方名　九气拈痛丸

组成　当归、良姜、五灵脂、莪术、槟榔、青皮各120克，元胡、

郁金、木香、陈皮、姜黄各60克,香附150克,甘草45克。

用法 共为细末,醋法为丸,每服6克,每日2次。

功效 活血化淤,理气止痛。

主治 各种气病所致的心胃疼痛。

来源 《慈禧光绪医方选议》

方名 加味三仙饮

组成 焦三仙、枳壳各4.5克,广陈皮3克,酒连2.4克,细生地9克,甘菊9克,鲜芦根2支,竹叶24克。

用法 水煎温服。

功效 消食健胃。

主治 饮食停滞,胃脘胀满疼痛,嗳气吞酸。

来源 《慈禧光绪医方选议》

方名 加味保和丸

组成 白术(土炒)、神曲、萝卜子、广皮、连翘、半夏(炙)、香附(炙)、茯苓、黄芩各45克,黄连15克,山楂(炒)30克,厚朴(炙)30克,枳实30克,麦芽30克。

用法 共为细面,水泛为丸,如绿豆大,每服9克,白开水送服。

功效 消食和胃。

主治 食积停滞,胃脘胀痛。

来源 《清宫医案研究》

方名 手拈丸

组成 干姜、苏叶、茯苓、枳壳、枳实、元胡、香附、白术、青皮、陈皮、霍香、乌药、吴萸、官桂、豆蔻各30克。

用法 共研细末，姜汁和丸，每服6克，饭后用淡醋汤送下，白开水亦可。忌食生冷。

功效 温中散寒，行气止痛。

主治 寒中脾胃，中脘疼痛，遇寒即发，时痛时止，呕吐痰水作酸，痞闷不思饮食等。

来源 《清太医院配方》

方名 香砂平胃丸

组成 木香、砂仁各60克，苍术、陈皮各120克，甘草30克，厚朴90克。

用法 共研细末，水泛为丸。每服6～10克，早晚各1次，细嚼，白开水送下。忌食生冷、油腻等物。

功效 理气和胃、化湿止痛。

主治 脾胃虚弱，气郁伤食，胸腹饱闷，胃脘疼痛，呕吐作酸，大便不调。

来源 《清太医院配方》

方名 金铃子散

组成 金铃子、延胡索各30克。

用法 为末，线服9克，酒或开水送下。亦可水煎服，用量按原方酌减。

功效 疏肝泄热，行气止痛。

主治 肝气郁滞，胸痛胁痛及腹痛等。

来源 《太平圣惠方》

方名 五积散

组成 白芷、川芎、甘草、茯苓、当归、肉桂、白芍药、半夏各90克，橘皮、枳壳、麻黄各180克，苍术600克，干姜120克，桔梗300克，厚朴120克。

用法 共为粗末。每次取9克，加生姜3片，水煎服。

功效 解表散寒，温中消积。

主治 外感风寒，内伤生冷，症见恶寒发热，无汗身痛，不欲饮食，腹痛呕吐等。

来源 《太平惠民和剂局方》

方名 椒附丸

组成 绵附子1个(重约36克者)，胡椒100粒。

用法 上为末，姜汁糊为丸，如梧桐子大。每服50丸，空腹用姜汤或盐汤送下。

主治 脐下极冷，痛楚异常，手足亦冷，不任冷水冷食，面黄肌瘦，按之痛稍止者。

来源 《世医得效方》

方名 沉香饼子

组成 京三棱、蓬莪术、青皮、陈皮、红豆、诃子、缩砂仁、半夏、芫花、干姜、槟榔、姜黄、巴豆、益智、肉桂、木香、藿香叶、沉香、硇砂各等分。

用法 上为细末，面糊和丸，如小豆大，捏作饼子。每服7饼，食后用生姜汤送下，每日3次。

功效 温中行气，化积导滞。

主治 食饮停积，胸膈痞满，腹痛呕吐。

来源 《御药院方》

方名 鸡舌香丸

组成 黑牵牛120克，京三棱45克，丁皮、槟榔、木香各30克，青皮60克，胡椒15克。

用法 上为细末，水煮面糊为丸，如梧桐子大。每服30丸，食后用生姜汤送下，每日3次。

功效 消积导滞，行气止痛。

主治 伤冷腹胀痞闷疼痛，呕逆痰水。

来源 《御药院方》

方名 调气散

组成 木蚝、紫苏各1.5克，槟榔2.5克，青皮、香附各3克，陈皮、半夏各2.5克，甘草、乳香、没药各1克。

用法 上药为粗末，加生姜3片，水煎服。

功效 凋气止痛。

主治 气滞于内，胸膈虚痞，腹中刺痛。

来源 《鲁府禁方》

方名 平肝散

组成 陈皮、青皮、香附、白芍、山栀、黄连、黄芩各3克，姜制半夏2.5克，甘草1.5克，生姜3片。

用法 水煎服。

功效 清热平肝，理气止痛。

主治 七情不顺，郁火攻冲，腹痛时发时止，痛无定处。

来源 《鲁府禁方》

方名 封脐暖肚膏

组成 附子、干姜、栗子、土木鳖各60克，生姜、老葱各240克。

用法 用香油1500克，熬枯去滓，入黄丹500克收膏，再加入丁香9克、肉桂60克、麝香3克，研末搅匀。用时取适量贴敷脐部。

功效 温补脾胃，暖丹田，壮元阳，止泻痢。

主治 风寒入肚，腹内冷痛。

来源 《清太医院配方》

方名 利膈丸

组成 木香、槟榔各45克，厚朴、党参、当归、熟军、枳壳、甘草各30克。

用法 共研细末，水泛和丸。每服3克，用温茶送下。小儿减用。

主治 男妇小儿停饮宿滞，伤酒伤食；或因忧思气怒之后，过食煮面、鱼肉、瓜果之物，停滞胃脘，以致肚腹疼痛，心下痞满，两肋攻胀，烦闷不快。

来源 《清太医院配方》

方名 椒艾丸

组成 乌梅75克，川椒30克，艾叶30克，干姜、赤石脂、黑附子各30克。

用法 将上药除乌梅均研为细末，再将乌梅肉蒸熟研匀，更入熟枣肉、蜜少许和丸，如梧桐子大。每服20丸，食前米汤送下，日

3 次。

主治 久虚寒泄不止。

来源 《御药院方》

方名 大道固肠丸

组成 阳起石、硫黄、赤石脂、白矾、肉豆蔻各 30 克，白龙骨 75 克，川乌头、干姜各 45 克，木香、缩砂仁各 15 克。

用法 上为细末，醋面糊为丸，如梧桐子大。每服 50～70 克，空腹用粥饮下。

来源 《御药院方》

方名 肉豆蔻丸

组成 肉豆蔻、黑附子、川姜、桂、硫黄、白术、当归、诃子皮各 30 克，川乌头、红豆蔻各 15 克。

用法 上为细末，醋糊为丸，如梧桐子大。每服 30 丸，清晨空腹用米饮送下。

主治 肠弱胃虚，停积风冷，大便泄泻，水谷不化，腹胁胀痛。

来源 《御药院方》

方名 坚中丸

组成 黄连、黄柏各 30 克，陈皮 15 克，赤茯苓 30 克，白术、泽泻各 30 克、肉豆蔻 30 克，白芍药、人参，桂、半夏曲各 15 克。

用法 上为细末，水浸和丸如梧桐子大。每服 50 丸，食前用温米汤送下。

主治 脾胃受湿，滑泻注下。

来源 《御药院方》

方名 缩砂丸

组成 缩砂仁、黄连、附子、吴茱萸、诃子皮、肉豆蔻各 30 克，干姜、木香各 15 克。

用法 上为细末，水煮面糊和丸，如梧桐子大。每服 50～70 丸，食前米饮送下。

主治 大便泄泻，米谷不化，腹中疼痛，不思饮食。

来源 《御药院方》

方名 万补丸

组成 苍术 240 克，厚朴、陈皮各 150 克，甘草、小茴香各 90 克。

用法 上列药为细末备用。用猪肚 1 个、莲子半斤为末，先将猪肚洗净，再入莲子末于其中，用线扎两头，和猪腰 2 个同煮，加少量童便，煮极烂为度，取出捣如泥，加前药，捣匀为丸，如梧桐子大，每服 70～80 丸，姜汤或白开水送服。

功效 健脾和胃止泻。

主治 脾胃不和，溏泄晨泄，一切脾气不足。另外，本方治男子遗精、女子赤白带下亦有良效。

来源 《鲁府禁方》

方名 益气理脾枳术丸

组成 党参、川郁金各 12 克，云苓、焦楂各 18 克，生于术、槟榔、陈皮、炒枳壳、生杭芍各 9 克，焦麦芽 30 克，壳砂 45 克，扁豆、莱菔子各 15 克，石斛 16 克，薏米 12 克。

用法 共研极细面，炼蜜丸，如绿豆大。每服 9 克，白开水送下。

主治 肺脾气虚，湿痰不化，食少乏力，大便溏泻等症。

来源 《慈禧光绪医方选议》

方名 四神丸

组成 补骨脂120克，五味子60克，肉豆蔻60克，吴萸30克。

用法 共研细末，水泛和丸。每服3～6克，空心用淡盐汤送下，淡姜汤亦可，早晚进2服亦可。忌食生冷、厚味、荤腥等物，戒房欲。

功效 温肾暖脾，固肠止泻。

主治 脾胃虚弱，大便不实，饮食不思，食物即泻，水谷不化，下元虚冷，滑脱肠鸣肚胀，四肢无力，面黄瘦弱；或肾虚排泻，清晨溏泻，每日不止，经年不愈者。

来源 《证治准绳》

方名 四君合四神加减方

组成 党参3克，土炒于术3克，补骨脂4.5克，茯苓3克，肉蔻2.5克，吴萸1.2克，醋柴胡0.6克，五味子1.8克。

用法 共研细末，合枣泥为丸，重4.5克。每天早晚各服1丸，姜汤送下。

功效 温补脾肾，涩肠止泻。

主治 大便溏泻日久，食少乏力，畏寒肢冷等症。

来源 《清宫医案研究》

方名 治鸡鸣泻方

组成 米壳6克，山楂3克，焦楂3克。

用法 水煎，白糖为引服。

功效 化积消滞，涩肠止泻。

主治 鸡鸣泄泻。

来源 《清宫医案研究》

方名 玄参散

组成 玄参10克，川升麻10克，独活10克，麦门冬10克，黄芩10克，黄柏10克，川大黄10克，栀子仁10克，前胡10克，犀角屑10克，甘草10克。

用法 上药捣筛为散。每服15克，水煎服。

功效 清热泻火，养阴止痛。

主治 口舌生疮，连齿龈烂痛。

来源 《太平圣惠方》

方名 铅霜散

组成 铅霜0.3克，龙脑1.5克，滑石0.3克

用法 细研为散，每用少许，贴疮上，有涎即吐却。

功效 敛疮止痛。

主治 口舌生疮。

来源 《太平圣惠方》

方名 止痛散

组成 铅霜0.3克，白矾0.3克，黄柏0.3克，麝香2克。

用法 上药研为细末。每月少许涂于疮处，有涎即吐之，日用3～5次。

主治 口舌生疮。

来源 《太平圣惠方》

方名 治口舌生疮方

组成 黄连、细辛各等分

用法 上二药为细末,撒敷于疮面上。

主治 口舌生疮。

来源 《鲁府禁方》

方名 噙化上清丸

组成 桔梗、花粉、葛根、百药煎、柿霜、玫瑰、木樨各30克,乌梅肉、前胡、甘草、薄荷、麦冬、杏仁各18克,硼砂18克,白檀香6克,冰糖100克。

用法 共研极细面,以玫瑰、木犀合水为丸,打如芡实大。噙化。

功效 清音,化痰。

主治 咽喉肿痛,口舌生疮。

来源 《清太医院配方》

方名 犀角上清丸

组成 黄芩、生地、薄荷、花粉、生栀、石膏、牛蒡、防风、桔梗、赤芍各120克,连翘、黄连、菊花、荆穗各60克,犀角30克。

用法 共研细末,水泛和丸。体壮者每服4.5克,体弱者每服1.5克,食后用清茶送下,孕妇勿服。

功效 清热泻火。

主治 心经火盛,三焦有热,口舌生疮,眼目赤肿,牙痛耳鸣,便秘尿赤。

来源 《清太医院配方》

方名 白清胃散

组成 煅石膏30克，硼砂9克，冰片1.5克。

用法 共研细末，每用少许，搽于牙上，待涎水吐出，自愈。

功效 清胃泻火，止痛敛疮。

主治 胃火上升，牙齿疼痛，口舌生疮。

来源 《清太医院配方》

方名 红清胃散

组成 煅石膏30克，硼砂6克，朱砂1.5克，冰片1.5克。

用法 共研细末。涂于患处。忌烟、酒、煮面等物。

主治 胃热火盛，口舌糜烂，牙齿胀疼，不能饮食，牙宣出血，疼痛难忍者。

来源 《清太医院配方》

方名 漱药方

组成 薄荷叶3克，僵蚕4.5克，连翘6克，赤芍9克，生石膏9克，没药6克，丹皮6克，食盐1匙。

用法 以水熬透，随时漱之。

功效 清热祛风，解毒泻火。

主治 口腔糜烂，牙齿肿痛，或咽喉疼痛等症。

来源 《慈禧光绪医方选议》

方名 清胃散

组成 人中白9克，青黛4.5克，白芷4.5克，杭芍4.5克，生石膏6克，冰片3克，牛黄1.5克，麝香0.3克。

用法 共为极细面，过重罗，敷患处。

功效 清火解毒，消肿。

主治 口舌生疮，咽喉肿痛。

来源 《慈禧光绪医方选议》

方名 清胃消糜散

组成 元明粉3克，青黛0.6克，麝香0.15克，冰片0.9克，生蒲黄0.9克，明乳香9克，紫花地丁6克。

用法 共研极细面，过绢罗，敷于患处，取涎即消。

功效 清胃泻火，健脾除湿。

主治 胃火或阴虚，以及水湿困脾蕴热、脾经湿热熏蒸地上，久而致口腔糜烂作痛。

来源 《慈禧光绪医方选议》

方名 三黄丸

组成 大黄、黄芩、黄柏各50克。

用法 共研细末，水泛和丸。每服3克，临卧时用茶清或白开水送下。忌食动火之物，孕妇忌服。

主治 三焦积热，口舌生疮，咽喉肿闭，心中烦躁、大便秘结，小便赤涩。

来源 《清太医院配方》

方名 绿袍散

组成 黄柏15克，薄荷9克，青黛9克，儿茶3克，硼砂1.5

克，冰片 0.6 克。

用法 共研细末。每用少许上患处，吐咽不拘。

功效 清热解毒，消肿止痛。

主治 三焦火盛，口舌生疮，赤烂肿痛，唇皮燥裂，秽气逼人。

来源 《清太医院配方》

方名 口疮药赴宴散

组成 干姜、川连各 15 克，冰片 0.6 克。

用法 共研细末。先用米泔水漱口，后搽药于患处，或吐或咽不拘。

主治 上焦实热，口舌生疮，糜烂疼痛。

来源 《清太医院配方》

方名 透水散

组成 瞿麦、芒硝、大黄、槟榔各 30 克，石苇 90 克，木通、陈皮各 6 克，牵牛子(微炒)、滑石各 15 克。

用法 以上药物共研为细末。每服 12 克，以水 1 盏，煎至六分，去滓，食前温服。

功效 利水通淋，消积导滞。

主治 小便不通，肠腹急满。

来源 《太平圣惠方》

方名 鸡苏散

组成 鸡苏、滑石、葵子、瞿麦、桑根白皮、榆白皮各 30 克，甘遂 15 克。

用法 以上药物共研为细末。每服 9 克，以水一中盏，煎至六分，去滓，食前温服。

功效 清肺泻水，利尿通淋。

主治 小便不通，心腹妨闷，上气喘息，坐卧不安。

来源 《太平圣惠方》

方名 海蛤丸

组成 海蛤、滑石各 60 克，木通、赤茯苓、赤芍药各 15 克，葵子、蒲黄、车前子各 30 克。

用法 以上药物共研为极细末，蜂蜜和为丸，每丸 6 克，每于食前以葱白煎汤送下 2 丸。

功效 利尿通淋

主治 小便不通，脐间窘急。

来源 《太平圣惠方》

方名 巨胜汤

组成 巨胜 90 克，甘草(炙)、麦门冬、芍药各 15 克。

用法 以上药物共研为细末。每服 15 克，以水 1 盏半，加生姜 3 片、地黄汁 250 毫升，煎至 1 盏，去滓温服。

功效 补不足，宽中止痛，益气利小便。

主治 虚劳小便难，小腹胀痛。

来源 《圣济总录》

方名 八灵散

组成 赤茯苓、天门冬、石菖蒲、椒红、泽泻、肉桂、冬葵子、白芥子各 15 克。

用法 以上药物共研为极细末。每服 6 克，温汤调下，不拘时候。

功效 补不足，利小便。

主治 虚劳小便难。

来源 《圣济总录》

方名 杏仁散

组成 杏仁(去皮炎)7枚。

用法 将杏仁炒黄，研为细末，米饮调下。立愈。

主治 卒不得小便。

来源 《圣济总录》

方名 石苇散

组成 石苇、瞿麦穗、冬葵子各60克，滑石150克。

用法 以上药物共研为极细末。每服9克，温水调下，食前服。

功效 通利小便。

主治 小便不利，点滴而下。

来源 《圣济总录》

方名 茯苓汤

组成 赤茯苓、白芍药、瞿麦穗各30克，白术3克。

用法 以上药物共研为细末。每服15克，以水一盏半，加葱白5寸、生姜1片，同煎至七分，去滓，食前温服。

功效 补气利小便。

主治 小便不利，点滴而下。

来源 《圣济总录》

方名 石苇饮

组成 石苇、瞿麦穗、木通、葛根、麦门冬、黄芩、赤茯苓、冬葵子、生地黄、滑石各30克，甘草(炙)15克。

用法 以上药物共研为细末。每服15克，以水一盏半，煎取八分，去滓，空腹顿服。

功效 清热利小便。

主治 膀胱蕴热小便不畅。

来源 《圣济总录》

方名 滑石散

组成 滑石、海金沙各20克，木通6克。

用法 上药捣罗为散。每服6克，浓煎灯心汤调下，食前服每日3次。

功效 小便淋涩，疼痛不通。

主治 《圣济总录》

方名 治小便不通方

组成 蟋蟀3个。

用法 焙干为末，煎竹叶汤调服。

功效 利尿。

主治 小便不通。

来源 《鲁府禁方》

方名 菟丝子散

组成 菟丝子(酒浸三日，晒干)、牡蛎、肉苁蓉、鸡内金各60

克，附子、五味子各 30 克。

用法 以上药物共研为极细末。每于食前，以粥饮调下 6 克。

功效 温补肾阳，固摄止遗。

主治 遗尿。

来源 《太平圣惠方》

方名 泽泻散

组成 泽泻、牡丹皮、牡蛎、鹿茸、桑螵蛸、阿胶、赤茯苓各 30 克。

用法 以上药物共研为极细末。每于食前以酒调下 6 克。

功效 固涩止遗。

主治 遗尿。

来源 《太平圣惠方》

方名 黄芪散

组成 黄芪、狗脊、牡蛎、肉苁蓉各 30 克，土瓜根 90 克，赤石脂、萆解、牛膝、山茱萸各 60 克。

用法 以上药物共研为极细末。每服 3 克，酒调食前服，临卧前再服 6 克。

主治 遗尿。

来源 《圣济总录》

方名 鹿茸散

组成 鹿茸、乌贼骨各 90 克，当归、人参、白芍药、龙骨、桑寄生各 30 克，桑螵蛸 45 克。

用法 以上药物共研为极细末。每天早、晚用温酒调下 3 克。

功效 温补肾阳，固涩止遗。

主治 肾虚遗尿，腰脐冷疼。

来源 《圣济总录》

方名 阿胶汤

组成 阿胶（研为末）、麻仁（研烂）、人参各30克，干姜（炮）60克，远志120克，附子一枚（炮），炙甘草90克。

用法 先将以上后五味药物研为粗末，再与麻仁拌匀。每服18克，以水2盏，煎至1盏，去滓，加阿胶末3克，更煎两沸，于食前温服，每天服3次。

主治 遗尿。

来源 《圣济总录》

方名 牡蛎丸

组成 牡蛎（煅）、独活、狗脊各9克，肉苁蓉（酒浸，焙）30克，龙骨15克。

用法 以上药物共研为极细末，蜂蜜和为丸，如梧桐子大。每服20丸，空腹食前盐汤送下。

功效 温暖肾阳，固涩止遗。

主治 虚寒遗尿。

来源 《圣济总录》

方名 苁蓉牛膝丸

组成 肉苁蓉（酒浸一宿，焙）、牛膝（酒浸一宿，焙）、补骨脂（酒浸一宿，炒）、巴戟天、羌活、附子（炮）、蜀椒（炒）各30克

用法 以上药物共研为极细末，用猪肾1只，去筋膜细切研

烂，取浸牛膝酒同面煮糊和丸，每丸6克。每天早、晚用温酒送下2丸。

功效　补益下元，强壮真气。

主治　膀胱虚冷，遗尿。

来源　《圣济总录》

方名　黄连丸

组成　黄连、栝楼根、龙骨、苦参、牡蛎、山茱萸、葳蕤、土瓜根各30克。

用法　以上药物共研为极细末。蜂蜜和为丸，每丸6克。一次服2丸，煎大麦汤送下，每天服1次，不拘时候服。

主治　小便滑数，白浊如米泔。

来源　《太平圣惠方》

方名　菟丝子散

组成　菟丝子60克（酒浸一宿，晒干），韭子（微炒）、附子（炮）、当归、川芎、桂心各30克，车前子、白矾各45克。

用法　以上药物共研为极细末。每于食前以温酒调下6克。

主治　虚劳小便白浊，及梦遗尿精。

来源　《太平圣惠方》

方名　补商鹿茸丸

组成　鹿茸60克，蛇床子9克，远志9克，熟地60克，菟丝子60克，五味子30克，肉苁蓉60克，白茯苓30克，山药30克。

用法　上捣为末，炼蜜再捣三五百下，丸如梧桐子大。每服20丸，食前服，每日2次。

功效 补肾固精。

主治 虚损劳衰，小便白浊。

来源 《太平圣惠方》

方名 鹿茸丸

组成 鹿茸、磁石各60克，山药、远志、牛膝（酒浸，焙）、白茯苓、熟地黄、肉桂、巴戟天、续断、肉苁蓉（酒浸一宿，炙）、泽泻、五味子、人参、山茱萸、菟丝子（酒浸三日，焙）、补骨脂（炒）、杜仲、附子（炮）各适量。

用法 以上药物共研为极细末，蜂蜜和为丸，每丸6克。每天早晚以温酒送下2丸。

功效 补下元，益精。

主治 肾气不足，小便白浊。

来源 《圣济总录》

方名 黄芪丸

组成 黄芪、羚羊角、茯神、泽泻、牡蛎粉、炙甘草各45克，栝楼、黄连各60克，苦参75克，桑螵蛸、鸡内金各15克。

用法 以上药物共研为极细末，蜂蜜和为丸。每丸6克。每天早晚以米饮送下2丸。

主治 虚劳有热，小便白浊如米泔，口干渴。

来源 《圣济总录》

方名 人参汤

组成 人参、远志、泽泻、五味子、肉桂、当归、川芎、桑螵蛸（炙）、熟地黄各30克，黄芩、白茯苓、芍药、鸡内金、麦门冬各60克。

用法 以上药物共研为细末。每服15克，以水一盏半，加羊肾一攻(切)、生姜1克、枣三枚，同煎至一盏，去补，食前温服。

主治 肾虚小便白浊，身体羸瘦。

来源 《圣济总录》

方名 清浊锁精丹

组成 白矾、滑石各60克。

用法 上为末，米糊为丸，梧子大，每服6克，米饮空腹服下。

功效 清浊锁精。

主治 白浊。

来源 《鲁府禁方》

方名 麦门冬散

组成 麦门冬、黄芩各9克，茯神、熟地黄、人参、黄芪各30克，炙甘草15克。

用法 以上药物共研为细末。每服15克，以水1大盏，加生姜1克、枣3枚、粳米50粒，同煎至五分，去滓，不计时候温服。

功效 养心安神。

主治 伤寒后，体虚烦热，不得眠，少思饮食。

来源 《太平圣惠方》

方名 栀子乌梅汤

组成 栀子仁、炙甘草、贡芩各15克，乌梅(去核、炒)14枚，柴胡30克。

用法 以上药物共研为细末。每服12克，以水一盏半，加生姜3片、豆鼓50粒、竹叶5片，同煎至七分，去滓温服。

功效 疏肝清热。

主治 伤寒后虚烦不得眠，心中懊侬。

来源 《圣济总录》

方名 地骨皮饮

组成 地骨皮、麦门冬各60克，酸枣仁90克。

用法 以上药物共研为细末。每服15克，以水一盏半，加生姜5片，同煎至七分，去滓，食后温服。

功效 清热滋阴安神。

主治 伤寒后虚烦客热，累夜不得眠睡。

来源 《圣济总录》

方名 茯神散

组成 茯神、酸枣仁（微炒）、黄芪、人参各30克，柏子仁、熟地黄、远志、五味子各15克。

用法 以上药物共研为极细末。每服3克，不拘时候以温酒调下。

功效 养心安心定志。

主治 胆虚不得睡，神思不宁。

来源 《太平圣惠方》

方名 鳖甲丸

组成 鳖甲45克，酸枣仁、羌活、黄芪、牛膝、人参、五味子各30克。

用法 以上药物共研为极细末，蜂蜜和为丸，每丸6克。每服2丸，不拘时候，以温酒送下。忌苋菜。

功效 养阴益气，安神定志。

主治 胆虚不得睡，四肢无力。

来源 《太平圣惠方》

方名 酸枣仁丸

组成 酸枣仁（炒）、地榆各30克，丹砂、茯神、人参、菖蒲各15克。

用法 以上药物共研为极细末，蜂蜜和为丸，每丸6克。每服2丸，不拘时候以米饮送下。

功效 安神定志。

主治 失眠。

来源 《圣济总录》

方名 五味子汤

组成 五味子、白茯苓、人参、川芎、远志、酸枣仁（微炒）、熟地黄、麦门冬各3克，桑寄生15克。

用法 以上药物共研为细末。每服9克，以水一盏，加枣二枚同煎至七分，去滓温服，食前、临卧服。

功效 益气安神，养心定志。

主治 睡卧不安，心中惊悸，常如人将捕之。

来源 《圣济总录》

方名 五补汤

组成 黄芪、附子（炮）、人参、槟榔、白术、百合、酸枣仁（微炒）、白茯苓、麦门冬、肉桂和15.克。

用法 以上药物共研为细末。每天早、晚各服15克，每服以水2盏，加生姜5片，同煎至1盏，去滓温服。

功效 祛肝、祛胆寒、和气。

主治 肝虚胆寒，夜间少睡，睡即惊觉，心悸神思不安。

来源 《圣济总录》

方名 龙齿汤

组成 龙齿、人参各3克，白芍药、淡竹茹、当归、半夏曲、茯神、羌活各15克，木香、茅根各1克。

用法 以上药共研为细末。每服15克，以水1盏　　生姜5片，同煎至八分，去滓，晚临卧前温服。

功效 养心益气，安神定志。

主治 心虚睡卧不安，惊悸。

来源 《圣济总录》

方名 羚羊角汤

组成 羚羊角粉3克，茯神、木通、黄连、麦门冬、升麻、知母、黄芩、朴硝各30克。

用法 以上药物除羚羊角粉外，共研为细末。每服10克，以水1盏，煎至七分，去滓，加羚羊角粉1克，食后温服。

功效 清热泻火安神。

主治 心实热，夜卧不安，口干烦渴。

来源 《圣济总录》

方名 养心安神丸

组成 当归、白茯神、酸枣仁、五味子、犀角、琥珀、玄明粉、黄连、朱砂、甘草各等分。

用法 上为末，炼蜜为丸，如黍米大，每服20丸，夜卧时以津咽下。

功效 养心安神。

主治 心虚多梦，虚烦少寝。

来源 《古今医统大全》

方名 茯神散

组成 茯神、麦门冬、白鲜皮、地骨皮、黄芩、酸枣仁各15克，沙参9克，羚羊粉3克，炙甘草6克。

用法 以上药物共研为细末。每服15克，以水1中盏，煎至六分，去滓，食后温服。

主治 胆热，神思不爽，多睡少起。

来源 《太平圣惠方》

方名 人参散

组成 人参、羌活、远志各3克，赤茯苓、麦门冬各30克，牛黄1克，川升麻、犀角粉各15克。

用法 以上药物共研为极细末。每于食后以薄荷温水调下3克。忌食猪肉、油炸物。

主治 胆热多睡。

来源 《太平圣惠方》

方名 半夏汤

组成 半夏90克，生地黄150克，远志、赤茯苓各60克，黄芩30克，酸枣仁45克。

用法 以上药物共研为细末。每服15克，以水1盏半，煎取八分，去滓，食后温服。

主治 胆热精神不守，昏困多睡。

来源 《圣济总录》

方名 麦门冬汤

组成 麦门冬、天门冬、羚羊角粉各3克，木通、前胡、大黄(炒)各12克，半夏、炙甘草、防风各15克。

用法 以上药物共研为细末。每服9克，以水1盏，加生姜3片，同煎至六分，去滓，食后温服。

主治 荣卫气涩，精神不爽，胆热多睡，头目昏塞。

来源 《圣济总录》

方名 远志丸

组成 远志、人参、山药、防风、玄参各75克，苦参、铁粉、乌头各90克。

用法 以上药物共研为极细末，蜂蜜和为丸，每丸6克。一次服2丸，食后米饮送下，每天服2次。

主治 胆气昏多睡，昼夜不足。

来源 《圣济总录》

方名 黄连汤

组成 黄连、黄芩、赤茯苓、麦门冬、升麻各30克。

用法 以上药物共研为细末。每服9克，以水1盏，煎至七分，去滓，食后温服。

主治 胆热口苦，神昏多睡。

来源 《圣济总录》

方名 镇心省睡益智方

组成 远志15克,益智仁、菖蒲各10克。

用法 上三味捣为散,以酒送服3克。

功效 养心醒神,益智延年。

主治 嗜睡。

来源 《本草纲目》

方名 茯神散

组成 茯神、人参、龙骨、菖蒲各9克,熟地黄、天门冬各30克,远志[illegible]克。

用法 以上药物共研为细末。每服9克,以水1中盏,加枣3枚同煎至六分,去滓,食前温服。

功效 养心益智聪明。

主治 健忘。

来源 《太平圣惠方》

方名 远志散

组成 远志、人参、石菖蒲、熟地黄各30克、白茯苓、决明子、山药各9克,桂心15克。

用法 以上药物共研为极细末。每服3克,食前以温粥饮调下。

功效 补心定志,益智明目。

主治 健忘。

来源 《太平圣惠方》

方名 薯蓣丸

组成 薯蓣、牛膝、人参、白茯苓、附子(炮)、枸杞子各30克,远志、桔梗、天门冬、石菖蒲、桂心各9克。

用法 以上药物共研为极细末,蜂蜜和为丸,每丸6克。每天早、晚各服2丸,以温酒送下。

功效 补心益智,安神强记。

主治 寻忘。

来源 《太平圣惠方》

方名 菖蒲丸

组成 菖蒲、熟地黄、薯蓣、麦门冬各30克,桂仲、白茯苓、人参、丹参、防风、柏子仁、百部、远志、五味子、桂心各3克。

用法 以上药物共研为极细末,蜂蜜和为丸,每丸6克。每服2丸,食前以温粥饮送下。

功效 站心益智。

主治 健忘。

来源 《太平圣惠方》

方名 人参丸

组成 人参、赤石脂、杜仲、远志、菖蒲各30克,黄芪、白茯苓、桂心、柏子仁各6克。

用法 以上药物共研为极细末,蜂蜜和为丸,每丸3克。每服2丸,食前以温粥送下。

功效 补心益智,强记助神,令身体光润。

主治 健忘。

来源 《太平圣惠方》

方名　七圣丸

组成　白茯苓 60 克，肉桂、远志、人参、天门冬、菖蒲、地骨皮各 30 克。

用法　以上药物共研为极细末，蜂蜜和为丸，每丸 6 克。每服 1 丸，食后温酒送下。

功效　益心智，令人聪明。

主治　健忘。

来源　《圣济总录》

方名　龟甲散

组成　龟甲（炙）、木通、远志、菖蒲各 15 克。

用法　以上药物共研为极细末。每天早、晚以温酒调下 6 克。

功效　善忘。

主治　《圣济总录》

方名　开心丸

组成　菖蒲、白茯苓各 90 克，人参 60 克，远志 120 克。

用法　以上药物共研为极细末，蜂蜜和为丸，每丸 6 克。一次服 3 丸。米饮送下，每天服 2 次。

功效　强记安神养气。

主治　心虚善忘。

来源　《圣济总录》

方名　延龄煮散

组成　茯神、益智、防风、人参、桑寄生、藿香味、炙甘草、沉香、熟地黄各 15 克。

用法 以上药物共研为细末。每服6克，以水1盏，煎取七分，去滓，临卧温服。

功效 安神养气。

主治 健忘。

来源 《圣济总录》

方名 养神丸

组成 远志、麦门冬、菖蒲、熟地黄、山药、人参、茯神各30克，炙甘草、白术各9克。

用法 以上药物共研为极细末，蜂蜜和为丸，每丸6克。一次服1丸，食后米饮送下，每天3次。

功效 益气滋阴养神。

主治 心虚健忘，惊悸不定。

来源 《圣济总录》

方名 孔子大圣智枕中方

组成 龟甲、龙骨、远志、菖蒲各等分。

用法 上药捣碎，以酒送服3克，日3次。

功效 益智健脑，常服令人大聪。

主治 健忘。

来源 《千金》等

方名 犀角散

组成 犀角粉、栀子仁各15克，茵陈3克，茯神、生干地黄各60克，赤芍药、玫门冬、人参、白藓皮各30克。

用法 以上药物共研为细末。每服15克，以水1大盏，加竹叶 5 片，煎至五分，去滓，不计时候温服。

主治 热病，伏热在心，发狂，不得睡卧。

来源 《太平圣惠方》

方名 羚羊角散

组成 羚羊角粉、犀角粉、茯神、黄芩、炙甘草、防风各 15 克，龙齿、铁粉、人参各 30 克，地骨皮 9 克。

用法 以上药物共研为细末。每服 15 克，以水 1 大盏，煎至五分，去滓，不拘时候温服。

功效 清热镇惊安神。

主治 热病发汗后，热毒未尽，因有所惊，发热癫狂。

来源 《太平圣惠方》

方名 铁粉丸

组成 铁粉、牛黄、远志、丹参、茯神、升麻各 15 克，金箔 3 片，银箔 5 片，麝香、白僵蚕、白附子各 1 克，马牙消 3 克。

用法 以上药物共研为极细末，蜂蜜和为丸，每丸 6 克。不拘时候以薄荷汤送下 3 丸。

功效 镇心清热泻火安神。

主治 热病，心神恍惚悲喜不恒，发狂欲走。

来源 《太平圣惠方》

方名 远志散

组成 远志、茯神、独活、犀角粉、人参、秦艽、麦门冬各 30 克，防风、桂心、炙甘草各 15 克，石膏 60 克，黄芩 9 克。

用法 以上药物共研为细末。每服 9 克，以水一中盏，煎至六分，去滓，不计时候温服。

主治 风狂，发即多啼泣，或即歌笑，或自说贤智，或狂走不避水火。

来源 《太平圣惠方》

方名 牛黄丸

组成 牛黄1克，远志、白龙骨、铁粉、茯神、人参、黄连、铅霜、犀角粉、防风、麦门冬、朱砂（研细，水飞过）各30克，龙脑3克，炙甘草15克。

用法 以上药物共研为极细末，蜂蜜和为丸，每丸6克。不拘时候以温水送下3丸。

功效 安魂定志。

主治 狂证，喜怒无常，或欲狂走，不自觉知。

来源 《太平圣惠方》

方名 茯神汤

组成 茯神、杏仁（汤浸，去皮尖）各90克，龙齿180克，凝水石300克，升麻60克，石膏600克，沙参、白藓皮、麦门冬各120克。

用法 以上药物共研为末。每服30克，以水2盏，煎至1盏，去滓温服。每日3服。

主治 狂症失神少机，笑乐无节，弃衣登高。

来源 《圣济总录》

方名 禹余粮饮

组成 禹余粮、防风、肉桂、赤芍药、远志、独活、白术、人参、牡蛎、秦艽、石膏、炙甘草各60克，雄黄、茯神、菖蒲、蛇皮（炙）、防己各30克。

用法 以上药物共研为末。每服30克，以水一盏半，煎取七分，去滓，食后服。每天2服。

主治 风邪所中，惊狂啼哭，或歌或笑。

来源 《圣济总录》

方名 养血清心汤

组成 人参、白术、茯神、石菖蒲、远志各3克，酸枣仁（炒香）3克，当归5克，川芎、生地各3克，甘草2克。

用法 水煎服。

功效 安神定志，养血清心。

主治 癫狂喜笑无常。

来源 《鲁府禁方》

方名 独参丸

组成 苦参。

用法 苦参不拘多少为末，炼蜜为丸，如梧桐子大，每服20～30丸，薄荷汤送下。

主治 狂邪举发无时，披头大叫，欲杀人不避水火。

来源 《鲁府禁方》

方名 铅霜丸

组成 铅霜、龙齿各60克，金箔、银箔各50片，人参、茯神、远志、细辛、菖蒲、苦参、栀子仁、黄芩、犀角粉、朱砂（研细，水飞过）各30克。

用法 以上药物共研为极细末，蜂蜜和为丸，每丸6克。不拘时候以薄荷汤送下3丸。

主治 风痫久不愈，发时吐涎沫，作恶声音，不识人。

来源 《太平圣惠方》

方名 雄黄丸

组成 雄黄、龙齿各30克，铁粉、黄丹各15克。

用法 以上药物共研为极细末，以粳米饭和为丸，如绿豆大，不拘时候以牛乳送下5丸。

主治 风痫，发作不定。

来源 《太平圣惠方》

方名 黄丹丸

组成 黄丹150克，皂荚10克(炙)。

用法 以上药物共研为极细末，以糯米粥和为丸，每丸6克。不拘时候以粥饮送下3丸。

主治 风痫，发作渐频，呕吐涎沫。

来源 《太平圣惠方》

方名 麻黄饮

组成 麻黄(去根节)、大黄(炒)、牡蛎、黄芩、凝水石各60克，石膏、赤芍药、滑石、紫石英、白石脂各120克，人参、肉桂各30克，蛇蜕(炙)15克，龙齿90克，炙甘草45克。

用法 以上药物共研为末。每服15克，以水一盏半，煎至分八，去滓，食后良久服。

主治 风痫卒倒，吐沫口噤，手足瘛。

来源 《圣济总录》

方名 镇心丸

组成 干漆120克，人参、丹砂各15克，黄芪、萆解各30克，麝香1克。

用法 以上药物共研为极细末，用狗胆四枚，取汁同醋煮面糊，和为丸，每丸6克。每服1丸，以磨刀水化下。

主治 癫痫。

来源 《圣济总录》

方名 五生丸

组成 干姜、乌头(生，去皮脐)、半夏、附子(生，去皮脐)各30克，大豆末60克。

用法 以上药物除大豆末外，共研为细末，以豆末煮糊和丸，每丸6克。每天服2丸，冷酒送下。

主治 癫痫。

来源 《圣济总录》

方名 半夏丸

组成 半夏150克，白矾60克，丹砂、铅丹各30克。

用法 以上药物共研为极细末，以粟米饭为丸，每丸6克。每于食后以生姜汤送下3丸。

功效 涤痰定痫。

主治 癫痫普盛抽风，口吐延沫。

来源 《圣济总录》

方名 摧肝丸

组成 南星、钩藤、黄连、滑石、铁华粉各30克，青黛9克，僵蚕15克，天麻60克，辰砂15克，甘草6克。

用法 上研为末，以竹沥1碗，加姜汁少许，打糊为丸，如绿豆大。每服5克，以茶水送下。

功效 平肝降逆，消痰定痫。

主治 癫痫。

来源 《症治准绳》

方名 茯神散

组成 茯神、羌活、龙齿、麦门冬、麻黄各30克，蔓荆子、人参、薏苡仁、防风、远志、犀角粉各30克，赤芍药、炙甘草各15克。

用法 以上药物共研为细末。每服12克，以水一中盏，加生姜1克，同煎至六分，去滓，不拘时候温服。

主治 中风，语涩昏昧，四肢不利，精神不守。

来源 《太平圣惠方》

方名 羚羊角散

组成 羚羊角粉、麻黄、麦门冬、石膏各30克，独活、赤茯苓、黄芪、黄芩、秦艽、远志、桂心、川芎、葛根、白鲜皮、人参、沙参、杏仁各3克，甘草15克。

用法 以上药物共研为细末。每服12克，以水一中盏，加生姜1克，同煎至六分，去滓，不计时候温服。

主治 心脏中风，神志错乱，恍惚惊悸，言语謇涩，四肢不利。

来源 《太平圣惠方》

方名 乌药顺气散

组成 乌药、麻黄、橘皮、甘草各60克，川芎、枳壳、桔梗、白僵蚕、白芷各30克，白姜15克(炮)。

用法 上为末，每服6克，以水1杯，加姜3片、薄荷7叶，煎取半杯，空腹服。

功效 治风顺气。

主治 风气不顺，手脚偏枯，流注经络，腿膝挛痹，筋骨疼痛。

来源 《太平惠民和剂局方》

方名 返魂丹

组成 玳瑁、丹砂、雄黄各15克，白芥子3克。

用法 以上药物共研为极细末，瓷器中熔安息香，和为丸，每丸1克。以热醋汤或温酒送下2～8丸。

主治 卒中风精神闷绝，及中恶不省人事。

来源 《圣济总录》

方名 涤痰汤

组成 南星、半夏各6克，枳实5克，茯苓、橘红各4克，石菖蒲、人参各3克，竹茹、甘草各2克。

用法 用水2盅，加生姜5片，煎至1盅，食后服。

功效 涤痰开窍。

主治 中风，痰迷心窍，舌强不能言。

来源 《奇效良方》

方名 稀涎散

组成 猪牙皂角四挺，晋矾30克。

用法 上二味同捣为细末，再研为极细末。用时可服2—9克，温水灌下，待微微涎稀而出，可用它法调治。

功效 开痰通窍。

主治 卒中风，昏昏如醉，四肢不收，口角似邪，微有涎出。

来源 《圣济总录》

方名 铁弹丸

组成 乳香、没药各30克、五灵脂100克，川乌45克。

用法 上研细，丸如梧桐子大。每服1丸，每日3次。

功效 活血行淤。

主治 一切瘫痪风。

来源 《普济本事方》

方名 桂心散

组成 桂心、附子、赤箭、羚羊角屑、酸枣仁各30克，羌活、防风各60克，甘草15克。

用法 上药捣为散，每服12克，以水一大杯，煎取半许，去滓、入竹沥1合，更煎1—2沸，不拘时候温服。

功效 温阳宁神。

主治 中风，失音不语。

来源 《太平圣惠方》

方名 犀角丸

组成 犀角粉、天麻、防风、远志、羌活、沙参、茯神、升麻、天门冬、葳蕤、羚羊角、玄参各3克，龙齿30克，牛黄1克，麝香0.5克，朱砂15克。

用法 以上药物共研为极细末，蜂蜜和为丸，每丸6克。每服2丸，不拘时候以薄荷汤送下。

主治 心脏中风，神思错乱，言语颠倒，或时舌强语涩，心面头胸烦热。

来源 《太平圣惠方》

方名 三生饮

组成 南星30克，川乌15克，生附子15克，木香3克。

用法 上药捣碎，每服10克，水二杯，加姜10片，煎至半杯，去滓温服。

功效 化痰通络。

主治 卒中，昏不知人，口眼呐邪，半身不遂，咽喉作声。

来源 《苏沈良方》

《**方名** 鹿茸丸

组成 鹿茸、肉苁蓉、桑螵蛸各60克，附子、黄芪、石斛、五味子、菟丝子、白龙骨、白蒺藜各30克。

用法 上药捣为末，炼蜜和捣二三百下，然后为刃如梧桐子大，每日空腹及晚饭前，以米饮送下30克。

功效 滋肾益津。

主治 大渴后身体虚乏，小便滑数，腿膝无力，日渐消瘦。

来源 《太平圣惠方》

方名 知母散

组成 知母、芦根、瓜蒌根、麦门冬各30克，黄芩9克，大黄30克，甘草15克。

用法 上药捣为散，每服12克，以水一大杯，煎取一半，去滓服。

功效 清热养阴，生津止渴。

主治 心脾实热，烦渴不止。

来源 《太平圣惠方》

方名 玄菟丹

组成 菟丝子30克，白茯苓、干莲肉各9克，五味子20克。

用法 上药研为末，别研干山药末18克，用酒和为糊，和药为丸，如梧桐子大。每服20克，米汤送下。

功效 滋肾益津。

主治 三消。

来源 《太平惠民和剂局方》

方名 黄芪六一汤

组成 甘草30克，黄芪180克。

用法 每服6克，水1杯，加大枣1枚，煎取大半杯，去滓温服，不拘时候。

功效 平补气血，安和五脏。

主治 消渴欲发疮疖，或先有痈疽后为消渴者。

来源 《太平惠民和剂局方》

方名 肉苁蓉丸

组成 肉苁蓉（酒浸，焙）、泽泻、五味子、巴戟天、当归、地骨皮、韭子、龙骨、炙甘草、牡丹皮、熟地黄各30克，磁石、人参、赤石脂各45克，禹余粮1克，桑螵蛸（炙）40枚。

用法 以上药物共研为极细末，蜂蜜和为丸，每丸6克。一次服2丸，以牛乳送下，每天服3次。

主治 消渴，小便如泔。

来源 《圣济总录》

方名 龙凤丸

组成 鹿茸60克，菟丝子30克，山药75克。

用法 炼蜜为丸，如梧桐子大。每服30丸，空腹服下。

功效 温肾止渴。

主治 消渴。

来源 《世医得效方》

方名 黄连猪肚丸

组成 黄连150克，麦门冬、知母、天花粉各120克，葛根、生地黄各60克。

用法 上药共为末，入雄猪肚内缝定，置笼中蒸，极烂后取出，共捣成膏，加炼蜜少许，和丸如梧子大，每服50丸，米饮冲下。

功效 养阴清热，生津止渴。

主治 消渴症。

来源 《鲁府禁方》

方名 五味子汤

组成 五味子、黄芪、人参、麦门冬、粉草各30克。

用法 上药捣碎，每服15克，用水一杯半，煎至一半，去滓温服，每日5～7次。

功效 益气生津。

主治 肾水枯竭，口燥舌干。

来源 《寿世保元》

方名 附子散

组成 附子(炮)、熟地黄各 30 克,杜仲、五味子、牡丹皮、桂心、续断、牛膝、羌活、当归、木香、枳壳各 3 克,磁石 90 克(捣碎,用水淘去赤汁),萆解 18 克。

用法 以上药物共研为细末。每服,用羊肾 1 对,切去脂膜,先以水一大盏半,煮肾令熟,去肾,加药末 15 克、生病发 0.5 克、枣 3 枚、椒 5 枚,煎至五分,去滓,空心温服,晚食前再服之。

功效 补肾壮阳,祛风湿。

主治 肾阳虚,腰痛,行立艰难。

来源 《太平圣惠方》

方名 桑寄生散

组成 桑寄生 90 克,附子(炮)45 克,独活 60 克,当归、狗脊、赤芍药、川芎、石斛、牛膝各 20 克,桂心、杜仲、海桐皮各 30 克,羌活 15 克。

用法 以上药物共研为细末。每服 12 克,以水一中盏,煎至六分,去滓,食前温服。

功效 补肾壮阳,活血通络,祛湿止痛。

主治 腰痛,不能转侧。

来源 《太平圣惠方》

方名 萆解酒

组成 萆解 90 克,附子(炮)、杜仲、狗脊、羌活、桂心、桑寄生、牛膝各 60 克。

用法 以上药物共研为极细末，用生绢袋盛，以酒2000毫升浸，密封7日后开。每于食前暖1中盏服。

功效 祛风湿，强腰膝，壮筋骨。

主治 腰痛，连脚膝筋脉拘急酸疼。

来源 《太平圣惠方》

方名 狗脊丸

组成 狗脊、萆解各60克，菟丝子30克（酒浸三日，晒干）。

用法 以上药物共研为极细末，蜂蜜和为丸，每丸6克。每天早、晚各服2丸，以新萆解浸酒7日，取此酒送下药丸。

功效 轻身，利腰膝。

主治 腰痛。

来源 《太平圣惠方》

方名 杜仲酒

组成 杜仲、丹参各240克，川芎150克。

用法 以上药物共研为细末，用酒3000毫升浸五天，随量多少温饮。**功效** 补肾强腰，活血通络。

主治 腰痛。

来源 《圣济总录》

方名 神验虎骨丸

组成 虎胫骨60克，桑寄生、牛膝、白茯苓、熟地黄、桂心各30克，黄芪、枳壳、防风、羌活、酸枣仁、当归各3克。

用法 以上药物共研为极细末，蜂蜜和为丸，每丸6克，每天食前以温酒送下2丸。

功效 强腰膝，祛风湿。

主治 一切风湿腰痛。

来源 《太平圣惠方》

方名 石斛酒

组成 石斛、杜仲、丹参、生干地黄各 250 克，牛膝 5000 克。

用法 以上药物共研为细末，用生绢袋盛，以酒 3000 毫升瓷瓶中盛，密封浸 7 日。每于食前，温一小盏服之。

功效 通利关节，坚筋骨，令强健。

主治 肾虚腰痛。

来源 《太平圣惠方》

方名 威灵仙散

组成 威灵仙、牵牛子(微炒)各 30 克，陈皮、羌活、厚朴各 15 克，吴茱萸 1 克。

用法 以上药物共研为极细末。每于食前以温酒调下 6 克，得微利即效。

主治 久患腰痛。

来源 《太平圣惠方》

方名 五加皮散

组成 五加皮、赤芍药各 30 克，大黄(微炒)60 克。

用法 以上药物共研为细末，每服 12 克，以水一中盏，加生姜 1 克同煎至六分，去滓，食前温服，微利即效。

功效 疏风利筋脉。

主治 腰痛强直，不能俯仰。

来源 《太平圣惠方》

方名 独活散

组成 独活45克，续断、杜仲、桂心、防风、川芎、牛膝、细辛、秦艽、赤茯苓、海桐皮、当归、赤芍药各30克，熟地黄60克。

用法 以上药物共研为细末。每服12克，以水一中盏，加生姜1克同煎至六分，去滓，于食前温服。

功效 补肾强腰，舒筋活络，祛风湿。

主治 腰痛强直，不能俯仰，由肾气虚弱、卧冷湿地或当风所得。

来源 《太平圣惠方》

方名 虎骨散

组成 炙虎骨、醋炙败龟、当归、肉桂、炒地龙、牛膝、漏芦、威灵仙、延胡索、自然铜各30克。

用法 上药均研为细末。每服3克，热酒送下，每日1服。

主治 妇人血风走注腰身疼痛。

来源 《御药院方》

方名 治肾虚腰痛方

组成 杜仲(酒炒)30克，肉苁蓉15克，川巴戟(酒浸)15克，小茴香30克，故纸(盐水浸)30克，青盐15克。

用法 共为细末，将猪腰子一个剖开，将药末5～10克入内缝合，纸裹煨熟，黄酒送下，每次1只。

功效 能壮腰，益元气，利小便。

主治 肾虚腰痛，小便清长。

来源 《鲁府禁方》

方名 如神散

组成 当归、肉桂、玄胡索各等分。

用法 上为细末，每服 6 克，黄酒调下。

功效 活血止痛。

主治 闪挫腰痛。

来源 《鲁府禁方》

方名 速效散

组成 川楝子、茴香、破故纸各 30 克。

用法 上为细末，每服 9 克，热酒调服。

功效 行气止疼。

主治 [illegible]腰疼不可忍者。

来源 《奇效良方》

方名 防风汤

组成 防风、甘草各 30 克，黄芩、当归、赤茯苓各 24 克，秦艽、葛根各 9 克，桂枝、杏仁、麻黄和 15 克。

用法 上捣为散，每服 12 克，酒、水各半加大枣 3 枚，生姜 5 片，煎至一半，去滓温服。

功效 祛风散寒。

主治 行痹初起，行走无定。

来源 《圣济总录》

方名 附子汤

组成 附子(生)、白芍药、桂心、甘草、白茯苓、人参各9克,白术30克。

用法 上锉为散,每服6克,以水3杯,煎至1杯,去滓,食前服。

功效 健脾益气,温阳通络。

主治 风温寒痹,骨节疼痛,皮肤不仁肌肉重着,四肢缓纵。

来源 《千金要方》

方名 茯苓汤

组成 赤茯苓、桑根白皮各60克,防己、官桂、芎穷各45克,甘草30克,芍药、当归、麻黄各24克。

用法 上捣为散,每服15克,以水2杯,加枣3枚,剪取1杯,去滓温服。

功效 温阳通络,洛血散寒。

主治 风湿痹症,四肢麻木,拘挛浮肿。

来源 《圣济总录》**方名** 升麻汤

组成 升麻、茯神各90克,人参、防风、犀角、羚羊角、羌活各60克,官桂15克。

用法 上捣为末,每服15克,以水1杯半,加生姜1块,竹沥少许,煎至1杯,去滓温服。

功效 清热通络。

主治 热痹。

来源 《圣济总录》

第二节 妇 科

方名 当归和血汤

组成 当归 6 克，川断、秦艽、丹皮、生地、熟地、川芎各 45 克，白芍 3 克，香附、鳖甲各 4 克，丹参 6 克，红花 2 克。

用法 上药用水 1 碗，煎至半碗，去滓温服，每日 1 服。

功效 补血凉血，行气祛滞。

主治 女子月经不调，经水乍多乍少。

来源 《陈素庵妇科补解》

方名 当归地黄丸

组成 当归、熟地黄、川芎、白芍药各 60 克，玄胡索、牡丹皮各 30 克，人参、黄芪各 15 克。

用法 上药均研为细末，炼蜜和丸，如梧桐子大。每日 2 次，每服 30 丸，食前用米汤送下。**功效** 调养气血。

主治 妇人血气不和，月经不调，腰腿疼痛。

来源 《御药院方》

方名 活血散

组成 当归、川芎、白芍药、延胡索各 120 克，肉桂 30 克。

用法 上药均研为粗末。每服用药 15 克，加水一盏半，煎至七分，去滓，食后温服，每日 3 服。

功效 调经。

主治 冲任气虚，月经不调，或多或少，或前或后。

来源 《御药院方》

方名 调经膏

组成 制香附9克，川郁金9克，木香3克，草豆蔻、片姜黄各6克，元胡、青皮、五灵脂各9克，全当归6克，酒赤芍6克，梭椤子9克，甘草6克。

用法 上药用水煎透，再熬浓汁，炼蜜成膏。每服6克，温水冲服，每日3服。

功效 安胃止痛，舒气调经。

主治 女子月经不调，中脘疼痛，胸闷恶心，有时身倦。

来源 《清宫医案研究》

方名 金衣八宝坤顺丹

组成 益母草、白芍、乌药、川芎、橘红、酒芩、大生地、熟地、川牛膝、炙香附、当归、白术、党参、茯苓各60克，琥珀6克，紫苏、木香、缩砂、阿胶各30克，甘草15克。

用法 上药均研为极细末，炼蜜为丸，每丸重9克，用大赤金为衣。每日3服，每服1丸，温水送下。

功效 滋阴养血，理气调经。

主治 女子月经不调。

来源 《清宫医案研究》

方名 乌金丸

组成 台乌、熟大黄、人参、莪术、三棱、赤芍、黄芩、延胡索、丹皮、阿胶、蒲黄、香附、乌豆皮、生地、川芎各90克，寄奴、蕲艾、白扁豆各60克。

用法 上药共研为细末，炼蜜为丸，每丸重3克，蜡皮封固。

每日3服，每服3丸，温水送下。

功效 活血化淤，理气通经。

主治 妇人七情抑郁，气滞食少，口苦咽燥，五心烦热，面黄肌瘦，胸胁刺痛，崩漏带下，月经不调。

来源 《良方集成》

方名 懿嫔调经丸

组成 香附、苍术、赤苓、乌药、泽兰各30克，川芎、黄柏各9克，丹皮、当归各24克。

用法 上药共研为细末，水泛为丸，如绿豆大。每服6克，空腹温水送下，每日3服。

功效 调经止带，定痛散淤。

主治 经期腹痛，及带下色黄等症。

来源 《清宫医案研究》

方名 调经四物汤

组成 柴胡、条芩、当归、荆芥穗、黑栀、蒲黄、元胡各3克，川芎6克，白芍12克，熟地、香附各4.5克，甘草1.5克。

用法 上药作1服，加藕节2个，水煎，去滓温服。

功效 调经。

主治 月经不调。

来源 《清宫医案研究》

方名 大安营煎

组成 当归4克，白芍4克，生地9克，川芎2克，秦艽3克，黄芩3克，丹皮465克，焦栀3克，川断4.5克，薄荷2克，甘草2

克，茯苓4克。

用法 上药捣为粗末，作1服，用水1碗，煎至半碗，去滓温服。

功效 清热凉血祛风。

主治 月经先期，色红量多。

来源 《陈素庵妇科补解》

方名 补中汤

组成 熟地、香附、白术各9克，茯苓、人参、广皮、葛根各3克，川芎、山药、白芍各4克，当归4.5克，炙甘草1.5克，姜3片，枣5枚。

用法 上药作1服，水煎，去滓温服，每日1服。

功效 寻脾闪胃，滋阴养血。

主治 月经后期，量少色淡，食欲不振，体倦乏力。

来源 《陈素庵妇科补解》

方名 滋血汤

组成 人参、白茯苓、熟干地黄、川芎、当归、白芍药、干山药、黄芪各30克。

用法 上药共为粗末，每服15克，水一盏半，煎至1盏，去滓，温服。

功效 益气养血，增进食欲。

主治 女子血脉虚弱，月经愆期。

来源 《御药院方》

方名 顺气调经丸

组成 麝香1克，鸡血藤膏、藏红花、桃仁、酒当归各12克，川芎、赤芍、炙香附、泽兰叶、丹参、酒军炭、丹皮、甘草各9克，川郁金、生地、百草霜各15克。

用法 上药共研为极细面，炼蜜为丸，如绿豆大。每日早晚各服9克，温水送下。

功效 顺气调经。

主治 女子月经后期不至。

来源 《清宫医案研究》

方名 和肝归脾汤

组成 黄芪12克，归峰、茯神、茯苓、续断各9克，丹参、石斛、焦白芍、枣仁各6克，半夏、橘红、艾叶、阿胶各4.5克。

用法 上药作1服，加荷叶梗五寸为引，水煎，去滓温服。

功效 养肝健脾，调营止血。

主治 月经过多，胸腹胀满，肢体酸软无力。

来源 《清宫医案研究》

方名 三才大补丸

组成 人参、白术、黄芪各12克、熟地15克，当归、白芍、阿胶各12克，川芎9克，杜仲、补骨脂各6克，山药15克，香附6克，熟艾6克。

用法 上药研为极细末，炼蜜和丸，如梧桐子大，每服3～6克，温水送下，每日2服。

功效 大补气血。

主治 妇人经行后腹痛者。

来源 《陈素庵妇科补解》

方名 调气饮

组成 当归、远志肉、香附各4.5克，川断、生姜、砂仁、艾叶、延胡、川芎、乌药各3克，红花、大茴香、肉桂各2克，山楂6克。

用法 上药加水煎煮，去滓温服。月经来前，每日进1服。夏季，去肉桂。

功效 行气和血。

主治 妇女月经欲来而腹先疼痛者。

来源 《素庵全书》

方名 大玄胡索散

组成 延胡索、生地、川芎、香附各4.5克，肉桂、艾叶、赤芍、吴茱萸各3克，木香、红花、青皮、枳壳各2克，当归6克。

用法 上药共捣为粗散，用水1碗，煎至半碗，去滓温服。每日1服。

功效 行血和气。

主治 妇人月经正来而腹痛者。

来源 《素庵全书》

方名 和肝调荣化湿饮

组成 胆星、枳壳、胡连、郁金、苏木、归尾、青皮各6克，牛膝、赤芍各9克，茵陈、赤苓各12克，红花4.5克。

用法 上药加三棱2克、莪术2克为引，水两碗，煎至半碗，去滓温服，每日进1服。

功效 和肝调荣化湿。

主治 肝郁气滞、湿热停蓄而致月经来前腹痛，胸满不食，腰间坠疼。

来源 《清宫医案研究》

方名 灵宝散

组成 丁香、木香、乳香各4.5克，当归、玄胡索、白芍药各15克。

用法 上药共研为细末。每日3服，每服3克，食前温酒送下。

功效 行气活血。

主治 女子月经期间小腹刺痛，牵引两胁疼痛。

来源 《御药院方》

方名 活血调荣饮

组成 益母草、代赭石、生地炭各9克，泽兰、归尾、赤芍、香附、川郁金各6克，元明粉、红花、桃仁各3克。

用法 上药作1服，水煎，去滓，早晨温服，每日1服。

功效 理气活血化淤。

主治 妇人血滞经闭不通。

来源 《清宫医案研究》

方名 养荣通经丸

组成 当归尾24克，元胡12克，赤芍15克，香附米15克，生蒲黄15克，益母草18克，川郁金、生卷柏、桃仁各9克，红花6克。

用法 上药均研为极细末，炼蜜为丸，如梧桐子大，朱砂为衣，每服6克，每日3服，温水送下。

功效 补血理气，活血通经。

主治 妇人血亏经闭不通。

来源 《清宫医案研究》

方名 通经甘露丸

组成 当归、熟军、三棱、莪术各24克，丹皮、熟地、生地、元胡各12克，砂仁、枳壳、陈皮、炮姜、桂心、甘草、藏红花各6克，灵脂、赤芍、青皮各9克，香附45克。

用法 将上药均研为细末。取醋3斤，煮苏木120克取汁，用此汁泛药末为小丸，刃如梧桐子大。每日3服，每服10～20丸，温水送下。

功效 理气活血，祛淤止痛，通经。

主治 妇人月经不通，症瘕痞块，小腹胀痛，骨蒸劳热。

来源 《慈禧光绪医方选议》

方名 延龄护宝丸

组成 禹余粮、龙骨、人参、肉桂、赤石脂、紫石英、熟干地黄、杜仲、桑寄生、续断、吴白芷、川芎、当归、石斛、远志、白茯苓、阿胶、牡蛎、五味子、艾叶各30克。

用法 上药均研为细末，炼白沙蜜和丸，如梧桐子大。每日2服，每服40～50丸，空腹温粥送下。

功效 补益肝肾。

主治 崩漏。妇人血脏虚损，月经过多，行经时暴下不止，连日不断，面黄肌瘦，或经行暂止，数日又发，劳则更甚。

来源 《御药院方》

方名 必效散

组成 棕皮、木贼各60克，麝香3克。

用法 上药共研为极细末。每日3服，每服6克，饭前用温酒服下。

功效 调经止血。

主治 女子月经不调，崩漏不止。

来源 《御药院方》

方名 固经散

组成 大蓟根（不拘多少，烧灰存性）。

用法 上药为末，空腹，热黄酒调服。

功效 凉血固经。

主治 崩漏。

来源 《鲁府禁方》

方名 疏风清血丸

组成 犀角3克，川郁金、知母、黑栀、黄柏、侧柏、白芷各9克，丹皮、生地各12克，元参15克，僵蚕6克，升麻4.5克。

用法 上药均研为细末，炼蜜为丸，每丸重6克。早晚各服1丸，清茶送服。

功效 疏风清热凉血。

主治 风热入于血分，以致血热妄行，女子经血逆行。

来源 《清宫医案研究》

方名 清热调经汤

组成 当归、黄芩、炒栀子各9克，山楂炭、牛膝各4.5克，茯神12克，薄荷1克。

用法 上药作1服，加灯心草20寸为引，水煎，去滓温服。

功效 清热调经。

主治 血虚有热，经期面目虚肿。

来源 《清宫医案研究》

方名 调经丸

组成 当归、熟地、香附各12克，厚朴、白芷、川芎、小茴香、淮牛膝、蕲艾、元胡、青皮、三棱、莪术、枳壳、砂仁各6克，陈皮、甘草各3克。

用法 上药均研为细末，炼蜜为丸。每日1服，每服3～6克，清晨空腹用温黄酒送下，白开水亦可。

功效 调经，久服种子。

主治 月经不调，或先期而行，或过期而行，前后无暄期，或紫血成块，来而腹痛，或淡而血少，经闭不通，或崩漏不止，带下白淫，久不成孕。

来源 《清太医院配方》

方名 女金丹

组成 当归240克，丹皮、白芍各120克，茯苓、白芷、藁本、赤石脂、川芎、元胡各60克，没药、沉香各30克，白术90克，人参、白薇各45克，桂心15克，香附300克。

用法 上药均研为细末，炼蜜和丸。每服3～6克，空腹用黄酒送下，白开水亦可，每日3次。

功效 调经养血，安胎顺气。

主治 胎前产后诸虚百损，腰痛耳鸣，四肢酸困，手脚麻，积年气滞血淤，子宫虚冷，肚腹疼痛，月经不调，崩漏带下，症瘕积聚，干血劳伤，一切妇女百病。

来源 《清太医院配方》

方名 牡蛎散

组成 牡蛎、熟干地黄、龙骨、蒲黄、阿胶、炮干姜各30克。

用法 上药捣研细末。每日3服，每服6克，煎艾叶汤送下。

功效 补肾涩精止带。

主治 妇人白崩不止，面色黄瘦，脐下冷疼。

来源 《太平圣惠方》

方名 鹿角胶散

组成 鹿角胶、白龙骨、桂心、当归、白术各30克，附子60克。

用法 上药均研为细末。每于食前，以稀粥调下6克，日进3服。

功效 温肾止带。

主治 妇人白带下不止，面色萎黄，绕脐冷痛。

来源 《太平圣惠方》

方名 止带方

组成 酒50克，艾叶15克。

用法 用酒及艾叶煮鸡蛋，天天食之。

功效 止带散寒。

主治 妇人白带清稀。

来源 《古今图书集成·医部全录》

方名 生干地黄散

组成 生干地黄、茜根、黄芩、当归、地榆各30克，甘草15克。

用法 上药捣罗为散。每服12克，加水一中盏、竹茹2克，煎至六分，去滓，每于食前温服，日进3服。

功效 滋阴清热，凉血止带。

主治 妇人赤带下不止，体瘦心烦。

来源 《太平圣惠方》

方名 刘刺史丸

组成 肉苁蓉(酒洗)40克，覆盆子、蛇床子、菟丝子(酒制)、当归(酒洗)各35克，川芎、白芍各30克，牡蛎、乌贼骨各25克，五味子、防风各20克，黄芩15克，艾叶10克。

用法 共为细末，炼蜜为丸，每服6～9克，早晚各1次，淡盐开水送下。

功效 补肾止带。

主治 赤白带下。

来源 《鲁府禁方》

方名 人参归脾汤

组成 炙甘草、人参各2克，黄芪、归身、茯神各9克，白术、枣仁各4.5克，远志、广皮各3克，焦白芍6克。

用法 上药作1服，加水煎煮，去滓，每晚进1服。

功效 益气养血，补益肝脾。

主治 妇女带下，气怯乏力，胸满作痛，脉虚细无力。

来源 《清宫医案研究》

方名 千金止带丸

组成 人参、肉桂、蕲艾、川芎、龙骨、山药、赤石脂、阿胶各30克，白术、香附、巴戟、当归、牡蛎、茯苓、杜仲、山萸肉、椿根皮各60克，白芍、黄芪、川断、故纸各45克，半夏、苍术各15克。

用法 上药均研为细末，水泛和丸。每日3服，每服3～6克，空腹用白开水送下。

功效 补益气血，燥湿止带。

主治 妇人气血不调，赤白带下，淋沥不止；或带下如鱼脑，腥臭秽气，胁胀腰酸，带下日久，气血两虚，头眩耳鸣，四肢倦怠，多睡少食，肌肉消瘦，致成劳病。

来源 《清太医院配方》

方名 千金保胎膏

组成 桑寄生、当归、砂壳、熟地、白芍、蕲艾、蒲黄、黄芪、甘草、川芎、阿胶、益母草、条芩各30克。

用法 上药加香油2000克，熬至枯色，去滓，入黄丹700克，成膏。每用此膏适量，贴于丹田穴，3～4天一换。

功效 益气养血，暖宫种子，固本安胎。

主治 妊娠脾胃虚弱，气血不足，诸虚百损，子宫虚冷，腰膝酸痛，胁肋胀满，面色萎黄，四肢浮肿。腹部疼痛时常见血，屡经小产，并治月经拖后，行经腹痛，赤白带下，崩漏不止，久不孕育者。

来源 《清太医院配方》

方名 安坤至宝丹

组成 熟地36克，香附、元胡、酒芩、白芍、白术各6克，当归15克，木香、砂仁各1.5克，陈皮3克，川芎4克，益母草60克。

用法 上药共研为细末，炼蜜和丸，如梧桐子大。蜡壳封护。

依病症不同，分别用以下汤药送服该药丸9克。

(1)安胎顺气，催生易产，经水不洗，或前或后，及寒热往来，骨蒸瘦弱，俱用童便老酒送下。

(2)心气疼痛，经前腹痛，赤白带下，俱用香附、陈皮汤送下。

(3)经水紫黑成块，腹胀胁痛，俱用生地、丹皮、红花、青皮汤送下。

(4)经水过多，血崩不止，胎动不安，俱用条芩、白术汤送下。如漏红，加艾叶。

(5)心闷呕吐，用姜汤送下。

(6)[illegible]气喘急，桑皮、杏仁汤送下。

(7)四肢浮肿，大腹皮赤、茯苓汤送下。

(8)小便不通，赤苓、木通汤送下。

(9)大便下血，黄连、地榆、荆芥汤送下。

(10)横逆难产，当归汤送下。

(11)胎衣不下，当归、枳壳、红花汤送下。

(12)产后淤血作痛，童便、苏木汤送下。

(13)失血，人参汤或糯米汤送下。

(! 4)头痛，川芎、白芷汤送下。

(15)遍身疼痛，羌活、秦艽、鲜姜汤送下。

主治 妇人胎前产后百病。

来源 《清太医院配方》

方名 艾胶汤

组成 熟艾、阿胶、葱各30克。

用法 以上药物分作3服。每日1服，水煎去滓温服。

功效 安胎。

主治 胎动不安。

来源 《圣济总录》

方名 延胡四物汤

组成 延胡、熟地、当归各15克，川芎9克，白芍药12克。

用法 上药加水2盏，煎至1盏，去滓温服，每日1服。

功效 止痛安胎。

主治 妊娠腰腹作痛，胎动下血。

来源 《医宗金鉴》

方名 干地黄汤

组成 熟干地黄、阿胶、鸡内金、当归各60克，赤芍药、炙甘草、人参各15克。

用法 上药捣研为粗末。每服10丸，用水一盏，加粳米少许，同煎至七分，去滓温服，每日3服。

功效 养胎助长。

主治 妊娠气血不足，胎瘦不长。

来源 《圣济总录》

方名 生姜散

组成 干生姜3克，姜黄、陈橘皮、白芷、白术、甘草各15克。

用法 上药捣罗为细末。每服6克，用稀粥送下，不拘时候，每日3服。

功效 调和胃气，降逆止呕。

主治 妊娠恶阻，呕逆不下饮食。

来源 《圣济总录》

方名 胶艾安胎饮

组成 阿胶、川芎、当归、艾叶、黄芪、杜仲、川断各12克，香附9克，人参15克，茯苓9克，熟地12克，白芍12克，葱白2茎。

用法 以上药物均研为粗末，用水2盏，煎至1盏，去滓温服，每日1服。

功效 补气养血安胎

主治 妊娠胎动不安。

来源 《素庵全书》

方名 和气安胎饮

组成 苏梗、白术、陈皮各6克，条芩9克，大腹皮3克，当归12克，川芎、谷缩砂、白芍各4.5克，甘草1.5克。

用法 上药作1服，加艾叶7片，水煎，去滓温服，每日1服。

功效 和气安胎。

主治 胎动不安，腰酸，肚腹作痛。

来源 《清宫医案研究》

方名 知母饮

组成 子芩9克，知母12克，麦冬15克，茯苓12克，黄芪15克，甘草6克。

用法 上药作1服，用水一盏半、煎至八分，去滓温服，每日1服。口渴，加石膏10克。

功效 清热安胎。

主治 子烦。孕妇别无他证，惟时时心烦者。

来源 《医宗金鉴》

方名 芩术六合汤

组成 羌活、防风、条芩各6克，白芍、白术各4.5克，元参、桔梗、当归、小生地各9克，川芎3克，甘草1.5克。

用法 上药作1服，加芦根6克、生姜3片，水煎，去滓温服，每日1服。

功效 解表安胎。

主治 妊娠伤寒，头疼身痛，烦热胀满。

来源 《清宫医案研究》

方名 鲤鱼羹

组成 鲜鲤鱼一条，黄芪、当归、人参、和一地黄各15克，蜀椒10粒，生姜2克，陈橘皮2克，糯米适量。

用法 上药均研细，放于鱼腹内，用绵裹合，加水3升，煮至鱼熟，加少量盐和醋，趁热食用。

功效 安胎。

主治 妊娠胎动不安及妊娠水肿。

来源 《圣济总录》

方名 紫菀汤

组成 贝母、紫菀、紫苏、知母、五味子、前胡各9克，桑皮、陈皮、赤茯苓、甘草、白术、黄芩、麻黄各6克，桔梗12克，杏仁2克，当归15克。

用法 上药作1服，加水1盏，煎至八分，去滓温服，每日1服。

功效 清肺止咳，凉血安胎。

主治 妊娠咳嗽。

来源 《素庵全书》

方名 胶艾四物汤

组成 宁麻根、续断、杜仲、地榆炭、阿胶各9克，艾叶4.5克，当归12克，川芎、白芍各6克，熟地炭15克，香附炭、升麻炭各3克。

用法 上药作1服，加杏仁衣炭9克，水两碗，煎至半碗，去滓温服。

功效 养血止血，调经安胎。

主治 胎漏、腰酸腹坠，有时疼痛，按月来血点滴。

来源 《清宫医案研究》

方名 和肝养荣丸

组成 当旭、大生地、香附、茯苓各45克，白芍、条芩各24克，川芎、柴胡各12克，白术30克，缩砂15克，薄荷3克，甘草9克。

用法 上药共为细末，炼蜜为丸，如梧桐子大。每日3服，每服10克，荷蒂煎汤送下。

功效 理气养血，安胎。

主治 妊娠后小腹时有微痛。

来源 《清宫医案研究》

方名 加味五淋散

组成 赤芍、车前子、山栀子各6克，赤茯苓4克，当归、甘草各3克，子芩2克，生地、木通各12克，泽泻9克，滑石20克。

用法 上药作1服，加水煎，去滓温服，每日1服。

功效 清热利小便。

主治 子淋。孕妇小便频数窘涩，点滴疼痛。

来源 《医宗金鉴》

方名 加味生化汤

组成 泽兰、川芎各6克，桃仁、香附、益母草、山楂炭各9克，全当归24克，红花4.5克，炮姜1.5克，炙甘草2克。

用法 上药作1服，加水1碗，煎至半碗，用老酒、童便各半盅调服。

功效 活血行气。

主治 半产、腹胁疼痛，恶露渐行。

来源 《傅青主女科》

方名 催生兔脑丸

组成 乳香、没药各45克，雄黄、朱砂各30克，母丁香9克，麝香15克。

用法 上药均研为细末，取活兔脑子和丸，朱砂为衣，蜡壳封护，放在室内阴凉处收藏。妇人临产觉腹疼痛，或大痛时，用药1丸，温水送下。

功效 催产。

主治 妇人难产，胎儿过大，胎位不正。

来源 《清太医院配方》

方名 佛手开骨散

组成 当归、川芎各15克，血余9克，龟版30克。

用法 上药均研为细末，每服15克，加黄酒少许水煎，去滓温服。

功效　催产。

主治　妇人临产之时，交骨不开，生产不顺，或头胎未经生产者；或胎儿过大，胎位不正；或因坠损，未及产时恶露先行，胞漏血枯，胎涩不下，连日不生；或胞衣难下，及子死腹中，产母闷乱，口唇紫黑等临产危急之症。

来源　《清太医院配方》.

方名　螽斯丸

组成　附子、白茯苓、白薇、半夏、杜仲、桂心、厚朴、秦艽各 9 克，防风、干姜、牛膝、沙参各 6 克，细辛 15 克，人参 12 克。

用法　以上药物均研为细末，炼蜜和丸，如小豆大。每日早晨空腹以温水送下 5 丸。

功效　女子不孕症。

主治　《御药院方》

方名　广胤丹

组成　人参、川续断、泽兰叶、熟地黄、牡丹皮、延胡索、白芍药、川芎、白薇、嫩鹿茸、白茯苓、当归、肉苁蓉、防风、藁木、细辛、陈皮、蓬莪术、京三棱各 30 克，黄芪、干姜各 45 克，覆盆子、甘草各 60 克，黑附子 9 克。

用法　以上药物均研为细末，炼蜜和丸，如弹子大。每日 3 服，每服 1 丸，饮前温酒送下。有孕即停服。

主治　女子不孕症。

来源　《御药院方》

方名 大补丸

组成 天冬、麦冬、菖蒲、茯苓、人参、益智仁、枸杞子、地骨皮、远志肉各适量。

用法 上药均研为细末，炼蜜为丸，如梧桐子大。每日 3 服，每服 30 丸，空腹用酒送下。宜常服此方。

功效 滋阴养血，益气安神。

主治 妇人瘦弱，血少不能受孕者。

来源 《医宗金鉴》

方名 涤痰汤

组成 茯苓 120 克、川芎 23 克，白芍药、白术、半夏、香附、当归、陈皮、甘草各 30 克。

用法 上药分作 10 服，每服加生姜 3 片，水煎去滓，送服涤痰丸 30～40 丸。每日 1 服。涤痰丸：白术 60 克，半夏曲、川芎、香附子各 30 克，神曲、茯苓各 15 克，橘红 12 克，甘草 6 克，诸药均研为细末，以粥为丸，如梧桐子大。

功效 燥湿化痰，理气调经。

主治 妇人肥胖，久不受孕者。

来源 《医宗宝鉴》

方名 金匮种子丸

组成 茯苓、条芩、麦冬、半夏、丹皮、川断、广皮、川芎、蕲艾各 30 克，当归、白术、吴茱萸各 45 克，熟地 120 克，香附 240 克，茴香、元胡、甘草各 15 克，益母划、阿胶各 60 克，泽泻 5 克。

用法 药均研为细末，炼蜜和丸。每服 3～6 克，空腹白开水送下。

功效 补气养血，滋肾调经，养肝润肺，健脾胃，暖子宫，清虚火，退潮热，理三焦，调五脏，强腰身，久服种子。

主治 凡妇女诸虚百损，腰痛耳鸣，瘦弱面黄，盗汗发热，劳嗽痰血，经脉不调，血衰不能成孕等症，皆可服之。

来源 《清太医院配方》

方名 八珍益母丸

组成 人参、白芍、川芎各30克，白术、茯苓各45克，当归、熟地各60克，益母草240克。

用法 上药均研为细末，炼蜜和丸。每日3服，每服1～2丸，白开水送下。

功效 益气养血，调经种子。

主治 妇女月经不调，子宫虚寒，不能成孕，及妇女胎前产后诸虚百损。

来源 《清太医院配方》

方名 内补养荣丸

组成 当归、山药、益母草、阿胶、黄芪、白术各75克，蕲艾、川芎、砂仁各30克，白芍、杜仲各45克，甘草15克，香附、熟地各120克，陈皮60克。

用法 共研细末，炼蜜为丸，每次3～6克，空腹用龙眼肉汤或黄酒送服，亦可用白开水送服，每日1～2次。

功效 益气养荣，疏肝活血，调经助孕。

主治 妇人诸虚不足，头昏目眩，面色萎黄，月经愆期，赤白带下，腰酸耳鸣，子宫虚弱，不能孕育。

来源 《清太医院配方》

方名 七制香附丸

组成 香附210克(用黄酒制1次,醋制1次,盐制1次,茴香制1次,龟版制1次,益智仁制1次,萝卜子制1次,名曰七制香附)当归、生地、川芎各60克,白芍15克。

用法 共研细末,炼蜜为丸,每服3克,早晚各1次,用温酒或白开水送下。

功效 调经,理气,补虚,种子。

主治 调经,治妇女百病,疗经闭、赤白带下,补虚劳,延子嗣。

来源 《清太医院配方》

方名 败酱饮

组成 败酱、当归、芍药、芎劳各15克,竹茹30克,生干地黄30克。

用法 上药共捣为粗末。每日3服,每服10克,用水1碗煎之,去滓温服。

主治 产后恶露不绝。

来源 《圣济总录》

方名 泽兰汤

组成 泽兰叶、甘草各30克,当归45克,芍药75克。

用法 上药共捣为粗末。每服10克,加生姜3片、枣2枚、生地黄2克,用水1碗同煎,去滓温服,每日早晨各进1服

功效 活血祛淤止痛。

主治 产后恶露不下,或下不尽,小腹急痛。

来源 《圣济总录》

方名 乌贼鱼骨丸

组成 白芷、龙骨、牡蛎、黄芪、五味子各9克，熟地30克，萸肉5克，柴胡、升麻各3克，当归、白芍、川芎、杜仲各15克，乌贼骨20克。

用法 将上药均研为细末，水泛为丸，如梧桐子大。每日3服，每服10克，饭前用曙水加醋少许送下。若不愈，再合一剂，服尽自愈。

功效 养血固肾，涩敛固脱。

主治 产后阴脱，阴下挺出，逼迫肿痛，小便淋沥，白带时下，或举重，或房劳，皆能发作。

来源 《素庵医要》

方名 当归血竭丸

组成 当归、血竭、蓬莪术、芍药各60克，五灵脂120克。

用法 上药研为细末，醋面糊和丸，如梧桐子大。每服40丸，空腹温酒或粥送下，每日2服。

功效 活血祛瘀，止痛。

主治 妇人产后恶露不下，心胸痞闷，脐下坚痛。

来源 《御药院方》

方名 益母草膏

组成 益母草240克，生地、当归各60克，白芍、川芎各45克。

用法 先将上药用水煎透，然后去滓取汁，炼蜜收膏。每服2～3茶匙，温黄酒送下，每日早晚各进1服。

功效 调经，行气，活血。

主治 妇女产后诸疾，胞衣不下，恶露不绝，血晕，崩漏等。又治跌打损伤，内有淤血，每遇阴天则痛。

来源 《清太医院配方》

方名 活血定痛汤

组成 全当归24克，香附、蒲黄、五灵脂、益母草、桃仁、元胡各9克，炮姜2克，青皮、红花、川芎各6克，山楂炭24克，醋炒大黄4.5克。

用法 上药共研为粗末，加水煎煮，去滓，用童便、老酒各半盅作引 调服。

功效 活血止痛，祛淤生新。

主治 产后恶露不畅，腹部疼痛

来源 《清宫医案研究》

方名 当归行淤汤

组成 川芎6克，五灵脂、丹参、桃仁、益母草、生蒲黄、元胡、炙香附各9克，全当归24克，红花、条芩各4.5克，山楂15克。

用法 上药加童便一大盅、老酒一小盅为引，水两碗，煎至半碗，中午温服，每日1服。

功效 行气活血，被动淤止痛。

主治 产后恶露不畅，头闷目胀，小腹疼痛。

来源 《清宫医案研究

方名 柴胡四物汤

组成 银柴胡、荆穗炭、川芎、赤芍各4.5克，骨皮、焦曲、条芩、当归各9克，陈皮，丹皮各6克，大生地15克，甘草2克。

用法 上药加水1碗，老酒半盅煎煮，去滓。

功效 养血益阴，解表。

主治 产后复感风寒，周身疼痛，头晕胸满。

来源 《清宫医案研究》

方名 观音普济丹

组成 京墨、没药、百草霜各30克，天麻45克，红花、当归各21克，共研细末，用黄酒、江水米面糊为丸，每丸6克。

用法 (1)产后胞衣(即胎盘)不下，将药1丸，用红花3克煎汤送下；

(2)产后气虚，心血未定而口干、口渴，将药1丸，用前汤送下；

功效 产后遍身浮肿，将药1丸，用瞿麦、扁蓄各3克，煎汤送下；

(4)产后脐周疼痛，昼夜不止，肠鸣下痢，饮食不消化，将药1丸，用萝卜一块(切碎)煎汤送下，或桃仁10枚煎汤亦可；

(5)产后腰痛，浑身骨节疼痛，用黄酒送药1丸，汗出即愈；

(6)产后大小便不通，将药1丸，用通草、红花、桑白皮各少许，煎汤送下；

(7)产后气血虚弱，乏力，浮肿，夜间盗汗，脐下作痛，将药1丸，用通草、木通各少许，煎汤送下；

(8)产后胸腹胀满，恶心呕吐，将药1丸，用半夏3克、生姜3片，煎汤送下；

(9)产后咽喉肿痛，将药1丸，用桑白皮5克煎汤送下；

(10)产后过早下床，感受风寒，或受气恼，将药1丸、炒黑豆3克，用曙黄酒送下；

(11)产后大便下血不止，赤白带下，将药1丸，温黄酒送下；

(12)产手手足不送，言语艰难，将药1丸、炒黑豆30粒，用黄酒送下；

(13)产后阴部及两腿作疼，坐卧不安，将药1丸，用老酒送下；

(14)产后腹部膨胀，四肢发冷，将药1丸，用赤茯苓6克煎汤送下；

(15)产后既久，月经不通，将药1丸，用红花3克煎汤送下。

(16)产后气血虚弱，口苦口干，将药1丸，用当归、荆芥各3克，煎汤送下；

(17)产后恶露不尽，将药1丸，用童便送下；

(18)产后吐血，将药1丸，用桑白皮3克煎汤送下。

(19)产后遍身起疙瘩，将药1丸，用桑白皮5克煎汤送下；

(20)产后未满月时，防止血气散行经络，将药1丸，用红花煎汤送下。除上述产后诸症外，尚可用于难产、子死腹中等症。

方名　漏芦汤

组成　漏芦、木通各30克，钟乳15克。

用法　上药捣为粗末。每日1服，每服10克，用水1盏，加黍米半合，合煎至米熟，滤去滓，温服。

功效　下乳。

主治　产后无乳。

来源　《圣济总录》

方名　下乳涌泉散

组成　当归、川芎、花粉、白芍、生地、柴胡各30克，青皮、漏芦、桔梗、木通、白芷、通草各15克，穿山甲45克，王不留行90克，甘草8克。

用法 上药共研为细末，每日1服，每服6～9克，临睡前用暖黄酒调服。

功效 行气活血，通络下乳。

主治 产妇乳汁不行，或乳少不足用者。

来源 《清太医院配方》

方名 麻仁润肠汤

组成 麻仁90克，黄芩、川芎、甘草、苏子各6克，枳壳、人参、黄芪各12克，陈皮、杏仁、赤芍、桔梗、归尾各9克，生地15克，葱白3茎。

用法 上药共捣为粗末，用水一盏半，煎至八分，去滓温服，每日1服。

功效 滋阴养血，润肠通便。

主治 产后大便秘结，或七八日，或十数日，或二十余日不大便者。

来源 《素阉医要》

方名 醋鸡子

组成 酽醋、生鸡子各适量。

用法 先以醋半盏，煎数沸，打破鸡子1枚，投于醋中，熟搅令匀，顿服之。

主治 产后血晕，不省人事，唇冷面青。

来源 《圣济总录》

方名 鳖甲当归散

组成　鳖甲90克，当归、桃仁、芍药、京三棱、肉桂各30克。

用法　上药共捣研为细末。每日2服，每服15克，空腹温酒送下。

功效　活血祛淤。

主治　产后小腹结块，痛不可忍。

来源　《圣济总录》

方名　抽刀散

组成　川乌头9克，牡丹皮12克，芍药15克，干姜9克，桂心6克，没药12克，当归15克。

用法　上药均研为细末，每服6克，热酒送下，每日2服。

功效　妇人心腹胁肋疼痛不可忍者。

加减　产后，加红花6克。

来源　《御药院方》

方名　茯苓汤

组成　白茯苓、羌活、当归、人参、附子、芎劳、石膏、黄芪各30克。

用法　上药共研为粗末。每日1服，每服10克，用水1盏，煎至七分，去滓温服。

主治　产后气血亏萎，头痛。

来源　《圣济总录》

方名　人参枳壳散

组成　人参15克，枳壳3克。

用法　先将陈米200克炒热，与上药同研为细末。每服6克，食前温水送下。每日3次。

主治 产后恶心，不下饮食。

来源 《圣济总录》

方名 芦根饮

组成 芦根、人参各30克，栝楼根、生麦门冬各15克，炙甘草、白茯苓各3克。

用法 将上药共捣为粗末。每服9克，用水1盏，煎至七分，去滓温服，日进3服。

功效 生津止渴，清热除烦。

主治 产后虚渴烦躁。

来源 《圣济总录》

方名 木通汤

组成 木通、黄芩、石苇各30克，榆白皮、冬葵子各60克，炙甘草3克，白术45克。

用法 上药捣研为粗末。每服9克，用水1盏，煎至七分，食前去滓温服。每日2服。

功效 通利小便。

主治 产后小便不通。

来源 《圣济总录》

方名 茜根散

组成 茜根、子芩、生干地黄各30克，石苇、木通、滑石各60克。

用法 上药捣研为粗末。每服9克，用水一中盏，煎至六分，去滓，食前温服，每日 3 服。

主治 产后小便出血。

来源 《太平圣惠方》

方名 续断饮

组成 续断、芍药、桂心、生干地黄、黄芪、川芎、黄芩、当归各 30 克。

用法 上药共研为粗末。每服 9 克，用水 1 盏，煎至七分，去滓温服，每日 2 服。

主治 产后腰重痛，不可转侧。

来源 《圣济总录》

方名 黄雌鸡饭

组成 黄雌鸡一只，生百合一颗，白粳米饭一盏。

用法 先将黄雌鸡去毛剖腹洗净，然后将粳米饭、百合放入鸡腹内，以线缝合。用五味汁煮鸡令熟，食之。

功效 补益气血。

主治 产后虚羸。

来源 《圣济总录》

方名 消奶痈历验方

组成 干山药、宁根各 15 克，芙蓉叶 6 克，五倍子 15 克，葱茎 3 段，王不留行 12 克，白蜜 50 克。

用法 上药除白蜜外，均捣研为细末，用米醋调敷患处。

功效 乳痈。

主治 《普济方》

方名　治乳头裂破方

组成　宁麻根适量。

用法　上药捣研为细末。每用加香油少许调敷患处。

功效　清热止血，润燥散淤。

主治　乳头破裂。

来源　《普济方》

方名　消痈止痛方

组成　地龙1～2条，生姜100克。

用法　将上药同研如泥，涂患处。

功效　消肿止痛。

主治　乳痈痛不可忍者。

来源　《普济方》

方名　乳痈初起方

组成　贝母、天花粉各60克。

用法　上药均研为细末。酒调服6克，每日3服。

功效　化痰散结，消肿止痛。

主治　乳痈初作肿痛。

来源　《普济方》

方名　清热调肝饮

组成　生地12克，杭芍、酒胆草、羚羊角各6克，乌药、郁金、青皮、丹皮、条芩、泽泻、枳壳各9克。

用法　上药加薄荷2克为引，水煎，去滓温服，每日1服。

功效 清热除湿，止带祛痒。

主治 带下量多色黄，外阴瘙痒，胸膈不畅，有时发热，口渴喜冷饮。

来源 《清宫医案研究》

方名 珍妃加减熏洗方

组成 蛇床子30克，苦参、公英各18克，狼毒、甘草节各15克，薄荷、朴硝、雄黄各9克，白菜叶120克。

用法 上药加水煎透，去滓，熏洗阴部。

功效 清热除湿，止痒。

主治 外阴瘙痒，带下量多色黄，胸膈不畅，有时发热，口渴喜冷饮。

来源 《清宫医案研究》

方名 榻痒汤

组成 苦参、威灵仙、蛇床子、归尾、狼毒各3克，鹤虱草30克。

用法 上药作1服，用河水10碗，煎三四沸，去滓，盛于盆内，乘热先熏，待温后再用手淋洗。若临洗时加入公猪胆汁2～3枚同洗，则疗效更佳。

功效 清热祛湿止痒。

主治 妇人湿热下注，阴中作痒，及内外生疮。

来源 《疡医大全》

方名 黄芩汤

组成 当归、雄黄、黄芩、芎穷、大黄、矾石各6克，黄连3克。

用法 上药加水煎煮，熏洗患处，每日 3 次。

功效 清热利湿，杀虫止痒。

主治 妇人阴中生疮。

来源 《普济方》

方名 精肝渗湿汤

组成 龙胆草 4.5 克，黄连 3 克，当归、木通各 9 克，车前子 15 克，泽泻、青皮、黄芩各 6 克，甘草梢 3 克，生地 15 克，炒栀子 16 克。

用法 上药作 1 服，加荷梗 2 尺、灯心草 2 束为引，水煎，去滓温服。

功效 清利肝经湿热。

主治 阴部瘙痒，白带过多，两肋少腹牵引作痛。

来源 《清宫医案研究》

方名 皇后熏洗药

组成 苦参、龙胆草、连翘、金银花各 30 克，蛇床子 15 克。

用法 上药加水煎煮，趁热熏洗阴部。

功效 清热燥湿，杀虫止痒。

主治 肝经湿热郁滞，外阴瘙痒，带下量多。

来源 《清宫医案研究》

方名 麻黄汤

组成 麻黄 90 克，黄连、蛇床子各 60 克，乌梅一颗。

用法 上药加水一斗，煎至五升，去滓，稍热淋洗患处。

功效 清热解毒。

主治 妇人阴肿或疮烂者。

来源 《太平圣惠方》

第三节 儿 科

方名 解肌散

组成 麻黄3克,葛根、赤芍、黄芩、升麻、甘草各15克。

用法 以上药物共研为末。每服6克,以水1小盏,加葱白5寸,煎至5分,去滓,不拘时候温服,令有汗出即愈。

功效 清热解表。

主治 小儿感冒,头痛发热,口干舌燥,烦躁不安。

来源 《太平圣惠方》

方名 疏风宁嗽饮

组成 羌活、前胡、桑皮、黄芩各3克,荆芥穗、防风、桔梗、杏仁(炒)各4.5克,川芎、薄荷、枳壳各2.4克,生甘草0.9克,生姜1片。

用法 水煎,中午、眼前吞1服。

功效 解表清热止咳。

主治 感冒,身热口渴,咳嗽,鼻流清涕,夜卧不宁。

方名 麦汤散

组成 滑石、石膏、知母、贝母、麻黄、杏仁、甘草、甜葶苈、人参、地骨皮各6克。

用法 以上药物共为细末。每日服6克,用小麦20粒煎汤送下，每日服2次。

功效 清热解表止咳。

主治 小儿感冒，鼻塞头痛，或鼻流清涕，唇红面赤，气急咳嗽。

来源 《世医得效方》

方名 惺惺散

组成 白术、桔梗、细辛、人参、甘草、茯苓、瓜蒌根各12克。

用法 以上药物共研为极细末，每服6克，用水1盏，加薄荷3叶煎，温服，代茶饮。

功效 解表健脾和胃。

主治 小狗感冒，头痛发热，目涩多唾，咳嗽气粗，鼻塞清涕。

来源 《世医得效方》

方名 柴葛解肌汤

组成 葛根3克，柴胡、桔梗各1.5克，赤芍、甘草、白芷、羌活各1克，石膏5克，黄芩2克。

用法 加生姜2片，大枣2枚，水煎服。

功效 疏风清热解肌。

主治 小儿感冒，邪在肌腠，发热不退。

来源 《医宗金鉴》

方名 解肌安嗽丸

组成 前胡、苏叶、陈皮、葛根、桔梗、枳壳、半夏、花粉、杏仁、贝母各30克，茯苓24克，木香9克，甘草15克。

用法 以上药物共研为极细末，蜂蜜和为丸，每丸3克。每次服 1 丸。用白开水化下，或梨汤化下，每日 3 次。忌食生痰、动火等物。

功效 疏风寒，解肌表，止喘嗽，化痰涎。

主治 小儿风寒感冒，咳嗽痰喘，咽喉肿痛，痰涎壅盛，夜卧不安等症。

来源 《清太医院配方》

方名 秘制保婴丸

组成 桔梗、川芎、荆芥穗、元参、柴胡、羌活、葛根、赤芍、甘草、黄芩、牛蒡、薄荷各 15 克，花粉、防风、升麻、山楂各 30 克。

用法 以上药物共研为极细末，蜂蜜和为丸，每天 3 次。感冒发热、无汗，用姜葱汤送下；惊风抽搐、发热，用薄荷汤送下；伤食发热，用山楂汤送下；麻疹发热，用芫荽汤送下。忌食肉、甜食。

功效 解表清热。

主治 小儿四时感冒，恶寒发热，及惊风、伤食、麻疹发热等症。

方名 九宝丹

组成 人参、葛根、可壳、羌活、前胡、苏叶、细辛、防风、黄芩、川芎、白芷、半夏、甘草各 15 克，柴胡、生地各 24 克。

用法 以上药物共研为极细末，蜂蜜和为丸，朱砂为衣，每丸 3 克。一次服 1 丸，日服 2 次。温水化下。忌食肉、甜食及一切生痰、动火之物。

功效 清肺解表，疏风化痰，开胃和中。

主治 小儿风寒感冒，咳嗽痰喘，身热头痛，鼻流清涕，胃怕风寒等症。

来源　《清太医院配方》

方名　贝母散

组成　贝母、麻黄、紫苑各3克，麦门冬、炙甘草、杏仁各15克。

用法　以上药物共研为末，每服6克，以水一小杯煎，去滓，温服。每日2服。

功效　润肺止咳。

主治　小儿咳嗽，咽喉不利。

来源　《太平圣惠方》

方名　百部散

组成　百部、贝母、紫苑、葛根各30克，石膏60克。

用法　以上药物共为末，每服9克，以水1小盏，加竹叶6片煎，去滓，乳母每于食后温服，令小儿饮乳甚佳。

功效　止咳润肺清热。

主治　小儿咳嗽头热。

来源　《太平圣惠方》

方名　华盖散

组成　紫苏子(炒)、杏仁、赤茯苓各7.5克，炙桑皮、陈皮各10克，麻黄、甘草各5克。

用法　共为细末，每服5克，用水1杯，煎至半杯，温服，每日3次。

功效　宣肺散寒，止咳化痰。

主治　风寒咳嗽，或兼喘证。

来源 《太平惠民和剂局方》

方名 润肺散

组成 贝母、杏仁(去皮,炒)、麻黄、人参各 60 克,阿胶、桔梗各 15 克,陈皮 9 克,甘草 30 克。

用法 以上药物共研为粗末。每服 3 克,以水八分,煎六分,去滓,食后浊服,每日 3 服。

功效 止咳润肺化痰。

主治 小儿肺气不利,咳嗽喘急,语声不出,痰涎壅塞,胸膈烦满,鼻塞清涕,咽喉干疼。

来源 《太平惠民和剂局方》

方名 萝卜子散

组成 萝卜子(微炒)5 克,麻黄 5 克,灯芯 5 克,皂荚子 2.5 克,甘草 5 克。

用法 捣碎,水煎服。

功效 化痰止咳。

主治 咳嗽痰多,喉中有声。

来源 《证治准绳》

方名 杏仁汤

组成 杏仁、知母、贝母、款冬花、仙灵脾、麻黄、甘草、人参、赤茯苓、玄参各 15 克。

用法 以上药物共研为末,每服 6 克,以水 1 小杯煎,去滓温服,每日 2 服。

功效 止咳化痰。

主治 小儿一切咳嗽。

来源 《圣济总录》

方名 杏蜜煎

组成 杏仁(去皮,研如膏)、蜂蜜各30克。

用法 上两味和匀,慢火熬,和丸如绿豆大。每次服1丸,温水化下,每天服2次。

功效 润肺止咳。

主治 小儿咳嗽。

来源 《圣济总录》

方名 清金理嗽丸

组成 陈皮、枳壳、茯苓、前胡、桑皮、黄芩、杏仁、半夏各30克,桔梗、苏叶、葛根各45克,木香、甘草各15克。

用法 以上药物共研为极细末,蜂蜜和为丸,每丸3克。一次服1丸,用秋梨3~4片,大萝卜1~2片,煎汤化服,每天服2次,忌食油腻、生冷及动火之物。

功效 润肺定喘,止嗽化痰,清火宽中。

主治 小儿咳嗽痰多,呕吐喘满,声重音哑及感冒之后,诸证翻愈,唯咳嗽不止者。

来源 《清太医院配方》

方名 清热宁嗽化痰定喘丸

组成 橘红、桑白皮、杏仁、黄芩、前胡、甘草各25克,青黛15克,贝母7.5克,胆星50克,天花粉30克。

用法 研为细末,炼蜜和丸,如绿豆大。每服2丸,白开水送下。

功效　清热化痰，宁嗽止咳。

主治　痰热咳嗽，吐痰色黄，黏而难出，伴有身热、口干、小便黄等。

来源　《寿世保元》

方名　人参宁肺汤

组成　人参、陈皮各10克，罂粟壳、乌梅各7.[illegible]、甘草各5克。

用法　上药加蜜1杯、水2杯，煎成1杯，分3次服之。

功效　敛肺止咳。

主治　久咳不止。

方名　小调中丸

组成　萸连、姜连各9克，白芍、白术、甘草、苍术、山楂、木香各18克，陈皮、神曲、黄芩、元胡、茯苓、桔梗、厚朴、枳实、当归各30克。

用法　以上药物共研为极细末，水泛和丸，每丸3克，1岁上下者每服半丸；2～3岁者服1丸；4～5岁者服1丸半；5～6岁者服2丸，10岁以上者服2丸半，温不送下，每日服1～2次，微利为度。忌食生冷、荤腥等物。

功效　化积聚，消乳食，通畅大小便。

主治　小儿饮食不节，过食厚味甘甜生冷难化等物，致伤脾胃，症见泄泻痢疾，腹胀腹疼，发热口干，小便黄赤；或食积化火上攻，头目口舌生疮，夜卧不安，呕吐恶心，大便不通，腹中积块等。

方名 清胃保安丸

组成 陈皮、枳壳、厚朴、苍术、香附、南星、神曲各9克，甘草、半夏各6克，木香3克。

用法 以上药物共研为极细末，蜂蜜和为丸，每丸3克。一次服1～2丸，不拘时候温水化下，干吃亦可，每天3次。服药后禁乳、食半日。忌食生冷、油腻、坚硬难化等物；乳母忌食辛辣动火之物。

功效 养胃健脾，磨积杀虫，消疳退热。

主治 婴童、小儿一切伤乳、伤食、呕吐泄泻、不思饮食、腹胀肚痛、发热恶寒、夜啼睡卧不安等症。

来源 《清太医院配方》

方名 小儿香橘丸

组成 木香、橘红、麦芽、青皮、厚朴、莪术、甘草、砂仁、山楂各30克，泽泻、猪苓、茯苓、白术、藿香各45克，神曲60克，三棱24克。

用法 以上药物共研为极细末，炼蜜和丸，每丸重3克。每服1丸，白开水调下，干吃亦可，常服、多服无妨。忌食生冷、油腻、坚硬难化等物。

功效 开胃健脾，止泻利水，退热除湿，扶养元气。

主治 小儿脾胃不和，伤乳伤食，呕吐泄泻，肚腹胀满疼痛，面黄体瘦。

方名 加味肥儿丸

组成 人参、芦荟、茯苓各9克，白术、胡连各15克，黄连3克，使君子16克，神曲、麦芽、山楂各12克，甘草6克。

用法 以上药物共研为极细末，黄米糊和丸，每丸3克。一次服1丸，白开水送下，每天2次。

功效 健脾养胃，化积消虫，清热止泻，久服百病消除，令儿肥健。

主治 小儿饮食不节，过食瓜果冷饮甘甜之物，致伤脾胃、泄泻腹胀、瘦弱面黄、身体发热等症。

方名 七香丸

组成 甘松、香附、丁香、甘草各90克，莪术15克，砂仁18克，益智仁30克。

用法 以上药物共研为极细末，水泛和丸，每丸3克。每天早晚各服1丸，米饮送下。

功效 消积滞，进饮食。

主治 小儿伤食积滞，饮食少进，呕吐恶心，面黄肌瘦。

来源 《清太医院配方》

方名 启脾丸

组成 人参、白术各15克，茯苓、建莲、山楂、神曲各120克，泽泻、陈皮、甘草各60克，山药120克。

用法 以上药物共研为细末，蜂蜜和为丸，每丸3克。一次服1丸，饭前米汤送下，白开水亦可，一日3次。

功效 健脾胃，进饮食，止久泻，消虚胀。

主治 小儿脾胃虚弱，不欲饮食，肌体瘦弱，久泻不止，腹胀疼痛，多睡少食等症。

来源 《清太医院配方》

方名 小儿健脾丸

组成 白术、茯苓、山药、扁豆、建莲各75克，川连15克，甘草12克，陈皮、枳壳、神曲、山楂各60克，泽泻、砂仁、薏米各24克，半夏30克。

用法 以上药物共研为极细末，蜂蜜和为丸，每丸3克。2～3岁者，每服1丸；5～6岁者每服2丸，白开水送下，每天早晚服用。忌食生冷、坚硬难化之物。久服精神强健，百病不生。

功效 大补元气，健脾养胃，益智健脑。

主治 小儿脾胃虚弱，少食多困，精神不振，肌肉消瘦。

来源 《局方》

方名 醒脾丸

组成 当归、白芍、赤苓、茯苓、神曲、山楂、麦芽、麦冬、枳壳各90克，白术、半夏、香附各60克，甘草30克，黄连45克，陈皮60克。

用法 以上药物共研为极细末，水泛和丸，每丸3克。一次服1丸，用米汤送下，每天2次，常服无妨。忌食生冷、油腻等物。

功效 健脾养胃，除湿利水，消食化痰，益气补中，调和五脏，充实肢体。

主治 小儿脾胃虚弱，不思饮食，面色萎黄，肢体瘦弱等症。

来源 《清太医院配方》

方名 不换金正气散

组成 厚朴、藿香、甘草、半夏、苍术、陈皮各等分。

用法 捣为粗末。每服5克，加生姜3片、大枣2枚，水煎服。

功效 化湿解表，和胃止呕。

主治 胃寒呕吐,寒湿内停。
来源 《太平惠民和剂局方》

方名 枇杷叶散
组成 枇杷叶1克,母丁香1克。
用法 为末。每服少许,涂母乳头上,令儿吮吸。
功效 清热和胃止呕。
主治 小儿吐乳不定。
来源 《太平圣惠方》

方名 丁香丸
组成 丁香1克,藿香5克,人参2克。
用法 为末,蜜丸如绿豆大。每服2丸,粥饮送下。
功效 和胃止呕。
主治 小儿饮乳后吐不止。
来源 《太平圣惠方》

方名 和胃理脾汤
组成 当归、茯苓、白豆蔻、广皮、半夏(姜炒)、枇杷叶(炙去毛)、石斛各3克,白芍(酒炒)、白术各4.5克,沉香、炙甘草各1克,生姜1片。
用法 水煎服,每日1剂。
功效 温胃健脾。
主治 小儿呕吐,不欲饮食。

方名 丁附丸

组成　丁香 50 克，附子、草豆蔻、胡椒各 30 克。

用法　共为细末，炼蜜为丸，每丸 3 克。每次 1 丸，1 日 3 次。

功效　温胃止呕。

主治　脾胃虚寒，呕吐不止。

方名　香苏正胃丸

组成　白术、陈皮、半夏、厚朴、桔梗、茯苓、甘草、大腹皮各 60 克，藿香 120 克，苏叶 90 克，砂仁 30 克。

用法　以上药物共研为极细末，蜂蜜和为丸，每丸 3 克，一次服 1- [illegible] 伤食，用山楂汤化服；呕吐，用姜汤化服；泄泻，用灯心汤化服；其余诸症，俱用开水化服。忌食生冷、荤腥、油腻难化之物。

功效　健脾消食。

主治　小儿伤乳伤食，停滞不化，以致头疼身热，呕吐泄泻，乍寒乍热，吐痰吐水，肚腹疼痛，口干发渴，睡卧惊恐，烦躁不安及一切脾胃不和等症。

来源　《清太医院配方》

方名　参苓白术散

组成　莲子肉、薏苡仁、砂仁、桔梗各 30 克，白扁豆 45 克，茯苓、人参、白术、山药、甘草各 60 克。

用法　上药研为细末。每服 3 克，枣汤调下。

功效　健脾和胃，渗湿和胃。

主治　脾虚挟湿，泄泻不止，形体消瘦，四肢乏力，面色萎黄。

来源　《太平惠民和剂局方》

方名 温中丸

组成 人参、甘草、白术各30克。

用法 上药研为末，面糊丸如绿豆大。每服10丸，米饮下，不拘时间。

功效 健脾益气。

主治 脾虚泄泻，肠鸣腹痛，食欲不振。

来源 《小儿药证直诀》

方名 固肠丸

组成 木香、肉豆蔻（面裹煨熟、去面用）、缩砂仁、赤石脂、厚朴（姜制）、川姜各等分。

用法 上药研为细末，面糊为丸，如绿豆大。每服20丸。

功效 理气化滞，温中止泻。

主治 小儿脾胃虚弱，肠滑泄泻。

来源 《御药院方》

方名 金锁正元丹

组成 五倍子、茯苓各50克，龙骨、朱砂各10克，肉苁蓉、巴戟天、葫芦巴各100克，补骨脂60克。

用法 共为细末，炼蜜为丸。每次2～5克。

功效 温肾寒，止泄泻。

主治 肾虚泄泻，小便频数。

来源 《奇效良方》

方名 谭氏斗门散

组成 诃子、枳壳、地榆各等分。

用法 上为末,每服3克,米饮调下。

功效 涩肠止泻。

主治 小儿泄泻,日久滑肠,脱肛,渐渐消瘦。

来源 《证治准绳》

方名 水泻贴脐方

组成 白矾、黄丹各5克。

用法 用葱白捣烂,涂脐上。

功效 止泻。

主治 小儿水泻不止。

来源 《鲁府禁方》

方名 水泻贴囟方

组成 巴豆2个(火炮去油),破硝、黄蜡各适量。

用法 上3味各取等分,捣成膏,摊在纸上,贴囟门处。贴处有小水泡者,即为收效,应揭去。

功效 止泻。

主治 小儿水泻。

来源 《鲁府禁方》

方名 回春泻痢膏

组成 诃子肉、干罂壳、赤石脂各12克,煅龙骨6克,乳香、没药各15克。

用法 熬膏贴脐。

功效 涩肠止泻。

主治 泻痢日久不愈,表证已解,唯泻不止。

方名 牛黄琥珀抱龙丸

组成 胆星、天竺黄各30克，天麻、雄黄、钩藤、茯苓、琥珀、甘草各6克，川贝、僵蚕、羌活各9克，防风6克，全蝎15克，白附片6克，朱砂12克。

用法 以上药物共研为细末，蜂蜜和为丸，朱砂为衣，每丸3克。一次服1丸，温水化下，每天服2次。乳母忌动火之物。

功效 镇惊安神，平心定志，除诸热，化痰涎，止咳喘，调胃和中。

主治 小儿急慢惊风，痰涎搐搦，夜晓发烧，睡卧不安，气粗哕满等症。

来源 《清太医院配方》

方名 保幼化风丹

组成 羌活、独活、天麻、防风各30克，黄芩、荆芥穗、全蝎各15克，人参、川芎各9克，甘草30克，胆星45克。

用法 以上药物共研为极细末，炼蜜和丸，朱砂为衣，每丸重3克。每服1丸，用薄荷汤化服。每日服2丸。忌食肉、甜食。

功效 除痰清热镇惊。

主治 小儿一切惊风痰热，夜啼睡卧不安。

来源 《清太医院配方》

方名 天一丸

组成 人参、陈皮、天麻各30克，灯草灰、赤苓、猪苓各36克，木通、半夏、滑石各60克，泽泻45克。

用法 以上药物共研为极细末，蜂蜜和为丸，每丸3克。每服

1丸，灯草煎汤化肥，每天服2丸。

功效 清心利小便散火。

主治 小儿发热，惊风痰热，小便黄赤等症。

方名 定搐散

组成 蜈蚣、附子、羌活、麻黄、僵蚕、代赭石、南星、蝎梢、姜黄各10克，朱砂5克。

用法 共研细末。每服0.5～1克，荆芥、紫苏煎汤送下。

功效 平肝涤痰，安神定搐。

主治 四肢抽搐，惊恐不定

来源 《证治准绳》

方名 观音散

组成 全蝎10条，天麻、防风、白芷、黄芪、甘草、茯苓各12克，人参10克，扁豆6克。

用法 共为细末，每次1～2克，每日3次。

功效 益气平肝。

主治 慢惊。

方名 大安神丸

组成 人参、茯苓各25克，炙甘草50克，僵蚕12.5克，白术25克，桔梗12克，辰砂20克，全蝎5个，麦冬、木香各24克，炒枣仁、代赭石各25克。

用法 共为细末，炼蜜为丸，每丸5克。每次1丸，薄荷汤调下。

功效 益气安神，定志止惊。

主治 慢惊风。

来源 《世医得效方》

方名 五味子散

组成 五味子、当归、赤芍药、白术各15克，甘草3克，桂心0.5克。

用法 以上药物共研为末。每服3克，以水1盏煎，去滓临卧服。

功效 养心宁神。

主治 小儿夜啼，夜深辄剧，状似鬼祟。

来源 《太平圣惠方》

方名 石膏散

组成 石膏30克，人参、龙骨各15克。

用法 以上药物共研为末。每服3克，以水1盏煎，去滓临卧服。

功效 清热镇惊。

主治 小儿夜啼，发热惊惧。

来源 《太平圣惠方》

方名 人参散

组成 人参、茯炸得15克，甘草、川大黄各3克，牛黄、犀角屑各0.5克，白芥子9克。

用法 以上药物共研为极细末，每服1.5克，用水煎柳枝桃枝汤调下，频服。

功效 宁心安神。

主治 小儿夜啼。

来源 《太平圣惠方》

方名 芎穷散

组成 芎穷、汉防已、白术各 15 克。

用法 以上药物共研为极细末。一月及百日儿，每服 1 克，以乳汁调服；半岁至一岁儿，每服 2 克，粥饮调服，每日服 3 次。

功效 除湿安神。

主治 小儿夜啼，不得安寐。

来源 《太平圣惠方》

方名 代赭丸。

组成 代赭石、牡丹皮、芍药各 6 克，麝香（另研）1 克。

用法 以上药物捣研为极细末，蜂蜜和为丸，每丸 1 克。一月至百日儿，每服 1 丸，半岁至一岁儿，每服 3 丸，用薄荷汤送下，连夜 3～4 服。

功效 清心安神。

主治 小儿夜啼，鸡鸣即止。

来源 《圣济总录》

方名 犀角散

组成 犀角屑、钩藤、川升麻各 1 克，人参 3 克，黄芩、炙甘草各 2 克。

用法 以上药物捣为粗末。每服 3 克，以水 1 盏，煎至五分，去滓临卧温服。

功效 清热安神。

主治 小儿夜啼及惊热。

方名 四物安神汤

组成 当归、熟地、白芍、茯神、人参、白术各9克，黄连、竹茹、炒枣仁、麦冬、乌梅、桃仁各3克。

用法 水煎服。

功效 养心宁神。

主治 体质虚弱，气血不足，或佝偻病患儿之夜啼。

来源 《寿世保元》

方名 钩藤饮

组成 川芎、当归、白芍、茯苓、钩藤各5克，甘草、木香各3克。

用法 水煎服。

功效 温脾散寒。

主治 小儿夜啼，面色青白，手腹俱冷。

来源 《医宗金鉴》

方名 当归六黄汤

组成 当归、黄芪各3克，生地黄、熟地黄、黄芩、黄伯、黄连各2克。

用法 水煎服。

功效 滋阴降火，固表止汗。

主治 阴虚盗汗。

来源 《兰室秘藏》

方名 黄连散

组成 黄连1克，牡蛎、贝母各15克。

用法 上3味药捣研为末，以米粉1升，相和令匀，如有汗，粉儿身。

功效 清热敛阴。

主治 小儿盗汗。

来源 《本草拾遗》

方名 文蛤散

组成 五倍子(为末)适量。

用法 用唾液调匀，填满脐中，外以布带敷定，次日揭去。

功效 收敛固涩。

主治 夜间盗汗。

来源 《万病回春》

方名 柴胡人参汤

组成 柴胡、人参、白茯苓、当归、桔梗、青皮、芍药、川芎、麦门冬、白术、升麻、桑根白皮、甘草各30克。

用法 以上药物共捣为粗末，每服6克，用水1盏，煎至六分，去滓，临卧服。

功效 益气养血，敛汗。

主治 小儿盗汗，肌瘦食减。

来源 《圣济总录》

方名 地骨皮汤

组成 地骨皮、秦艽、柴胡、枳壳、知母、当归、鳖甲各9克。

用法 以上药物捣为粗末。每次服6克,以水八分,加生姜2片、乌梅1个,同煎至四分,去滓温服,早晚各服1次。

功效 滋阴降火,敛肌止汗。

主治 小儿夜多盗汗,多困少力,肌肉消瘦。

来源 《圣济总录》

方名 龙骨散

组成 龙骨、牡蛎粉、黄芪、人参、麻黄根、熟地黄、甘草(炙)各15克,麦门冬30克。

用法 以上药物共捣为粗末。每次服3克,以水1盏,煎至五分,去滓,不拘时候温服,每天服2次。

功效 益气养心,固表止汗。

主治 小儿夜寐后常有盗汗,黄瘦。

方名 犀角散

组成 犀角屑2克,茯神、麦门冬、黄芪、人参各12克,甘草(炙)3克。

用法 以上药物捣为粗末。每次服3克,以水1盏,煎至五分,去滓,不拘时候温服,每天服2次。

功效 养心敛汗。

主治 小儿盗汗,身势咽干。

来源 《太平圣惠方》

方名 画眉膏

组成 栀子3克,雌黄、朱砂各1.5克,轻粉少许。

用法 以上药物共研极细。每取少许用香油或花生油调匀,待婴儿睡后，涂抹两眉，醒后即不吃奶。1次不效，2次必验。

功效 断乳。

来源 《医学入门》

方名 缩泉丸

组成 乌药、益智仁各等分

用法 上研为末，煮山药粉糊为丸，如梧桐子大。每服5克，米饮送下。

功效 补脾肾，缩小便。

主治 脾肾两虚，小便频数，或遗尿。

来源 《魏氏家藏方》

方名 桑螵蛸散

组成 桑螵蛸、龙骨各15克，远志5克，龟版10克，菖蒲、人参、当归各9克，茯神10克。

用法 上捣为粗末，每服10克，水煎服。

功效 交通心肾，固涩止尿。

主治 心肾不交之遗尿及小便频数。

来源 《本草衍义》

方名 鸡内金散

组成 鸡内金1具(炙令黄)，桑螵蛸1克(微炒)，黄芪15克，牡蛎15克(烧为粉)，炙甘草0.5克。

用法 以上药物捣为粗末。每服3克，以水1杯，煎至半杯，去滓温服，每天服2次。

功效 健脾益气，固涩止遗。

主治 小儿遗尿。

来源 《名医别录》

方名 白术散

组成 白术、土瓜根各 15 克,牡蛎粉 3 克。

用法 以上药物共研为粗末。每服 3 克,以水一小杯,加生姜 3 片、大枣 2 枚、煎至半杯,去滓温服,不拘时候,每天服 2 次。

功效 健脾缩泉。

主治 小儿遗尿。

来源 《普济方》

方名 牡蛎散

组成 牡蛎粉、龙骨各 6 克,麦门冬、黄芪、鸡肠草、白茯苓各 15 克,桑螵蛸 1 克(微炒),炙甘草 0.5 克。

用法 以上药物共捣为粗末。每服 3 克,以水 1 杯,加生姜 3 片、大枣 2 枚,煎至半杯,去滓,不拘时候服,每天服 2 次。

功效 收敛固涩。

主治 小儿遗尿,体瘦心烦,不欲食。

来源 《普济方》

方名 家韭子丸

组成 韭菜子(炒)180 克,鹿茸 120 克,肉苁蓉(酒浸)、熟地、当归各 60 克,杜仲、石斛、桂心、附子各 9 克,川牛膝 60 克。

用法 以上药物共研为极细末,用山药和为丸,每丸 3 克。每天早晚各服 1 丸,温水送下。

功效 温阳固关。

主治 小儿下元虚冷遗尿。

来源 《普济方》

方名 仙传至宝贝

组成 茯苓、山药、黄芪、桔梗、远志、砂仁各30克，甘草、益智仁、藿香各45克，滑石、山楂各250克，香附75克，三棱、莪术各60克，木香9克。

用法 以上药物共研为极细末，蜂蜜和为丸，朱砂为衣，每丸3克。一次服1丸，每日3次，随症调引。伤寒受惊发热，葱姜汤送下；赤白痢疾，米汤送下；久泻伤脾，莲肉汤送下；大便燥结，蜜汤送下；小便赤结，灯心竹叶汤送下；诸热，薄荷汤送下；烦渴，麦门冬汤送下；吐泻霍乱，苏叶汤送下；咳嗽痰喘，梨汤送下；积聚腹痛，淡姜汤送下；伤乳伤食，山楂汤送下；急惊风，薄荷汤送下；慢惊风，人参白术汤送下；疳疾瘦弱，大便不调，小便如泔，陈仓米汤送下；诸病后无精神，不思饮食，姜枣汤送下；诸般杂症，白开水送下。

主治 小儿吐泻惊痢，及一切百病。

来源 《清太医院配方》

方名 秘传混元丹

组成 人参、黄芪、朱砂、香附、甘草各30克，山药、砂仁、枳壳、梅花、莪术、草河车各9克，滑石、益智仁各18克，茯苓、茯神各12克，竺黄、木香各6克，甘松12克，远志4.5克，牛黄1.5克，麝香1克。

用法 以虎经物共研为极细末，蜂蜜和为丸，朱砂为衣，每丸3克。每天早晚各服1丸，随症调引。中风痰厥不省人事，姜汤送下；霍乱、紫苏木瓜汤送下；赤白痢疾，里急后重，陈仓米汤送下；大便出血，槐花汤送下；小便不通，灯心竹叶汤送下；夜出盗汗，浮小麦汤送下；发热，薄荷汤送下；痘疹不出，升麻汤送下；泄泻，白开水送下；中暑烦渴，灯心汤送下；喘急咳嗽，梨汤送下；积聚腹痛，姜汤送下；虫痛，君子肉汤送下；疝气偏坠，小茴香汤送下；夜喘不止，灯心汤送下；急惊搐搦，薄荷汤送下；慢惊，人参白术汤送下；诸病后无精神，少气力，不思饮食，姜枣汤送下；面目四肢浮肿，面黄，姜皮汤送下；痢疾，槐柳枝各五寸，姜三片，煎热露一宿，五更时温热送下；疳热身瘦，肚大手足细，大便或秘或泻，小便为泔，陈仓米汤送下；诸虚百损，白开水送下。

主治 小儿百病。

来源 《清太医院配方》

方名 万病回春丹

组成 胆星、全蝎、牙皂、陈皮、天麻、天竺黄、薄荷、防风、麻黄、茯苓、羌活各 40 克，甘草 15 克，蜈蚣 5 条，麝香、冰片各 3 克，朱砂 6 克，药珠、牛黄、琥珀各 1.5 克。

用法 以上药物共研为极细末，蜂蜜和为丸，朱砂为衣，每丸 3 克。每次服 1 丸，每天 2 次，不拘时候，随症调引。急慢惊风，瘢疹烦躁，大便不通，小便尿血，用钩藤薄荷汤送下；伤风咳嗽，甘草桔梗汤送下；呕吐，寒吐恶食，吐少出物多，生姜汤送下，热吐能食，吐多出物少，石膏汤送下；腹痛，白开水送下；新久疟疾，寒热往来，临夜发热，用河井水各半，煎柴胡黄芩汤送下；赤痢，山楂地榆汤送下；白痢，陈皮山楂汤送下；水泻，茯苓山楂汤送下。

主治 小儿万病一切异症。

方名 牛黄抱龙丸

组成 牛黄6克，茯苓、钩藤、检实、僵蚕、胆星、竺黄、防风各60克，琥珀30克，药珠3克，天麻、半夏各120克。

用法 以上药物共研为极细末，蜂蜜和为丸，每丸3克。一次服1丸，每天2次，随症调引。急慢惊风，牙关紧急，不省人事，鼻流清涕，夜卧不安，如见鬼神，身热口渴，小便赤短，大便不调，腮颊红肿，俱用钩藤、薄荷煎汤化服；外感风邪，瘟疫传染，发热咳嗽，呕吐恶心，日晡潮热，寒热往来，痘疹不出，呵欠烦闷等症，用羌活、山川柳、生姜煎汤化服；初生小儿或兼受胎毒，遍身常生疮疖，用灯心、竹叶煎汤化服。乳母忌厚味饮食、一切动火之物。

功效 清热解毒，镇惊化痰，定志安神，调胃和中。

主治 小儿百病。

来源 《清太医院配方》

方名 至圣保元丹

组成 胆星、茯苓、麻黄、僵蚕各60克，防风、青蒙石、薄荷、全蝎、羌活、天麻、天竺黄、甘草各30克，蜈蚣5条；冰片3克，麝香2克，牛黄1克。

用法 共研细末，炼蜜为丸，如绿豆大，蜡壳封护，随证调引。发热无汗，紫苏叶汤送下1丸（此为半岁量，儿大者可酌情增加，下同）；口噤不开，先用通关散（皂角、细辛各等分，研末）吹鼻，后用皂角汤送下；痰盛咳嗽，生姜汤送下；大便秘结不通，加元明粉3克，蜜煎汤送下；泄泻不止，人参汤送下；小便短少，加六一散3克，灯芯汤送下；伤食暖气，麦芽砂仁汤送下；抽风，灯芯汤送下；呕吐，木香生姜汤送下；痰盛昏迷，势在危急，灯芯竹沥生姜汤送下。

主治 小儿惊风、昏迷等症，危在旦夕者。

来源 《清太医院配方》

方名　金衣至宝锭

组成　莪术、白术、甘草各6克，陈皮、青皮各18克，黄芪、三棱、桔梗、益智仁、藿香各9克，远志60克，茯苓50克，甘松27克，山药、胆星各30克，木香15克，山楂12克，麝香1克。

用法　共研细末，炼蜜为丸，半金为衣。每丸3克，每次1丸，随证调引。伤乳伤食，神曲麦芽汤送下；呕吐泄泻，淡姜汤送下；急惊风，薄荷钩藤汤送下；红白痢疾，米汤送下；慢惊风，人参白术汤送下；中暑中湿，霍乱吐泻，藿香紫苏叶汤送下；脾胃虚弱，人参白术汤送下；积聚痞块，山楂麦芽汤送下；大便燥结，蜜汤送下；小便短赤，灯芯竹叶汤送下；咳嗽发热，薄荷汤送下；病后精神不振，不思饮食，姜枣汤送下。其余杂症，白开水送下。

主治　诸般杂证，并皆治之。

来源　《清太医院配方》

方名　普济回春丹

组成　黄连、干葛、连翘、木通、赤芍、人中黄、黄芩、荆芥穗、大青叶、羌活、防风各30克，牛蒡、元参、共粉、桔梗各90克，紫胡60克，薄荷50克，犀角15克、羚羊角10克，升麻24克。

用法　共为细末，炼蜜和丸，朱砂为衣。每丸大小如绿豆，每服1丸，随症调引。痘疹不出，山川柳送下；伤寒无汗，麻黄汤化下；伤风，防风汤送下；瘟疫，酸梅汤化下；伤食，山楂汤化下；惊风发热，薄荷汤化下；咽喉肿痛，山豆根汤化下；烦躁，淡竹叶汤化下；诸般肿毒，金银花汤化下，大便燥结，蜜汤化下；失血，生地黄汤化下；谵语，犀角磨水化下。

主治　毒邪侵犯所致的各种病症。

第四节 男 科

方名 肉苁蓉散（1）

组成 肉苁蓉、钟乳粉各60克，菟丝子、远志、续断、鹿茸、石龙黄各30克，天雄15克。

用法 上药捣为细散。每服6克，温开水送下，食前服。

功效 温肾壮阳。

主治 肾阳虚损，精气衰弱，阳道痿弱。

来源 《太平圣惠方》

方名 肉苁蓉散（2）

组成 肉苁蓉、枸杞子、熟地各30克，菟丝子60克，远志、天雄各15克，石斛6克，续断10克，原蚕蛾5克。

用法 上药捣为细末。每服6克，温水送下，每日3次。

功效 益肾填精。

主治 肾气不足，阳痿不举。

来源 《太平圣惠方》

方名 蛇床子散

组成 蛇床子、五味子、防风、远志各15克，肉苁蓉30克，巴戟天2克，杜仲24克，菟丝子、熟地各30克。

用法 上药捣细为散。每服6克，用温酒送下。

功效 补虚兴阳。

主治 虚劳阳痿，四肢乏力。

来源 《太平圣惠方·治虚劳阴痿诸方》

方名 补骨脂丸

组成 补骨脂150克，胡桃仁（研如泥）60克，蜜120克。

用法 先将蜜与胡桃仁相合，熬成糊状，再加入补骨脂末，为丸如绿豆大。每服6克，温开水送下，早晚各1次。

功效 温肾壮阳。

主治 肾虚阳痿。

来源 《圣济总录》

方名 神效丸

组成 原蚕蛾（去头足，焙干）30克。

用法 研细，炼蜜和丸，如绿豆大。每服5～6丸，睡前温水送服。

功效 温肾壮阳。

主治 阳痿。

来源 《御药院方》

方名 小菟丝子丸

组成 石菖蒲60克，菟丝子150克，山药80克，白茯苓30克。

用法 将上药研为末，用山药糊为丸，如绿豆大。每服20粒，空腹用淡盐汤送下。

功效 健脾益气助阳。

主治 阳痿不举，小便滑数，饮食乏味，举动乏力。

来源 《普济方》

方名 五子丸

组成 菟丝子（酒蒸，晒干）、炒韭子、益智仁、炒茴香子、炒蛇床子各等分。

用法 上药研为细末，酒糊丸如梧桐子大。每服50～70丸，糯米饮或淡盐汤送下。

功效 温肾壮阳。

主治 阳痿遗精。

来源 《世医得效方》

方名 天雄丸

组成 蛤蚧1对，朱砂1克，沉香、丁香、木香、牡蛎粉、菟丝子、龙骨、枸杞、阳起石各10克，钟乳粉2克，天雄1克，桂枝6克，肉苁蓉12克，乳香6克。

用法 以上药物共研为细末，蜜和为丸，每丸6克，每次1丸，用酒煎木通汤送旿。

功效 温肾补阳，补益元气。

主治 房后腰痛、小腹拘急，阳痿。

方名 犊髓全阳膏

组成 小牛犊1只，黄芪500克，官桂、高良姜、陈皮、甘草、川椒各120克，食盐30克，黄酒1000毫升。

用法 上药同入锅内，加水，以小火煮之，待肉烂如泥，将骨捣碎再煎，去滓后，将药汁浓缩，瓷器贮存，任意服之。

功效 补脾益肾。

主治 脾肾气虚之阳痿，伴短气、头晕、乏力、食欲不振等症。

来源 《奇效良方》

方名 枸杞子酒

组成 枸杞子（洗净，切）250克，白酒1斤。

用法 将枸杞子放入酒中，蜜封七天即可饮用。饮时可据酒量大小，于晚睡前服20毫升左右。

功效 初肾壮阳。

主治 阳痿。

来源 《太平圣惠方》

方名 仙茅酒

组成 仙茅、淫羊藿、五加皮各120克，龙眼肉100枚（去核）。

用法 上药用好酒10斤，浸泡5～7日，睡前饮用，量不宜过大。

功效 补肾壮阳，养血安神。

主治 男子虚弱，阳事不振。

来源 《本草正义》

方名 万灵至宝仙酒

组成 淫羊藿200克，列当、仙茅各100克，黄柏、知母各50克，当归160克，雄黄10克。

用法 将上药捣碎后，装入容器中，加酒10斤，密封。7天后，去除药渣，并将药渣晒干，细研，用糯米粉糊丸如绿豆大。每服6克，以酒送服，每天1次。

功效 温肾壮阳。

主治 阳痿不起。

来源 《古今图书集成·医部全录》

方名 苁蓉酒

组成 肉苁蓉25克，仙茅、巴戟天、桂枝各10克，泽泻8克，山药、何首乌、仙灵脾各20克，枸杞子15克。

用法 用白酒1000毫升浸泡，7天后去滓饮用，每次50毫升，睡前服。

功效 温肾壮阳，滋补肝肾。

主治 阳痿不育，腰膝酸软。

方名 封脐壮阳膏

组成 大附子30克，蟾酥12克，麝香15克，升硫黄6克。

用法 上为末待用。用淫羊藿60克，加白酒2碗煎好，去藿不用，以药汁和上药为丸，共计24丸，装入瓷罐，密封。用时取1丸放脐中，以膏药封之。

功效 温补肾阳。

主治 阳痿。

来源 《良朋汇集》

方名 固真膏

组成 甘遂、甘草、干姜、辰砂、龙骨、附子、白矾、海螵蛸、蛇床子、乳香、木鳖子各等分。

用法 上研为细末，以蜜调和，捏成饼状，如铜钱大。睡前用纸贴脐中，布带固定。

功效 壮阳。

主治 阳痿。

方名 三建膏

组成 天雄、附子、川乌各 6 克，桂心、官桂、桂枝、细辛、干姜、川椒各 30 克。

用法 先用香油浸泡，春季 5 天，夏季 3 天，秋季 7 天，冬季 10 天。然后熬枯去滓再熬，加黄丹熬至滴水不散为度。膏成贴脐或丹田（脐下 3 寸）。

功效 温肾壮阳。

主治 肾虚阳衰，阳痿遗精等症。

来源 《张氏医通》

方名 干荷散

组成 牡蛎、蛇床子、干荷叶、浮萍各 30 克。

用法 上药为粗末。用时取药 15 克，用水 2 碗，煎 3～5 沸，去滓，乘热熏洗阴部。

功效 祛风燥湿。

主治 阴囊潮湿，瘙痒，及阳痿不举。

来源 《御药院方》

方名 淋浴九仙散

组成 附子、蛇床子、石菖蒲、紫稍花、远志、蚕蛾各 30 克，浮萍 60 克，丁香 15 克，冰片（研细）15 克。

用法 上共捣为粗末，和匀。每次取药 30 克，加葱白一根，用 2 碗水煎至 1 碗，乘热淋洗阴部，每天晚上一次。

功效 温肾壮阳。

主治 阳痿不举。

来源 《御药院方》

方名 九天灵应散

组成 黑附子、蛇床子、紫稍花、远志、菖蒲、海螵蛸、木鳖子、丁香各6克，樟脑4克。

用法 上为细末。每次用药15克，用水3碗，煎取1碗半，乘热熏洗阴部，每天2次；多洗更好。

功效 温阳燥湿。

主治 阳痿伴阴囊潮湿者。

来源 《万病回春》

方名 蛇床子散

组成 蛇床子、细辛、藁木、吴茱萸、胡椒、枯矾、紫稍花各15克。

用法 上为细末，每次用药15克，以3碗水煎至2碗，睡前乘热淋洗阴部。

功效 温肾壮阳，祛湿止痒。

主治 阳痿伴阴部潮湿者。

来源 《御药院方》

方名 桂香膏

组成 桂枝、牡蛎、蛇床子各15克，细辛、零陵香各5克，胡椒49粒，麝香（研细）1克。

用法 上共研为极细末。房事前，取药末2克，用唾液调和，涂阴茎。

功效 迅速壮阳。

主治 阴茎痿软，临房不举。

方名 羊肉粥

组成 羊肉 100 克，粳米 150 克。

用法 将羊肉洗净，切为丁状。再把粳米淘净，入锅加水，煮至半熟时，加入羊肉丁，搅匀，至米熟肉烂即可食用。

功效 温补肾阳。

主治 体弱或病后阳痿。

来源 《饮膳正要》

方名 枸杞叶粥

组成 枸杞叶 250 克，粳米 150 克，五味子、葱白、豆豉汁适量。

用法 将枸杞叶洗净、切碎，与粳米、豆豉汁合煮为粥，调入葱、五味子粉后食用。

功效 滋补肾阴。

主治 中年体虚，阳事不健。

来源 《太平圣惠方》

方名 药烧饼

组成 羊肉 500 克，肉苁蓉 120 克，附子 30 克，干姜、诃子、芫荑各 15 克，胡椒、荜拨、面粉各适量。

用法 先将羊肉洗净，去血水，切碎。然后将上药共研细末，加肉末和匀，为馅。用面粉加水调成团，切成小块，制成饼皮，加馅，做成饼，烤至两面金黄色即成，随意服食。

功效 温肾壮阳。

主治 命门火衰之阳痿不举。

来源 《太平圣惠方》

方名 木耳汤

组成 白木耳30克，鹿角胶7.5克，冰糖15克。

用法 将白木耳用温水发泡，除去杂质，洗净，放入砂锅内，加水适量，用慢火煎熬，待木耳熟透时，加入鹿角胶和冰糖，使其融化，熬透即成。

功效 补肾填精。

主治 肾精虚衰之阳痿。

来源 《饮膳正要》

方名 白羊肾羹

组成 白羊肾2具，肉苁蓉50克，羊脂肪200克，胡椒10克，陈皮5克，荜拨10克，草果10克。

用法 将羊肾、羊脂切成片，再把肉苁蓉切片，然后加调料与适量水煮汤，并加入适量淀粉作羹，去滓食之。

功效 温补肾阳。

主治 肾虚阳痿。

来源 《饮膳正要》

方名 倒阳汤

组成 玄参、麦冬各90克，肉桂0.9克。

用法 水煎服。每日1剂。

功效 滋阴潜阳。

主治 虚火上炎，阳强不倒。症见阴茎坚挺，睾丸胀疼，头晕目眩，腰膝酸软，心烦少寐。

方名 治主茎硬不痿方

组成 韭子 30 克，破故纸 30 克。

用法 上研为末，每服 9 克，以水一大碗，煎至半碗，去滓温服。

功效 补肾益精，引火归元。

主治 阴茎硬而不萎，时有精液溢出。

来源 《普济方》

方名 强中丸

组成 齐眉大豆（去皮）、茯神、磁石、玄参、石斛、花粉、地骨皮、鹿茸各 30 克，人参、沉香各 10 克，熟地 24 克，猪肾 1 具（煮熟）。

用法 炼蜜为丸，如绿豆大。每服 9 克，空腹盐汤送下，日 2 次。

功效 缩阳涩精。

主治 强中，阴茎勃起不衰，不交精溢。

来源 《嵩厓尊生书》

方名 三乙承气汤

组成 大黄、芒硝、厚朴、枳实各 3 克，甘草 6 克。

用法 上加生姜 3 片，水煎顿服。

功效 缩阳。

主治 阴茎挺长不败。

来源 《嵩厓尊生书》

方名 无名方

组成 生地、龙齿、牡蛎、茯神、料豆、北沙参、女贞子、天冬、石斛、淮山药、丹皮、龟版各等分。

用法 水煎服。

功效 养心壮水，收摄冲阳。

主治 肾水久亏，肝肾相火妄动，冲阳内起，向上冲逆，症见心悸，失眠，耳鸣，阳事勃兴。

方名 龙胆泻肝汤

组成 当归、龙胆草 10 克，黄芩、栀子各 6 克，泽泻 15 克，木通、车前子各 12 克，柴胡 15 克，生地 9 克，甘草 3 克。

用法 水煎服。

功效 泻肝胆湿热。

主治 肝胆湿热下注所致之阳强、遗精等症。

来源 《医宗金鉴》

方名 阳缩神方

组成 人参、干姜各 15 克，白术 90 克，附子 30 克，肉桂 18 克。

用法 水煎温服。

功效 健脾益气，温肾壮阳。

主治 阳缩。

方名 回阳返本汤

组成 人参、白术、炒干姜、陈皮、制半夏、制附子、甘草各3克，丁香、茯苓、白豆蔻各2.4克，炒神曲2克，沉香1.5克。

用法 上共为粗末，加生姜3片、大枣2枚、盐水少许，水煎服，每日1剂。

功效 温阳祛寒。

主治 阳缩

来源 《古今医鉴》

方名 滋肾丸

组成 黄柏、知母、肉桂各等分。

用法 蜜丸，如梧桐子大。每服6克，温水服下。

功效 滋阴助阳。

主治 阳缩入腹。

方名 橘核丸

组成 橘核、川楝子、桃仁、枳实、木香各9克，昆布、木通各10克，海藻、厚朴、延胡索各12克，桂心5克。

用法 为末，酒糊为丸，如梧桐子大。温酒或淡盐汤送下，每服10克。

功效 温中散寒，理气缓急。

主治 阴茎内缩，脐腹疼痛，伴畏寒肢冷口唇青紫。

来源 《严氏济生方》

方名 养真丹

组成 补骨脂、益智仁、蚕蛾、没药(研细)、丁香、青盐、肉苁蓉、穿山甲各15克，茴香、白术、乳香（研细）、青皮各10克，沉香、香附、姜黄、山药、木香、炙甘草、巴戟天各30克，川楝子3克，牛膝、檀香各20克，苍术60克，蛤蚧1对，砂仁15克。

用法 上捣为细末，以酒和面为丸，如绿豆大。每服9克，温水送下，一天2次空腹时服。

功效 壮阳。

主治 阴茎短小，痿弱不举。

来源 《御药院方》

方名 令阴长大方

组成 柏子仁15克，白蔹12克，白术21克，桂心9克，附子6克。

用法 上五味为散。每服3克，每日2次，食后服。

功效 益气壮阳。

主治 阴茎短小。

来源 《玉房指要》

方名 秃鸡散

组成 肉苁蓉、五味子、菟丝子、远志各9克，蛇床子12克。

用法 上五味捣为散。每服3克，空腹服，日3次。

功效 壮阳起痿。

主治 阴茎短小。

方名 长阴外用方

组成 肉苁蓉9克，海藻6克。

用法 上研为细末，用唾液调涂阴茎，每天2～3次，清晨用水洗净后再用。

功效 补肾壮阳。

主治 阴茎短小。

方名 七圣丸

组成 原蚕蛾、牛膝、龙骨、白石脂、桑螵蛸各15克，肉苁蓉、山芋各3克。

用法 上捣为细末，酒煮面糊为丸，如梧桐子大。每服20丸，食前用温开水送下。

功效 补肾固精。

主治 下元虚冷，精滑不禁。

来源 《圣济总录》

方名 玉锁丹

组成 龙骨、莲花蕊、芡实、乌梅肉各等分。

用法 上研为细末，以山药蒸熟和丸如绿豆大。每服20克，每日2次，温开水送下。

功效 固涩止遗，养气壮阳。

主治 精气不足，遗精滑泄，不能禁止。

来源 《御药院方》

方名 知柏地黄丸

组成 熟地240克，山萸肉、山药各120克，泽泻、茯苓、丹皮各90克，知母、黄柏各60克。

用法 为末，炼蜜和丸，如梧桐子大。每服3丸，空腹服。

功效 滋肾阴，泻相火。

主治 肾阴不足，相火妄动，扰动精室之遗精，伴有耳聋耳鸣，腰酸腿软等症。

来源 《医宗金鉴》

方名 木香丸

组成 木香 15 克，附子（炮）、巴戟天、茴香（炒）、莲子各 30 克，蛇床子 10 克。

用法 上药共研细末，糯米饮为丸，如梧桐子大。每服 10 丸，盐水送服，每天 2 次。

功效 补肾壮阳。

主治 肾虚阳痿，遗精早泄。

来源 《圣济总录》

方名 逍遥散

组成 柴胡、当归、白芍、白术、茯苓各 30 克，炙甘草 15 克。

用法 上为粗末。每服 6 克，加生姜 1 块，薄荷少许，同煎取汁，稍热服。

功效 疏肝解郁，健脾摄精。

主治 肝郁不达，疏泄失职，欲念不遂之 2 精，伴心情抑郁、胸胁满闷等症。

来源 《太平惠民和剂局方》

方名 金锁丸

组成 龙骨 30 克，官桂、山茱萸、附子、肉苁蓉、莲花蕊、沉香各 60 克，芡实 90 克。

用法 上共研细末，以金樱子煎膏和丸（如无，即炼蜜和丸），如梧桐子大。每服20丸，温酒送下。

功效 温补肾阳，固涩精气。

主治 肾阳虚亏之遗精、滑泄。

来源 《奇效良方》

方名 御制益肾固精丸

组成 熟地200克、山萸肉、山药、牡丹皮、阿胶、茯苓各100克，龙骨50克，莲须30克，芡实60克。

用法 用牡蛎炒阿胶，成珠后，磨成粉，再将以上各药共研细末，炼蜜和丸，如绿豆大。每天早晚各服10克，温水送下。

功效 滋阴补肾，固精止遗。

主治 遗精。

方名 治遗精验方

组成 东洋参、生黄芪、远志、茯苓、杜仲各100克，茯神60克，山药200克，芡实60克，木香6克，辰砂6克，麝香1克。

用法 共研为细末，炼蜜和丸，每丸重6克。每日早晚各服1丸，温开水送下。

功效 养心益气，宁神固精。

主治 遗精。

方名 一味秘精汤

组成 分心木(即胡桃果内层之木质隔膜，又称胡桃衣)15克。

用法 洗净，用水一茶杯，煎至大半杯，临睡前服。

功效 益肾固精。

主治 遗精。

方名 滋阴益肾暖精丸

组成 生地30克，牛膝、白芍、狗脊、韭菜子、山萸肉、骨碎补各12克，当归、山药、杜仲、白茯苓各18克，沙苑蒺藜20克，益智仁10克，石莲蕊、绿豆皮各15克，砂仁3克。

用法 共研极细末，用枣泥和丸，如绿豆粒大小。每天早晚各服1次，每次6克，淡盐汤送服。

功效 滋肾益气，养血健脾。

主治 遗精。

方名 鸡肠饼

组成 公鸡肠1具，面粉250克。

用法 将鸡肠洗净，焙干，研为细粉，与面粉混匀，用水调成面团，加油盐适量为佐，常法烙成薄饼。1次或2次服食，连服10天。

功效 涩精止遗。

主治 遗精。

来源 《神农本草经》

方名 补阳涩精膏

组成 菟丝子、白茯苓、韭菜子、龙骨各等分。

用法 香油熬，黄丹收。贴肾俞穴。

功效 补肾固精。

主治 阳虚精滑不禁。

方名 梦遗膏药

组成 川楝子9克,牡蛎6克,龙骨3克。

用法 上药为细末,撒在膏药上,贴脐下1寸处。

功效 涩精止遗。

主治 遗精。

方名 神龙丹

组成 文蛤(炒)6克,白龙骨(煅)9克,白茯神(去皮)15克。

用法 上为细末,醋糊为丸,梧子大,每服30丸,空腹温水下。

功效 安神固肾涩精。

主治 遗精。

来源 《鲁府禁方》

方名 石莲散

组成 莲蕊6克,石莲肉、芡实、人参、麦门冬、茯神、远志各9克,甘草3克。

用法 水煎服。

功效 固肾涩精。

主治 遗精。

来源 《鲁府禁方》

方名 人参养荣汤

组成 当归、远志、人参、白术、白芍10克,熟地15克,茯苓、五味子、陈皮各9克,黄芪12克,肉桂3克,生姜3片,大枣2枚,炙甘草6克。

用法 水煎服。

功效 益气养气。调心健脾。

主治 气血虚弱之早泄，伴心悸气短，头晕乏力，食少。

来源 《太平惠民和剂局方》

方名 草还丹

组成 山茱萸500克，破故纸250克，当归125克，麝香3克。

用法 上为末，炼蜜为丸，如梧桐子磊。每服80丸，1日1次，淡盐汤送下。

功效 益气壮阳，御神固精。

主治 肾阳不足之早泄。

来源 《本草纲目》

方名 煨肾附子散

组成 猪肾1只，附子3克。

用法 将猪肾打开，放入附子末，湿纸包裹数层，置火中烧熟，趁热食之。

功效 温补肾阳，益气摄精。

主治 阳虚早泄，不交精出，随即茎软不起。

来源 《圣济总录》

方名 五味子丸

组成 五味子、巴戟天、肉苁蓉、人参、菟丝子、熟地黄、覆盆子、白术、益智仁、茴香、骨碎补、白龙骨、牡蛎各等分。

用法 上研细末，炼蜜为丸，如梧桐子大。每服30丸，每天3次，米饮送下。

功效 补肝益肾，敛精止遗。

主治 肝肾俱亏之早泄、滑精。

来源 《普济方》

方名 洗方

组成 蛇床子、细辛、石榴皮各10克，菊花5克。

用法 水煎，性交前泡洗阴部。

功效 温阳燥湿，敛精止泄。

主治 早泄。

方名 益阳丹

组成 木香9克，丁香、木通各6克，远志、龙骨各30克，五莲肉、麦门冬、白茯苓各15克，半夏、茴香各10克。

用法 上捣为细末，酒煮山药泥糊为丸，如梧桐子大。每服30丸，每日1～2次，温酒或盐汤送下。

功效 交通心肾，安神止遗。

主治 心肾不交之早泄、阳痿等症。

来源 《普济方》

方名 金樱子膏

组成 金樱子100克，蜂蜜200克。

用法 将金樱子洗净，加水煮熬，2小时后，再加水煮，如此4次，去滓取汁，再加蜂蜜，浓缩成膏。每服10～15克，白开水调食。

功效 补肾益精。

主治 肾亏滑精，早泄及白浊等症。

来源 《本草纲目》

方名 皂羹面

组成 白面条100克,羊肾2个,胡椒、盐、醋等佐料适量。

用法 羊肾煮熟切块,将面煮好后加入羊肾,放入佐料,即可食之。

功效 补中益肾。

主治 肾气虚寒之遗精早泄,腰酸乏力。

来源 《饮膳正要》

方名 枸杞酒

组成 枸杞子60克,白酒500克。

用法 将枸杞子洗净,放入白酒中浸泡,密封7天。根据酒量,睡前服1次。

功效 补虚益精,祛寒壮阳。

主治 阴阳两虚之早泄,乏力,小便频数等症。

来源 《本草经疏》

方名 黄芪散

组成 黄芪30克,桂心10克。

用法 上捣细为散。每服3克,温酒送服,1日3次。

功效 补中益气,温阳摄血。

主治 脾虚不摄之血精,症见精中带血,颜色淡红,食少纳呆,乏力等。

来源 《普济方》

方名 精中有血方。

组成 蚕蛾2枚(阴干),黑参少许。

用法 共为细末，用米汁调服，1次服尽。

功效 温阳止血。

主治 血精。

来源 《普济方》

方名 山药粥

组成 羊肉、山药各500克，白米250克。

用法 羊肉煮烂研泥，山药研泥，肉汤内下米，共煮为粥，任意食之。

功效 益气补血。

主治 气血虚弱所致之血精。

来源 《饮膳正要》

方名 桃红四物汤

组成 桃仁10克，红花、川芎各9克，当归、芍药各12克，生地15克。

用法 水煎服。

功效 活血祛淤，补血调血。

主治 阴部外伤，淤血随精而下，症见随精而下，症见精色暗红，或挟血丝、血块，伴阴部刺痛。

来源 《圣济总录》

方名 庆云散

组成 菟丝子150克，天门冬270克，桑寄生、天雄(炮裂，去皮脐)各30克，石斛、白术(炒)各90克，紫石英60克，覆盆子300克，五味子210克。

用法　上九味，捣细为散。每日3次，每服9克，温酒调服

功效　温肾助阳。

主治　男子阳气不足，精液不化，交而不泄，伴性欲淡漠，腰膝酸软，畏寒肢凉。

来源　《圣济总录》

方名　仙灵脾酒

组成　仙灵脾60克，白酒1斤。

用法　将仙灵脾装入布袋，浸于酒中，密封3日，即可饮用。饮用时据酒量大小，服30～50毫升，晚睡前饮用。

功效　益肝肾，助元阳。

主治　命门火衰，精不外泄。

方名　开郁种玉汤

组成　炒白芍30克，当归、炒白术各15克，茯苓、丹皮、香附各10克，天花粉6克。

用法　水煎汤。

功效　疏胀健脾，解郁通关。

主治　肝郁不舒，精关闭塞，交而不射，伴见情志抑郁，胸闷，食少，或阳强。

方名　毓麟固本膏

组成　杜仲、熟地、附子、苁蓉、牛膝、故纸、续断、官桂、甘草各120克，生地、大茴香、小茴香、菟丝子、蛇床子、天麻子、紫稍花、鹿角各45克，羊肾1对，赤石脂、龙骨各30克。

用法　用香油8斤，熬枯去滓，入黄丹3斤收膏；再加雄黄、丁

香、沉香、木香、乳香、没药各30克，麝香1克，阳起石1.5克，搅匀膏成。用时贴左右肾俞穴各一张，丹田穴一张，用布带固定，半月换药一次。

功效 固精种子。

主治 肾虚阳痿，久无子嗣。

来源 《清太医院配方》

方名 固本健阳丹

组成 菟丝子（酒蒸）45克，白茯苓、山药、牛膝、杜仲（去皮，炙）、当归、肉苁蓉、五味子、益智仁、嫩鹿茸各30克，熟地、山茱萸各90克，巴戟天60克，续断、远志、蛇床子各45克。

用法 上为细末，炼蜜为丸，如梧桐子大。每服50丸，空腹盐汤送下。

功效 补肾益精。

主治 房劳过甚，以致肾水不足，射精无力，久而无子。

来源 《万病回春》

方名 楮实丸

组成 楮实（捣）30克，牛膝、桂心各15克，附子、石斛、干姜、巴戟天各12克。

用法 上捣为末，炼蜜和捣千余下，丸如梧桐子大。每服20克，温酒送下。

功效 补暖下元。

主治 下元虚惫，精冷不孕。

来源 《太平圣惠方》

方名 神仙种子奇方

组成 巴戟肉、菟丝子各60克，鹿茸30克，吴茱萸、白及、白茯苓各24克，附子9克，牛膝、细辛各15克，菖蒲、厚朴、桂心、人参、白蔹、没药、当归各12克，乳香6克。

用法 上为细末，蜜丸如梧桐子大。每服10克，空腹服，淡盐汤送下，一日2次。

功效 温肾壮阳，活血种子。

主治 男子不育。

来源 《鲁府禁方》

方名 忘忧散

组成 白术15克，茯神、当归、麦冬、丹皮各9克，白芍30克，远志、巴戟、白芥子各6克，柴胡、陈皮、神曲各3克，郁金5克。

用法 上捣碎，水煎服。

功效 疏肝健脾，宁心安神。

主治 肝郁不舒，心神不宁，久而无子，伴有情志抑郁，入房忧恐，阳痿早泄等。

方名 古方长春益寿广嗣丹

组成 天冬(去心)、麦冬(去心)、大熟地、山药(炒)、牛膝、大生地、杜仲、山萸肉、云苓、柏子仁(去油)、巴戟、木香各15克，川椒、泽泻、石菖蒲、远志各9克，菟丝子、肉苁蓉各30克，枸杞子、覆盆子、地骨皮各12克。

用法 共为细末，炼蜜为丸，如绿豆大小。每服9克，淡盐水送服。

功效 补肾种子。

主治 男子不育。

方名 十全大补汤

组成 人参、炙甘草各6克，肉桂5克，川芎9克，熟地黄15克，茯苓、白术、当归各12克，黄芪20克，白芍10克。

用法 上捣为粗末，每服15克，加生姜三片，大枣两枚，水煎服。

功效 补益气血，兼调心脾。

主治 气虚血少，久不生育，症见面色无华，心悸气短，精神不振，性欲减退，或遗精、早泄。

来源 《太平惠民和剂局方》

方名 五味子丸

组成 五味子、白茯苓、巴戟各50克，车前子20克，肉苁蓉45克，菟丝子60克。

用法 上捣为末，炼蜜和丸，如绿豆大。每服30丸，温酒送下，食前服。

功效 温肾助阳。

主治 身体虚弱，气血俱亏，精少不育，伴见膝腰软弱，神疲乏力，阳痿遗精等。

方名 仙传种子药酒方

组成 白茯苓30克，大红枣（去皮、核）20克，胡桃肉（去皮）15克，白蜜179克，黄芪、人参、白术、川芎、白芍、生地、熟地、小茴、枸杞子、覆盆子、陈皮、沉香、木香、官桂、砂仁、甘草各3克，乳香、没药、五味子各1克。

用法 先将蜂蜜入锅内熬滚，入前3味搅匀，再用慢火熬滚，倾入瓷罐内，加入白酒 3 斤、糯米酒 1 斤；然后将其余药味研细，也加入瓷罐中，密封，再将瓷罐放入锅内，加水煮开，取出，埋入土中，3 天后即可饮用。每日早、午、晚各 1 次，视量而饮，勿令大醉。

功效 健脾益气，培元固本。

主治 男子不育。

来源 《鲁府禁方》

方名 鱼鳔丸

组成 鱼鳔、蒺藜各 240 克，枸杞、故纸、山药、牛膝、肉苁蓉、川断、菟丝子各 60 克，当归、杜仲各 120 克。

用法 共研细末，炼蜜和丸，如绿豆大。每服 3～6 克，白开水送下。

功效 补五脏，和六脏，益精髓。

主治 身体虚弱，不生子嗣。

来源 《清太医院配方·补益门》

方名 羊脊粥

组成 羊脊骨一具，肉苁蓉 30 克，菟丝子 5 克，大米适量。

用法 羊脊骨洗净，切碎；肉苁蓉、菟丝子布包，并入锅中，加水适量，共煮 4 小时左右，以汤煮米，粥成后加葱、姜、五味调料即可食用。

功效 补虚损，益精气。

主治 肾虚体弱，阳物痿弱，见阴不起，久无子嗣。

来源 《圣惠方》

方名 枸杞子散

组成 枸杞子、麦门冬各30克，五味子、覆盆子、白芍药各5克，龙骨15克。

用法 上药捣细，每服6克，米饮调下。

功效 益肾固精。

主治 虚劳，小便时有白色分泌分溢出，伴心烦、口干。

来源 《太平圣惠方·治虚劳尿精诸方》

方名 金锁子丸

组成 补骨脂(微妙)、韭子各60克，牛膝、巴戟、肉苁蓉、龙骨、菟丝子、山茱萸、桑螵蛸各30克。

用法 上捣为末，炼蜜和丸，如梧桐子大。每服30丸，温酒送下，食前服。

功效 益肾填精，收摄精关。

主治 虚劳，小便精出，伴腰膝酸软，乏力。

来源 《太平圣惠方·治虚劳尿精诸方》

方名 鸡内金散

组成 鸡内金、熟地黄、牡蛎、龙骨、鹿茸各30克，黄芪9克，赤石脂15在，桑螵蛸10克，肉苁蓉24克。

用法 上药捣细，用雄鸡肠三具，将药装入其中，两头以线扎紧，蒸大约一顿饭的时间，取出焙干，捣为细散。每服6克，温水送下。

功效 温肾去浊。

主治 膀胱虚冷，小便滑数而浊，白如米泔。

来源 《太平圣惠方·治膀胱虚冷小便滑数白浊诸方》

方名 半夏丸

组成 半夏60克(用猪苓120克炒,至猪苓变紫,去猪苓,只用半夏)。

用法 将炒过半夏捣细,面糊为丸,如梧桐子大。每服10丸,粥饮送下,每日2次。

功效 健脾渗湿,止遗泄。

主治 年盛气壮,梦遗白浊。

来源 《圣济总录》

方名 清心功子饮

组成 黄芩、麦门冬、地骨皮、车前子、炙甘草各15克,石莲肉、茯苓、黄芪、人参各21克。

用法 上为粗末。每服9克,加麦门冬10粒,水煎,食前冷服。

功效 清心泻火,益气固涩。

主治 心中蓄热,小便白浊,遗精涩沥,伴有发热口干、阴茎作痒等。

来源 《太平惠民和剂局方》

方名 二参丸

组成 人参、菟丝子各5克,肉桂、煅牡蛎、炮姜、山茱萸、黄柏、细辛、炮附子、苦参各1克,麦门冬、泽泻各30克,干地黄60克。

用法 先将菟丝子浸一夜,另捣碎。然后与上药共捣为极细末,炼蜜为丸,如梧桐子大。每服30丸,一日2次,温酒送下。

功效 补养气血。

主治 虚劳，小便余沥尿精，尿后有精丝流出，或尿后尿道口有糊状浊物。

来源 《圣济总录》

方名 威喜丸

组成 黄蜡、茯苓各120克。

用法 先将茯苓用猪苓3克同煮20余沸，取出晒干去猪苓。然后将茯苓研末，熔黄蜡为丸，每丸重9克。每服1丸，空腹用温水送下。

功效 温补肾阳。

主治 元阳亏虚，精气不固，尿如米泔，下部常湿。

来源 《太平惠民和剂局方》

方名 茯菟丹

组成 菟丝子30克，五味子15克，石莲肉10克，茯苓10克，山药18克。

用法 原做丸剂，后世多水煎服。

功效 补肾益精，健脾固精。

主治 肾水亏虚，脾失固摄，小便白浊，伴遗精、阳强、腰痛耳鸣。

来源 《太平惠民和剂局方》

方名 杨梅疮方

组成 土茯苓60克，金银花、皂角刺、当归、白芷、白鲜皮、薏苡仁、防风、荆芥、木瓜、木能、连翘、羌活各30克。

用法 上以白酒2碗、水2盅，煎至一半，去渣温服，不拘时候。

功效 清热解毒，祛风通络。

主治 杨梅疮，无论已发、未发，均可服用。

来源 《鲁府禁方》

方名 托里解毒汤

组成 当归5克，赤芍45克生地、连翘、黄参、黄连、川芎、羌活、防己、防风各3克，荆芥穗2克，苦参9克，薏苡仁6克，皂角子20个，木瓜1.5克，生甘草1克土茯苓120克。

用法 上药捣为粗末，用水2碗，煎出1碗，温服，渣再煎服，每日1剂。

功效 清热除湿，活血解毒。

主治 各种杨梅疮。

来源 《鲁府禁方》

方名 白杏膏

组成 轻粉3克，杏仁7个(去皮)。

用法 一同捣烂。将疮去痂，先抹猪胆汁，后涂此药。

功效 攻毒杀虫。

主治 杨梅疮溃后结痂者。

来源 《鲁府禁方》

方名 杨梅疮熏法

组成 好艾叶500克，雄黄、黄丹各30克，松香120克，苍术250克。

用法 将后四味为末，入艾拌匀，用黄纸做成5寸长的药筒，用火点燃，以烟熏疮口，每日1次，半月至20天为一疗程。

功效 解毒止痒，收敛生肌，燥湿杀虫。

主治 杨梅毒疮，流注四肢及遍身结成大疮而不愈合者。

方名 神效白鱼膏

组成 鲫鱼1条(约半斤)，火麻仁、乳香、没药、巴豆、轻粉各15克，土贝母30克，桃柳榆槐桑枝各1尺。

用法 用香油1斤，将上药熬枯，去渣后，入铅粉360克收膏。

功效 祛毒敛疮，活血生肌。

主治 杨梅结毒。

来源 《清太医院配方》

方名 金蟾脱甲酒

组成 大虾蟆1个，酒5斤，土茯苓250克。

用法 以酒浸药，密封7天。视量而饮，每天2～3次。

功效 活血解毒。

主治 杨梅疡，不论新久，或杨梅结毒，筋骨疼痛。

第五节　其　他

方名 人参远志丸。

组成 人参3克，远志、石菖蒲、桔梗、白茯苓各12克，天门冬、黄芪各15克，枣仁2克，丹砂15克，官桂10克。

用法 共研细末，炼蜜为丸，如绿豆大，每服20～30丸，日2次，米汤送下，亦可煎汤剂饮服。

功效 养心安神，开窍益智。

主治 思虑过度，神经衰弱。

来源 《太平圣惠方》

方名 增减定志丸

组成 鹿茸9克，菖蒲9克，远志、茯神、酸枣仁、干地黄、白术、当归各12克人参6克，麝香1.5克。

用法 共研细末，炼蜜为丸，如梧桐子大，以朱砂为衣，日服1次，以人参汤温服30丸。

功效 养心肾，安魂魄，滋元气，增智慧。

主治 健忘不寐，怔忡恍惚，精神紧张，不耐思考。

来源 《普济方》

方名 聚宝丹

组成 白茯苓、山茱萸、五味子、干山药、石连肉、鸡头肉、金樱子、巴戟天、破故纸、杜仲、牛膝、熟地、石菖蒲、无志、枸杞滕、熟地、石草萍、远子、枸杞子、龙骨、楮实、茴香、仙茅、苁蓉各12克，沉香1.5克。

用法 上列药物共研细末，与枣肉合为丸，如梧桐子大，日服1～2次，每次30丸，温开水送下。

功效 补肾壮阳，填精生髓，开窍益智。

主治 中老年人脑转耳鸣，视物昏花，神思恍惚，多忘喜误，腰膝酸软等症，久服可以益寿延年，防止老年痴呆症。

来源 《瑞竹堂经验方》

方名 人参养荣丸

组成 人参、五味子、肉桂各30克,黄芪、白术、茯苓、当归、白芍各120克,远志、陈皮、炙甘草各60克。

用法 共研细末,炼蜜和丸。每服3~6克,白开水送下,每日3次。

功效 补益气血。

主治 脾肺气虚,营血不足,惊悸健忘,气短乏力,身体消瘦,毛发脱落,小便赤涩,及大病后气血虚弱等症。

来源 《太平惠民和剂局方》

方名 二灵丹

组成 何首乌500克,牛膝250克。

用法 上药均捣研为细末,炼蜜和丸,如梧桐子大。每日空腹用温酒或米饮送下60丸,服至半月,加至70~80丸;又服至1月,加至100丸。

功效 补脏腑,祛风冷,利腰膝,强筋骨,黑鬓发,驻容颜,久服可以轻身延上。

来源 《御药院方》

方名 神功七宝丹

组成 腽肭脐、黑附子、鹿茸各90克,阳起石、钟乳粉、龙骨各60克,沉香30克,麝香15克。

用法 上药同捣研为细末,再入麝香研匀,酒煮面糊为丸,如梧桐子大。每服50丸,空腹温酒送下,每日1服。

功效 补益真元,固精实髓,通畅百脉,悦泽颜色,久服延年益寿,强力壮神。

来源 《御药院方》

方名　苁蓉丸

组成　苁蓉60克，褚实子、枸杞子、地肤子、金毛狗脊、五味子、覆盆子、菟丝子、干山药、补骨脂、远志、石菖蒲、萆解、杜仲、熟干地黄、石斛、白茯苓、牛膝、泽泻、柏子仁各30克，山萸肉30克。

用法　上药均研为细末，酒面糊为丸，如梧桐子大。每服60丸，食前温酒关下，日进1～2服。

功效　壮元气，养精神。

来源　《御药院方》

方名　何首乌丸。

组成　何首乌120克。

用法　将上药研为细末，用枣肉和丸，如豌豆大。每服70～80丸，早晨空腹用温酒或米饮送下。

功效　补脏腑，强筋骨，黑须发，固牙齿，久服可以延年益寿，悦泽容颜。

来源　《御药院方》

方名　天王补心丹

组成　生地120克，人参、元参各15克，丹参15克，茯神15克，桔梗15克，远志15克，枣仁30克，柏子仁30克，天冬30克，麦冬30克，当归30克，五味子30克。

用法　共研细末，炼蜜和丸，如梧桐子大，朱砂为衣。每晚临卧时用灯心草煎汤送下6克或9克。

功效　补心气，养心血，开心窍，安心神，常服则心清气和，耳目聪明，[illegible]，不作怪梦。

来源 《摄生秘剖》

方名 神仙延龄丹

组成 旱莲(取汁晒干成膏子)、杜仲、核桃仁各250克,破故纸500克,红枣、生姜各1000克,川芎、枸杞各120克,没石子、蜂蜜各60克细辛0克。

功效 上除桃仁、红枣外,均研为细末,再加入蜂蜜煮桃仁、红枣至熟呼药末为丸,如梧桐子大。每服30~50丸,用酒或盐汤送下。每日1次。

功效 强筋壮丹,聪耳明目,延年益寿。

来源 《鲁府禁方》

方名 神仙不老丹

组成 牛乳1瓶,干山药末120克,好黄酒1大盅,童子大便1大盅。

用法 共和一处,煮至浮沫出为度。每次温服1大盅,每日3次。

功效 益寿延年。

来源 《鲁府禁方》

方名 乌须固本丸

组成 何首乌240克,黄精120克,生地黄、熟地黄、天门冬、麦门冬、人参、浙白术、白茯苓、甘枸杞子、五加皮、萬苣子、柏子仁、松子仁、核桃仁各60克。

用法 上为细末,炼蜜为丸,如梧桐子大。每服70~100丸清晨空腹用温酒或盐汤送下。节房欲,忌葱、蒜、萝卜、豆腐、烧酒等物。

功效 生精补髓，益血补虚，乌须黑发，返老还童，延年益寿。

来源 《鲁府禁方》

方名 五芝地仙金髓丹

组成 人参、生于术、甘菊、枸杞、陈皮、葛根、蔓荆子各60克，神曲、云苓、麦冬各90克，大生地180克。

用法 上药均研为极细面，炼蜜为丸，如绿豆大。每服9克，温水送下，日进2服。

功效 益气生津，调中进食，服百日后可使五脏充实，肌肤润泽，长寿轻身。

来源 《慈禧光绪医方选议》

方名 长春益寿丹

组成 天冬、麦冬、大熟地、山药、牛膝、大生地、杜仲、山萸、云苓、人参、木香、柏子仁、五味子、巴戟各60克，川椒、泽泻、石菖蒲、远志各30克，菟丝子、肉苁蓉各120克，枸杞子、覆盆子、地骨皮各45克。

用法 上药共研为极细面，炼蜜为丸，如梧桐子大。初服50丸，一月后加至60丸，百日后可服80丸，每日早晨空腹用淡盐汤送下。

功效 补益阴阳，强壮筋骨，乌发益神。

来源 《慈禧光绪医方选议》

方名 延龄益寿丹

组成 茯神、当归、茯苓15克，橘皮、香附、杭白芍、枣仁、党参、野白术各12克，远志、黄芪、广木香、广砂、桂圆、石菖蒲、甘草各6克。

用法 上药均研为极细面，炼蜜为丸，如绿豆粒大，朱砂为衣。每服8克，温水送下。

功效 健脾养心，补益气血。

主治 思虑太过，伤及心脾所致失虎健忘、心悸怔忡、食少体倦、大便溏薄，并疗妇女月经不调及带下。

来源 《清中医案研究》

方名 养心延龄益寿丹

组成 全当归、茯刘各15克，香附主、本子仁、丹参、酒白芍、枳壳、干生地、酸枣仁、丹皮各12克，醋紫胡、栀子、酒条芩、陈皮各9克，川芎、野于术各6克。

用法 上药研为极细面，炼蜜为丸，如绿豆粒大，朱砂为衣。

每服9克，温水送下。

功效 养心安神，补肾滋阴调理肝脾，延龄长寿。

来源 《慈禧光绪医方选议》

方名 神仙苣胜子丸

组成 生地、熟地、首乌、苣胜子（莴苣子）各60克，菟丝子、枸杞、五味子、枣仁、故纸、柏子仁、覆盆子、芡实、木香、芝须、巴戟、苁蓉、牛膝、天冬、官桂、茯苓、党参、楮实子、韭菜子、天雄、芝肉、川断、山药各30克。

用法 共研细末，炼蜜和丸。每服4.5克，早晨空腹用白开水送下。忌萝卜、烧酒。

功效 填精补髓，固齿乌须，聪耳明目，益寿延年。久久服之，百病消除，老人还少，令人多嗣。

主治 两肾不足，诸虚百损，腰痛耳鸣，腿酸脚软，肾冷胞寒，阴囊冷汗，阳事不举，夜梦遗精，一切损伤元气之症。

来源 《清太医院配方》

方名 八仙长寿丹

组成 熟地240克，山萸、山药各120克，丹皮、茯苓、麦冬、泽泻各90克，五味子60克。

用法 共研细末，炼蜜和丸。每服3～6克，清晨空腹用淡盐汤送下。忌食萝卜、烧酒、辛热等物。

功效 滋阴降火。

主治 肾水不足，虚火上炎，消渴引饮，五心烦热，腰痛耳鸣，眼目昏花，四肢无力，盗汗遗精，咳嗽痰血等症。

来源 《清太医院配方》

方名 七宝美髯丹

用法 首乌500克，茯苓、牛膝、故纸、当归、杞子、菟丝子各120克。

用法 共研细末，炼蜜和丸，如梧桐子大。每服6克，用淡盐汤或黄酒送下。

功效 补益气血，填精益肾，固齿乌须。

来源 《清太医院配方》

方名 琼玉膏

组成 生地黄600克，人参72克，白茯苓144克，白蜜500克。

用法 上药除白蜜外均研为细末，与白蜜和匀，盛于瓷缸，用油纸5、厚布1层紧封缸口。然后将瓷缸放在盛着水的铜锅内，令缸口露出水面，慢火熬3昼夜琼玉膏即成。每日服2～3次，每次服1匙，用酒或温水送下。

功效 益气养阴，延年益寿，乌须黑发。

主治 本膏制时始终勿犯铁器，服时忌食蒜、葱、萝卜、醋、酸等物。

来源 《清太院医配方》

方名 孔圣枕中丹

组成 公鸡1只，石菖蒲、龟版、龙骨各120克，朱砂30克。

用法 先将药研为细末，灌入鸡内，缝好蒸熟，取出晒干，共研细末，炼蜜和丸，每日早晚各服6～9克，用老酒送下。

功效 补阴阳，培心肾，益智慧，安神志，久服耳目聪明，精神健壮。

主治 读书善忘，心神恍惚，夜不成寐，肾虚精滑及一切心肾两亏之症。

来源 《千金翼方》

方名 安神定志丸

组成 党参、石菖蒲、远志、枣仁各60克，茯神、柏子仁各30克。

用法 共研细末，炼蜜和丸，每丸重3克，朱砂为衣。每日服2克，用龙眼肉3～5枚煎汤送下，灯心汤亦可。戒思虑、妄想。

功效 补血宁心，安神定志。

主治 思虑劳神，心事不遂，耗伤心血而致恍惚不安、少记多忘、言谈不知首尾，或夜多怪梦；或盗汗遗精，怔忡惊布，如畏人捕；或常夜不睡，白昼倦怠。

来源 《清太医院配方》

方名 熟地膏

组成 熟地 500 克。

用法 将药放入瓦罐，加水煎透，炼蜜收膏，每天早晨用黄酒冲服 3～5 茶匙，白开水亦可。

功效 填精补髓，培元固本，益寿延年。

主治 男子阴虚盗汗，妇人血虚发热。

来源 《清太医院配方》

方名 益寿比天膏

组成 牛膝、杜仲、虎骨、木鳖子、蛇床子、肉豆蔻、菟丝子、紫稍花、续断、穿山甲、远志、天麻子、鹿茸、苁蓉、生地、熟地、官桂、川楝子、册萸肉、巴戟、胡纸各 30 克，少明 15 克，甘草 60 克，桑支 7 寸，槐枝 7 寸，香油 3000 克，黄丹、雄黄、龙骨、赤石脂各 6 克，丁香、沉香、木香、乳香、没药、阳起石、麝香各 12 克，黄蜡 15 克。

用法 先将香油以上 25 味药浸一夜，再用慢火炸至黑色，每净油 1 斤，加入黄丹 20 克，用柳棍不住手搅，再下余药，收膏。每用 2 张，贴两腰眼上，或贴脐上 1 张亦可。每贴半月 1 换。

功效 填精补髓，固精助阳，润滑皮肤，强壮筋骨，延年益寿。

主治 下元虚冷，五劳七伤，半身不遂，或下部痿软，脚膝酸麻，阳事不举，夜梦遗精，赤白带下，砂淋血崩。

来源 《清太医院配方》

方名　延龄固本丹

组成　莲须、远志、白术、当归、杞子、山萸、山药、黄芪、茯苓、泽泻、肉桂各60克，枣仁90克。

用法　共研细末，炼蜜和丸，如梧桐子大。每服3克，每日1次，清晨空腹用温水送下。年老者每服6克。

功效　补精补气，补神。久服使人精神充足，肌肉丰满，发白再黑，齿落更生，有延龄益寿之功。

主治　诸虚不足，中年阳事痿弱，精神不振，面色[illegible]须发早白，腰痛耳鸣，四肢无力，遗精盗汗，不耐寒暑及先天禀赋不足，瘦弱无力。

来源　《清太医院配方》

方名　打老儿丸

组成　熟地180克，茯苓、山药、杜仲、枸杞、山萸各120克，巴戟、苁蓉、五味子、远志、楮实子、小茴香、川断各60克，牛膝、菖蒲各30克。

用法　共研细末，炼蜜和丸，如麻子大。每服6～9克，每日1次，清晨用淡盐汤或温水送下，冬天用黄酒送下。

功效　滋阴壮阳，填精益血，补气安神，培元固本，乌须黑发，坚固牙齿，延年益寿。

主治　诸虚不足，劳伤过度，五脏虚弱，精亏血少，气弱神虚，饮食难化，或羸瘦不足，以致腰酸腿软，多睡少食，身体瘦弱，耳鸣眼花，迎风流泪，牙落齿稀，须发早白，阳痿不兴，兴而不固，小便凝涩。

来源　《清太医院配方》

方名 滋补大力丸

组成 熟地240克，当归、杞子、牛膝、杜仲、鱼鳔、鹿筋、牛板、土鳖鱼、甜瓜子、茯苓、地龙、马前子、自然铜、菟丝子、白术、乳香各60克，没药30克，桂心、炙甘草各15克，马蔾500克。

用法 共研细末，炼密和丸，每丸重9克。每服1丸，空腹用白开水送下，每日3次。服药后忌房事一百日。

功效 健脾胃，生心血，养肺气，助肝血，补肾髓。

主治 五脏虚衰，诸虚百损。

来源 《清太医院配方》

方名 五子衍宗丸

组成 菟丝子15克，车前子15克，覆盆子15克，枸杞子15克，五味子15克，熟地24克，茯苓90克，泽泻90克，山萸肉120克，山药120克。

用法 上药左为细末，炼蜜和丸。每服3～6克，清晨空腹用淡盐汤或白开水送下，每日1次。冬天可用黄酒送服。

功效 填精补髓，扶阳助阴。久服令人眼目精明，须乌发黑，步履强健，延年益寿，广育多嗣。中年人常服，助颜不老。

来源 《证治准绳》

方名 噙化人参

组成 人参90克。

用法 每日噙化人参3克。

功效 补元固本，健身益寿。

来源 《清宫医案研究》

方名 仙人还少丹

组成 熟地120克，山萸、茯苓各90克，牛膝、杜仲、远志、巴戟、枸杞、小茴香、楮实子、五味子、苁蓉、菖蒲各60克。

用法 共研细末，炼蜜和丸。每服9克，用淡盐汤或白开水送下，每日1次。

功效 补益肝肾。

主治 脾肾亏虚，以致腰酸腿疼，形体瘦弱，神倦食少，遗精盗汗，眼花耳鸣，牙齿浮动，须发早白，阳痿不兴等症。

来源 《清太医院配方》

方名 法制黑豆

组成 故纸、杜仲、蒺藜、核桃仁、大茴香、沙蒺藜各60克，石菖蒲15克，黑豆1000克，青盐45克。

用法 先将前7味药煎汁去滓，加入黑豆、青盐，煮熟蒸晒9次用之。每日空腹细嚼20～30粒，用白开水送下。

功效 补精髓，助容颜，壮筋骨，聪耳目，固齿乌须，延年益寿。

来源 《清太医院配方》

方名 青娥丸

组成 故纸81克，熟地、大茴香、巴戟各60克，萆解75克，青盐15克，杜仲120克，核桃肉150克。

用法 共研细末，炼蜜和丸，如梧桐子大。每服3～4.5克，清晨空腹用黄酒或温开水送下，每日1次。忌诸般血物、萝卜、烧酒。

功效 温肾壮阳。

主治 肾气虚寒，腰痛耳鸣，腿酸脚软，步履艰难，阳事痿弱，小便淋漓频数。

来源 《清太医院配方》

方名 保元固本膏

组成 党参、白术、鹿角、当归、生黄芪、香附各45克，川芎、附子、独活、干姜、川椒、杜仲、鳖甲、草拔、草果仁、白芍各30克。

用法 用麻油1500克将药炸枯，去滓，再熬至滴水成珠，加飞净黄丹550克，再入后药：肉桂、沉香、丁香各9克。

将上药均研为细末，候油冷，加入搅匀成膏，重120～150克，三日后方可摊贴。用时将此药膏摊贴于脐部。

功效 补益脾肾。

来源 《慈禧光绪医方选议》

方名 补益资生丸

组成 党参、白蔻、建莲、桔梗、藿香、川连、谷芽各60克，白术、薏米各180克，陈皮、山楂、神曲、茯苓、山药、芡实、扁豆各120克，泽泻、甘草各30克。

用法 共研细末，炼蜜和丸，如梧桐子大。每服9克，用温水或米汤送下，每日2次。忌食生冷、厚味等物。

功效 健脾养胃，补中益气，调和五脏，滋补荣卫。

功效 男妇老幼脾胃虚弱，气血不足，体瘦面黄，倦怠嗜睡，不思饮食，虚膨胀满，呕吐痰水，大便不调，遗精盗汗，虚损劳伤等症。

来源 《清太医院配方》

方名 健步虎潜丸

组成 熟地、知母、黄柏各90克，陈皮、白芍、牛膝各60克，锁阳、当归各45克，龟版120克，虎胫骨1对。

用法 共研细末，羊肉膏合丸，每服3～7.5克，空腹用白开水送下，冬季用温黄酒送下，每日3次。节房事，忌烧酒。

功效 济阴扶阳，强壮筋骨。

主治 肾气虚损，筋骨无力，腿酸脚软，行走艰难，腰痛耳鸣，四肢麻木，鹤膝风症，阳事痿弱，阴囊冷汗，及一切下部虚损。

来源 《清太医院配方》

方名 加味状元丸

组成 党参15克，麦冬、茯苓、菖蒲、远志、生地、当归、柏子仁、龙眼肉各90克，元参、枣仁、朱砂各60克。

用法 共研细末，炼蜜和丸，朱砂为衣。每晚临卧时用龙眼肉煎汤嚼烂送下。脾胃虚弱者，用姜枣煎汤送下。戒思虑。

功效 补心生血，安神定志。

主治 勤政劳心，读书辛苦，或忧思不遂，损伤心脾，症见健忘怔忡，惊悸不寐。

来源 《清太医院配方》

方名 人参固本丸

组成 人参60克，麦冬、天冬、生地、熟地各120克。

用法用法 共研细末，炼密为丸，如梧桐子大。每服6克，清早空腹用胡盐汤或温开水送下，每日1次。

功效 填精益肾，补气和血，聪耳明目，健步轻履，固齿延年，乌须黑发。

主治 元气不足，形体瘦弱，诸虚百损，五劳七伤，精竭气短，腰痛耳鸣，四肢酸软，老人精寒，阴囊冷汗，及少年先天不足，肌肤憔悴等一切损伤元气之症。

来源 《清太医院配方》

方名 三一肾气丸

组成 生地、熟地、山药、山萸各120克，丹皮、茯苓、泽泻、锁阳、龟版各90克，杞子、牛膝、党参、天冬、麦冬各60克，知母、黄柏、肉桂、五味子各30克。

用法 共研细末，炼蜜和丸，如梧桐子大。每服3～4.5克，空腹用淡盐汤或白开水送下，每日1次。忌食烧酒、厚味等物。

功效 滋阴补血。

来源 《清太医院配方》

方名 鹿茸丸

组成 鹿茸60克，当归、杜仲、秋石、故纸、香附、楮实、巴戟、菟丝子、牛膝、川芎、白术各120克，茯苓、黄柏、黄芪、五味子、陈皮、小茴香、枣仁、锁阳、桂园各60克，红花、生地、天冬、川断、麦冬、没药、黄芩各45克，砂仁、益母草、苁蓉、杞子、木香各30克，紫河车1具。

用法 上药共研为细末，炼蜜和丸，如梧桐子大。每日1服，每服30丸，清晨空腹用温黄酒送下。

功效 补心生血，滋肾壮阳，坚筋骨，悦颜色，乌须发，明目固齿，返老还童，延年益寿。久久服之，大有奇功。

来源 《清太医院配方》

方名 柏子养心丸

组成 黄芪、茯苓、茯神、当归、川芎、半夏曲各30克，炙甘草3克，柏子仁、酸枣仁、远志、肉桂各7.5克。

用法 共研细末，炼蜜为丸。每晚临睡时用黄酒或开水送下4.5克。戒思虑、房劳。

功效 养心生血，宁心安神。

主治 思虑劳烦过度与致心悸怔忡，失眠健忘，盗汗遗精等症。

来源 《清太医院配方》

方名 牛肝散

组成 黄牛肝一具，土瓜根90克，羚羊角屑60克，蕤仁30克，细辛30克，车前子60克。

用法 上药捣罗为细散，每服6克，早晨空腹温酒调下。

功效 眼青盲，积年不差。

来源 《圣济总录》

方名 金髓煎丸

组成 生、熟干地黄各500克，杏仁20克，金钗石斛、牛膝、防风、枳壳、当归各120克。

用法 将上药捣研为细末，炼蜜和丸，如梧桐子大。每日早晨空腹用温酒或粥饮送下40～50丸。

功效 滋血益水，去风助目。

主治 眼目昏花，远视不明，久视乏力。

来源 《御药院方》

方名 杞菊丸

组成 甘菊花、枸杞各60克，川芎、薄荷叶各30克，苍术180克。

用法 上药左为细末，炼密为丸，如弹子大。每日 2 服，每服 1 丸，食后细嚼茶清送下。

功效 退翳障。

主治 内外障眼，有翳晕或无翳，视物不明。

来源 《御药院方》

方名 神仙碧霞丹

组成 铜绿 45 克，当归、没药各 6 克，白丁香、白竭、片脑、硼砂、麝香各 3 克，马牙硝、南乳香各 15 克，黄连 9 克。

用法 上药除黄连外均研为细末，熬黄连膏子为丸，如鸡头大。用瓷盒子盛新汲水半盏常浸 1 丸药，用此药水洗眼，每丸可洗 40 日。

主治 目生翳障。

来源 《御药院方》

方名 还睛丹

组成 茯蓉、威灵仙、青葙子、巴戟、蝉壳、甘菊花、密蒙花、旋覆花、防风、枸杞子、天麻、地骨皮各 60 克，蛇蜕皮、香白芷各 45 克，桑花、麻子各 30 克。

用法 上药左为细末，炼蜜为丸，如豌豆大。每日 2 服，每服 50 丸，食前用温酒或温水、粥饮送下。

功效 补肾明目。

主治 肾虚眼见黑花飞蝇，见花或白或黑或红，久不已将变内障。

来源 《御药院方》

方名 芎穷丸

组成 芎穷、菊花、荆芥、薄荷、甘草各30克，苍术60克。

用法 上药研为细末，炼蜜为丸，如梧桐子大。每日1～2服，每服50～70丸，食后用茶清送下。

功效 久服明目增视力。

主治 远视不明，常见黑花。

来源 《御药院方》

方名 增明丸

组成 当归、芍药、川芎、熟干地黄、木香、连翘、甘草、槟榔各30克，山栀子、薄荷叶、黄芩各15克，大黄60克，芒硝21克，牵牛子45克。

用法 上药研为细末，烧饭为丸，如梧桐子大。每日1～2次，每服30～40丸，茶清或荆芥汤送下。

主治 一切眼目昏暗，翳膜遮睛，或眼见黑花，热泪时出，视物不明。

来源 《御药院方》

方名 七仙丸

组成 菟丝子150克，苁蓉、巴戟各30克，车前子、熟干地黄枸杞子各90克，甘菊花120克。

用法 上药均研为细末，炼蜜为丸，如梧桐子大。每服30～50丸，食前用温酒或盐汤送下，每日2服。

功效 滋补肝肾。久服可增目力。

主治 肝肾亏虚，日常昏花，或生翳障，视物不明，迎风流泪。

来源 《御药院方》

方名 五倍丸

组成 巴戟30克，枸杞60克，甘菊花90克，旋覆花120克，蜀椒150克。

用法 先将蜀椒放入银器或石器内，加青盐120克、醋3升，慢火煮干。再将蜀椒与前面四味药焙干，捣研为细末，炼蜜和丸，如梧桐子大。每日3服，每服30丸，用温酒或盐汤送下。

功效 去翳明目。

主治 目生翳障。

来源 《御药院方》

方名 地黄丸

组成 地黄1000克，杏仁250克，石斛、牛膝、防风、枳壳各120克。

用法 上药均研为细末，炼蜜为丸，如梧桐子大。每日早晨空腹用无灰豆淋酒送下30丸。

功效 补肾养肝明目。

主治 眼目时生翳膜，或即疼痛，或见黑花如翅羽之状。

来源 同上

方名 決明散

组成 川椒7.5克，川芎、井泉石、仙灵脾、槐花、蛤粉、石决明、防风、荆芥、羌活、苍术、甘菊花、黄芩、杜蒺藜、木贼、地骨皮、薄荷、甘草各30克。

用法 上药均研为细末。每日1～2服，每服6克，食后用热茶清调温服。

功效 明目。

主治 眼目昏花,远视不明。

来源 同上

方名 明目四物汤

组成 当归、川芎、白芍、熟地、肉苁蓉、酸枣仁各 6 克,木通、石菖蒲各 2 克,枸杞子、甘菊花各 6 克。

用法 水煎服。

功效 养血明目。

主治 血虚目暗生花。

来源 《鲁府禁方》

方名 抑火清肝退翳汤

组成 羚羊角、蛇蜕各 4.5 克,木贼、蒺藜、石决明、青皮各 9 克,泽泻、蒙花、防风各 6 克,甘草 3 克。

用法 上药作 1 服,加水煎 1～沸,去滓温服。

功效 抑火清肝退翳。

主治 肝经火郁,湿热上蒸所致目生浮翳,时觉涩痛。

来源 《慈禧光绪医方选议》

方名 杞菊地黄丸

组成 熟 240 克,山药、山茱萸、枸杞、菊花各 120 克,茯苓、泽泻、丹皮各 90 克。

用法 上药均研为细末,炼蜜和丸。每服 6 克,空腹用淡盐汤送下。戒气恼、劳碌、房欲、忌蒜、葱、椒、姜、烟、酒、羊肉等动。

功效 滋阴补肾,益血明目。

主治 老弱眼目昏花，视物不明，常见黑花，多生冷泪。

来源 《医级》

方名 石斛夜光丸

组成 熟地180克，沙蒺藜、生地、白芍、菟丝子、山萸肉、当归、石斛各90克，地骨皮、五味子各30克，牛膝60克，菊花、枸杞各120克。

用法 上药均研为细末，炼蜜和丸，如梧桐子大。每日清晨空腹用淡盐汤或温水加酒少许送下6～9克。

功效 滋补肝肾，强阴填精，养血明目。

主治 肝肾大虚，渐成内障，或已成内障，黑睛及瞳仁昏暗不明，常见黑花，视物成二体。

来源 《原机启微》

方名 琥珀还睛丸

组成 白蒺藜500克，当归、薄荷、白芍、黄芩、蝉蜕、栀子、沙参、夜明沙、蛇蜕、石决明各60克，生地、荆芥、赤芍各120克，南夏枯草、菊花、丹皮、天冬、蜂房、知母各18克，黄连15克。

用法 上药均研为细末，炼蜜和丸，如梧桐子大。每服6克，每日2次，空腹、临卧时用温水送下。戒气恼、房欲，忌酒及发物。

功效 升水降火，平肝益肾，聪耳明目，养性安神。久久服之，夜读细字到老不老。

主治 肝肾亏虚，视物昏花，羞明怕日，迎风流泪，及内外翳障等。

来源 《清太医院配方》

方名 明目延龄丸

组成 霜桑叶6克,菊花6克。

用法 共研极细面,炼蜜为丸,如绿带头在,每服6克,白开水送下。

功效 清热散风,平肝明目。

主治 头昏目赤。

来源 《清宫医案研究》

方名 老佛爷明目延龄丸

组成 霜桑叶、甘菊、生地、女贞子、生牡蛎各6克,泽泻3克,羚羊尖、蒙花、生杭、枳壳各4.5克。

用法 上药均研为细末,炼蜜为丸,每服6克,白开水送下。

功效 清肝泻火明目。

主治 肝火炽盛,目赤肿痛。

来源 同上

方名 磁石粥

组成 磁石30~60克,粳米100克,猪腰子1只。

用法 磁石打碎,于砂锅内加水300毫升,猛火煎1小时,滤汁去渣,入粳米100克,猪腰子去脂膜切碎,再加水至800毫升,洪煮成粥,每晚睡前温服。

功效 老年肾虚、耳鸣耳聋、头目眩晕、头悸失眠。

来源 《太平圣惠方》

方名 聪耳四物汤

组成 当归、川芎、赤芍、生地黄各6克,石菖蒲、酸刺仁、白芷、木通、枳壳、青皮、荆芥、薄荷、藁木各3克，甘草2克。

用法 水煎，食后服。

功效 养血祛风聪耳。

主治 耳闭耳聋。

来源 《鲁府禁方》

方名 塞耳方

组成 磁石豆瓣大一块，麝香豆瓣大一块。

用法 将上2味药用棉花包裹，塞于耳中。

功效 开窍聪耳。

主治 耳鸣头眩。

来源 《清宫医案研究》

方名 聪耳棉方

组成 石菖蒲1.5克，连翘(去瓤)1.5克。

用法 上药均研为细末，每份2克，用绢包，塞耳。

功效 开窍聪耳。

来源 同上

方名 平肝清热代茶饮

组成 龙胆草、醋柴胡、川芎各1.5克，甘菊、生地各3克。

用法 水煎代茶饮。

功效 平肝清热。

主治 肝热上蒸，两耳堵闷，听力减退。

来源 《慈禧光绪医方选议》

方名 铜末散

组成 熟铜末30克，当归、地骨皮、细辛、防风各0.3克。

用法 上药均研为细末，和铜末同研如粉，将药涂在患处，用蜡纸封之，1日换2～3次。一月内忌食硬物。

功效 牢牙。

主治 牙齿非时脱落。

来源 《太平圣惠方》

方名 仙方刷牙药

组成 青盐75克，坚诃子20个，芝麻150克，夏蚕沙21克，旱莲草45克，皂角60克。

用法 上药研为细末，醋浆水和丸，如梧桐子大。再用新瓦焙干，研末，以此刷牙。

功效 乌须发，牢牙齿，延年益寿。

来源 《御药院方》

方名 玉池散

组成 地骨皮、白芷、升麻、防风、细辛、川芎、槐花、当归、藁木、甘草各12克。

用法 上药捣为粗散。每日1服，每服9克，用水1盅，加生姜3片、黑豆30粒，同煎至七分，去滓，热漱冷吐。

功效 牢牙。

主治 牙痛，或者动摇不牢。

来源 同上

方名 太和散

组成 梧桐律、生干地黄、白茯苓各15克，细辛、川芎、升麻、竿白芷各9克、麝香1.5克、青盐3克，猪牙皂角6克。

用法　上药均研为细末，青盐、麝香另研，拌匀。每用药少许以指蘸药擦牙病处。

功效　牢牙止痛。

主治　牙齿动摇，龈肉浮肿，虫蛀齿痛。

来源　同上

方名　槐白皮散

组成　槐白皮15克，地骨皮、荜拔、五灵脂各15克，蛇床、乳香各6克，麝香1.5克。

用法　将乳香、麝香研细，余药亦研为细末，混匀。每用少许蘸贴于牙病处。有津吐之。如痛不止，用药末9克、水1盏，煎令沸，去滓，热漱冷吐，不拘时候。

功效　牢牙止痛。

主治　牙齿动摇，不耐寒热，嚼物隐痛，时发时止。

来源　同上。

方名　柳枝汤

组成　羌活、独活、地骨皮、防风、柳枝皮各30克，川椒15克，苍术240克。

用法　上药均研为细末，每用6克、加水1盏，加柳支、黑豆少许，同煎至七分，去滓，食后热漱冷吐，每日2～3次。

功效　止痛固齿。

主治　牙根宣露，动摇疼痛。

来源　同上。

方名 益牙散

组成 熟地黄、地骨皮、川芎、青盐、香附、破故纸各 60 克，细辛、防风各 7.5 克，白蒺藜、五加皮、石膏各 15 克，川椒、猪牙皂角各 6 克。

用法 上为细末，每早蘸药擦牙，用白开水漱口咽下。

功效 固齿止疼，补肾明目，乌须黑发。

来源 《鲁府禁方》

方名 固齿秘方

组成 生大黄、熟大黄、生石膏、熟石膏、骨碎补、银杜仲、青盐、食盐各 30 克，明矾、枯矾、当归各 15 克。

用法 共研细末，早起先以此散擦牙根，然后洗脸，净毕用冷水漱吐。

功效 养血补肾，清胃火，固牙齿。

主治 牙齿松动，胃火牙痛。

来源 《慈禧光绪医方选议》

方名 大腹汤

组成 连皮大腹 15 枚，木瓜 1 枚，葱白 5 茎。

用法 上药加水 5 盏，煎至 3 盏，去滓，分 5 次温服，每日 1 剂。

主治 老人血气不足，大便秘涩。

来源 《圣济总录》

方名 五仁丸

组成 桃仁、杏仁、松子仁、柏子仁、郁李仁各 10 克。

用法 水煎服，或制成蜜丸，每服6克。

功效 润肠通便。

主治 肠燥便秘。

来源 《世医得效方》

方名 葱白散。

组成 葱白2茎，阿胶1片。

用法 先用水煎葱至熟，去葱不用，加入阿胶溶开，温服。

功效 养血通便。

主治 老人大便不通。

来源 同上

方名 利气散

组成 绵黄芪、陈皮、甘草各30克。

用法 上药捣为粗散，每服9克，水1盏，煎至八分，去滓湿服。

功效 补气通便。

主治 老人气虚，大便闭塞不通。

来源 同上

方名 二仁丸

组成 杏仁、麻仁、枳壳、诃子各等分。

用法 上药共研为细末，炼蜜为丸，如同梧桐子大。每日2服，每服30丸，温水送下。

功效 润肠通便。

主治 虚人老人大便秘结，不能服大黄药者。

来源 同上

方名 威灵仙丸

组成 蜜炙黄芪、枳实、威灵仙各等分。

用法 上药均研为细末，炼蜜为丸，如梧桐子大。每服60～70丸，姜汤温水送下。

主治 年高气衰，津液枯燥，大便秘结。

来源 同上

方名 魏文旁用效秘方

组成 黄芪、当归、独活、芎穷、白芷、芍药、莽草、防风、辛夷仁、干地黄、藁本、蛇衔各30克，薤白60克，乌麻油800克，马鬐膏300克。

用法 上列药物，除油切，以微火煎，三上三下，白芷黄膏成，去滓。用时先洗头发，然后涂以此膏。

功效 生发黑发。

主治 毛发脱落、枯黄或变白。

来源 《外台秘要》

方名 治发髭黄赤方

组成 生柏叶300克，猪膏400克。

用法 生柏叶切捣为末，以猪膏和为丸。用时用布裹1丸或数丸，入水中化开，以水洗沐，每日1次。

功效 润发黑发。

主治 发髭黄赤。

来源 《太平圣惠方》

方名　桑皮柏叶汤

组成　桑根白皮、柏叶各60克。

用法　上二药切细，加水2000克，煮沸后，去掉渣滓，洗头发。

功效　养阴润发。

主治　阴血不足，发鬓干枯不润。

来源　同上

方名　摩顶鬒发方

组成　白芷、附子、连翘、防风、卷柏、零陵香、蔓荆子、莲子草、踯躅花、川芒硝各30克，牛油1000克。

用法　附子去皮脐生用，防风去芦头。上列药物细锉，用绵裹，浸牛油中3日，略煎，取药力，放冷。每用涂顶，揩令入肉。

功效　生发护发。

主治　毛发发黄。

来源　同上

方名　金主绿云油

组成　蔓荆子、南没石子、诃子肉、踯躅花、白芷、沉香、附子、防风、覆盆子、生地黄、零陵香、芒硝、莲子草、丁皮各等分。

用法　上药各锉细，每用9克，入卷柏9克，以清香油250克浸药，厚纸封7日。用时先将头发梳洗过后，以手蘸油按摩头部，直到发热，使药力透入发根。

功效　生发黑发。

主治　脱发，秃发，毛发黄赤。

来源　《必用全书》

方名 长发滋荣散

组成 生姜皮、人参各30克。

用法 上药共研为细末，用生姜蘸药末擦发落处。

功效 养发长发。

来源 《御药院方》

方名 犀皮汤

组成 小麦麸75克，半夏30克，沉香15克，生姜30克。

用法 上药共研为粗末。用水两碗，加生姜30克，同煎2～3沸，以生绢滤去滓，取清汁，入麝香少许搅匀，洗发。

功效 润发生发。

主治 头发干涩。

来源 同上

方名 洗发菊花散

组成 甘菊花60克，蔓荆子、干柏叶、川芎、桑根白皮、白芷、细辛、旱莲草各30克。

用法 上药共研为粗末。每次用药60克，水3碗，煎至2碗，去滓，洗发。

功效 生发。

主治 头发脱落。

来源 《名医别录》

方名 柏枝油

组成 柏枝、秦椒、半夏各90克。

用法　上药加水两碗，煎至半碗，入蜂蜜少许，再煎 1～2 沸，滤去药滓。每用时，取药汁加生姜汁少许调匀，擦无发处，每日 2 次。

功效　祛风生发。

主治　秃发。

来源　《普济方》

方名　浸油益发神效方

组成　莲花须 30 克，零陵香 3 克，卷柏叶、白芷、川芎、防风各 15 克。

用法　上药均研为细末，以绵裹，入生椒 70 粒，生麻油半斤，浸于新瓶中密封。埋地中 7 日，取去以油涂发。

功效　乌发生发。

主治　头发稀黄不长。

来源　《普济方》

方名　令发易长甲方

组成　东行枣根 3 尺。

用法　将枣根横卧蒸笼上蒸之，两头汁出。收取药汁，以汁涂发。

功效　令发易长。

来源　《慈禧光绪医方选议》

方名　令发易长乙方

组成　桑叶、麻叶各 12 克。

用法　将上药加水煎煮，滤去药滓，用以洗发。

功效 令发易长。

主治 头发生长迟缓。

来源 《慈禧光绪医方选议》

方名 令发不落方

组成 榧子3个，核桃2个，侧柏叶30克。

用法 上药捣烂，泡在雪水内，每日蘸药水梳头3～4次。

功效 养发护发，令发不落。

主治 发易脱落者。

来源 《清朝宫廷秘方》

方名 老佛爷香发散

组成 零陵草30克、辛夷、玫瑰花各15克，檀香18克，川锦纹、甘草、粉丹皮各12克，山奈、公丁香、细辛、苏合油、白芷各9克。

用法 上药研为细末，用苏合油拌匀，晾干，再研为细面。发有油腻，勿用水洗，将该药面掺发上，稍留一会儿，再用篦子梳去。

功效 去污香发，久用令发落重生，至老不白。

来源 《慈禧光绪医方选议》

方名 生眉毛甲方

组成 墙上青衣、铁生衣各等份。

用法 上两味研为细末，以水调和，涂于眉毛部位。

功效 生眉毛。

来源 《备急千金要方》

方名 生眉毛乙方

组成 七月乌麻花适量。

用法 将七月采集的乌麻花阴干，研为粉末，以生乌麻油渍之，二日一涂。

功效 生眉毛。

来源 《外台秘要》

方名 眉毛鬓发火烧疮瘢毛不生方

组成 蒲灰、正月狗脑各适量。

用法 二味调和涂患处。

功效 生眉毛鬓发。

主治 眉毛以及鬓发由于火烧疮瘢毛发不生。

来源 《备急千金要方》

方名 青莲膏

组成 莲子草汁 500 毫升，生苣胜油、牛乳各 200 毫升，甘草(细锉)30 克。

用法 上述药物和匀，在砂锅内用慢火煎熬，煎到刚开始起泡时，便不停地搅动，直到沫尽为熟。澄清之后，滤尽渣滓，置瓶中备用。用时，候夜卧之前，低枕仰卧，每个鼻孔内点 3～5 滴，点 6～7 滴方止。过一段时间再起身，口中有唾或鼻中有分泌物则吐出来，不要咽下去，然后喝少量热水。如此点半年，忌生蒜、萝卜、辛辣物。

功效 生眉发

主治 血虚眉发不生。

来源 《太平圣惠方》

方名 治眉毛脱落甲方

组成 莲子草适量。

用法 莲子草捣取汁，磨生铁涂之，以手指摩，令药气透内，一日可涂2～3次。

功效 护眉生发。

主治 眉毛脱落。

来源 《太平圣惠方》

方名 治眉毛脱落乙方

组成 白矾（烧令汁尽）15克。

用法 上药研末，以蒸饼和丸，如梧桐子大。每日空腹用温水送服7丸，然后每日递加1丸，至40丸后，又每日递减1丸，周而复始。

功效 生眉毛。

来源 《太平圣惠方》

方名 治眉毛痒落甲方

组成 雄黄（细研）30克。

用法 上药以醋调和，每夜涂眉毛上。

功效 生眉止痒。

主治 眉毛痒落。

来源 《太平圣惠方》

方名 治眉毛痒落乙方

组成 垂柳叶适量。

用法　将垂柳叶阴干，捣罗为细末，用时以生姜汁在铁器中调和，夜间涂眉上，并且最好用手按摩至发热。

功效　生眉毛，止瘙痒。

主治　眉毛痒落。

来源　《太平圣惠方》

方名　生眉毛方

组成　蔓荆子（微炒）120克。

用法　上药捣为末，以醋和，每夜涂之。

功效　生眉毛。

主治　眉毛稀少不生。

来源　《太平圣惠方》

方名　治眉毛髭不生，兼令黑方

组成　铁粉、附子（去皮脐，生用）、蔓荆子各60克，羊踯躅、零陵香各90克，莲子草1000克，没石子5颗。

用法　以上药物，捣为散，筛过后，以生油5升，浸泡5～7天，慢火煎去一半，去渣滓，盛瓷盒内。于无眉毛、头发处，每日涂抹。注意不可涂着口鼻。

功效　生眉，生发，生髭，且使其乌黑有光泽。

主治　眉毛、发髭稀少，枯黄。

来源　《太平圣惠方》

方名　松脂膏

组成　松脂、附子（去皮脐，生用）各60克，蔓荆子250克。

用法 上药捣罗为末，用乌鸡的油脂调和，盛瓷器中，密封，阴干。百日之后药成，细研，以马鬐膏和匀，薄涂于不生处，勿令近面。

功效 生眉，生发，生髭。

主治 眉毛、头发不生。

来源 《太平圣惠方》

方名 香身丸

组成 白豆蔻120克，木香60克，檀香、甘松各30克，广陵零香45克，丁香25克，白芷、当归、附子、槟榔、三奈、甘草（炙）、益智、桂心各15克，麝香少许。

用法 上药为极细末，炼蜜同酥油在石臼中捣为丸，如黄豆大，每用1丸噙化。

功效 香身除秽。

主治 男女秽气，心腹疼痛，胸膈不利，痃症诸疾。

来源 《鲁府禁方》

方名 七香丸

组成 白豆蔻仁、丁香、藿香、零陵香、青木香、白芷、桂心、沉香各30克，香附子60克，甘松香、当归各15克，槟榔2枚。

用法 上药捣罗为末，炼蜜和丸，如梧桐子大。常含1丸，有津则咽。

功效 香身。五日口香，十日体香。

主治 口臭，身臭。

来源 《圣济总录》

方名 五香丸

组成 豆蔻、丁香、藿香、零陵香、青木香、白芷、桂心各30克，香附子60克，甘松香、当最各15克，槟榔2枚。

用法 以上药物研为细末，炼密和丸，如大豆大小。每次含1丸，咽汁，白日3丸夜间1丸；亦可常含咽汁。

功效 除臭香身，止烦散气。

主治 口臭、身臭。

来源 《备急千金要方》

方名 香身散

组成 冬瓜子、松根白皮、大枣各30克。

用法 上3味捣为散，每次用酒服1克左右。每日2次。百日衣被皆香。

功效 香身辟秽。

主治 无病或有病之人，平时服用以香身，除臭气。

来源 《千金翼方》

方名 邑衣香方

组成 沉香、苜蓿香各150克，丁香、甘松香、藿香、青木香、艾纳香、鸡舌香、雀脑香各30克、麝香10克，白檀香60克，零陵香200克。

用法 上12味，各捣为细末，混和。酌于衣箱，中必须绵裹之，不得用纸。

功效 香衣、爽身。

来源 《千金翼方》

方名 香药澡豆方

组成 零陵香、甘花、白芷、栝蒌仁、冬瓜仁、豌豆、大豆各等份。

用法 诸药捡净，除去杂质，混合研细过筛即成。用此药粉洗手、洗脸、洗澡均可。

功效 香身润肤洁面。

主治 皮肤干燥、雀斑、粉刺等。

来源 《普济方》

方名 洗澡药

组成 干荷叶500克，威灵仙、藿香叶、零陵香、茅香各250克，甘松、白芷各120克。

用法 将上药捣为粗末，每次取药红100克，装入绢袋里，放入两桶水中煎煮，3沸之后，待温度适宜进行淋浴。如凉，可再添加开水。

主治 皮肤粗糙不柔等。

来源 《御药院方》

方名 香肥皂

组成 藿香、甘松、冰片、细辛、大枣、猪胰、白芷各30克，大皂荚（去皮及子）250克。

用法 大枣水煮至熟，藿香、甘松、细辛、白芷捣为细末，诸药混合捣为膏。如太干则加煮枣水调成稀糊状，盛瓷器中，密闭保存。每日以之洗面、洗澡，作香皂使用。

功效 润肤、除皱、祛斑、香身。

主治 用于美容美肤。

来源 《鲁府禁方》

方名 孙仙少女膏

组成 黄柏皮、土瓜根各10克，大枣7个。

用法 黄柏去掉外层粗皮，大枣去核，三药共研极细后自然成膏。早晨起就要后用开水化开适量洗面，或用于沐浴。

功效 清热解毒，活血化淤，润肤美容。

主治 面部或其他部位皮肤皱纹、疖疮、粉刺等。

来源 《鲁府禁方》

方名 慈禧太后沐浴甲方

组成 谷精草、茵陈、石决明、桑枝、白菊花各36克，木瓜、桑叶、青皮各45克。

用法 煎汤沐浴。

功效 清风热，利头目。

主治 皮肤瘙痒，头目昏花。

来源 《慈禧光绪医方选议》

方名 慈禧太后沐浴乙方

组成 宣木瓜、甘菊花、青皮、净蝉衣、薏米、桑枝、桑叶各30克，茵陈18克，萸莲12克。

用法 以上药物共为粗渣，盛布袋内，熬水沐浴之。

功效 清热，燥湿，解毒，舒筋，活血。

主治 皮肤瘙痒，筋骨疼痛。

来源 《慈禧光绪医方选议》

方名 加味香肥皂

组成 檀香、木香、丁香、花瓣、排草、广零、皂用、甘松、白莲蕊、山奈、白僵蚕、麝香、冰片各适量。

用法 以上共研极细粉末，用红糖水合，每锭重 6 克。

功效 祛垢洁肤，活血行气，通络解毒，香身。

主治 日常洗浴用之。亦可用于某些皮肤疾患。

来源 《清宫医案研究》

方名 隋炀帝后宫面白散

组成 橘皮 30 克，冬瓜仁 50 克，桃花 40 克。

用法 将以上诸药捣细为末，过筛即成。每日三餐饭后，以酒服 1 克。

功效 燥湿化痰，活血益颜。

来源 《医心方》

方名 张贵妃面膏

组成 鸡子一枚，丹砂 60 克。

用法 鸡子穿去其黄，丹砂研为细末后纳入鸡子中，然后封固蛋壳破口，安放于白鸡腹下与正常受精卵一起孵化，待鸡雏孵出后，即可取出此鸡子血用。用时洗净面部，取之敷面。

功效 应用五次左右，即可使面白如玉，光润照人，并去除面上黑斑。

来源 《肘后方》

方名 太平公主面药

组成 三月三日取桃花，七月七取乌骨鸡血。

用法 桃花为末，与乌骨鸡血调和。用时涂面及身。

功效 令面脸白如雪，身光白如素。

来源 《琐碎录》

方名 永和公主洗面药

组成 鸡骨香90克，白芷、川芎、栝楼仁各150克，皂荚300克，大豆、赤小豆各250克。

用法 以上药物均研为细末，筛去豆壳。用药粉洗脸，早晚各1次。

功效 祛风活血，悦泽面容。

来源 《太平圣惠方》

方名 玉屑膏

组成 玉屑、蜜陀僧、白附子、珊瑚各60克。

用法 上药均研为细末。每晚临睡时，以真牛酥调药末6克涂面，次日早晨用温水洗去。

功效 灭瘢痕。

主治 面上瘢痕。

来源 《普济方》

方名 变白方

组成 云母粉30克，杏仁30克。

用法 杏仁用热水烫后去皮尖，然后将上二味药细研，入银器中，以黄牛乳拌，略蒸过。夜卧时以之涂面，晨起以水洗去。

功效 祛斑洁面。

主治 面部斑点，兼治各种瘢痕。

来源 《太平圣惠方》

方名 冬瓜子散

组成 冬瓜子仁、柏子仁、茯苓、枳实、葵子各30克，栀子仁60克。

用法 上药均研为细开。每日3服，每服6克，食后温粥调下。

功效 鼻面酒渣如麻豆，疼痛，搔之黄水出。

来源 《太平圣惠方》

方名 金国宫女八白散

组成 白丁香、白僵蚕、白牵牛、白蒺藜、白芨各90克，白芷60克，白附子、白茯苓各15克，皂角3个，绿豆少许。

用法 皂用去皮弦，与他药共为细末，和匀备用。用时取适量洗面。

功效 润泽肌肤，祛斑除垢。

主治 面有斑点，或生痤疮、粉刺等。

来源 《必用全书》

方名 楮实散

组成 楮实、土瓜根、商陆各等份

用法 以上三味药物共研为极细末，存防潮容器内备用。每日早晨取药末少量，如同用肥皂一样洗脸。洗脸之后，在面部涂敷下面的桃仁膏。

功效 润肤洁面，去皱美容。

来源 《御药院方》

方名 桃仁膏

组成 桃仁不拘多少，白蜜适量。

用法 桃仁用开水浸泡后，去掉皮尖，细研成泥状，用白蜜少许，调成稀膏状。用时取膏适量用温水化开，涂敷于面部。十几分钟之后，贴用下面的玉屑膏。

功效 活血化淤，去皱润肤。

来源 《御药院方》

方名 玉屑膏

组成 轻粉、定粉各9克，蜜陀僧6克，皂角适量。

功效 皂角用水煮后，剥去硬皮，取其里面白嫩的皂角肉质用温浆水泡烂，捣成膏状。然后用这种膏调和轻粉、定粉、蜜陀僧粉成稀糊状，贮于瓶中避光保存备用。

功效 嫩肤祛皱，杀虫益颜。

来源 《御药院方》

方名 朱砂红丸子

组成 朱砂、白术、白蔹、白附子、白僵蚕、木香、阿胶各15克，白芷5克，白芨、白茯苓、蜜陀僧各8克，钟乳粉60克。

用法 上药研为细末，用阿胶15克熬成膏，入上药末为丸，如梧桐子大，贮瓶备用。每晚临卧时以温水加蜜少许磨丸，调涂面上，次晨用温水洗去。

功效 清热解毒，祛风消肿，活血减皱。

主治 面部黑斑。

来源 《御药院方》

方名 神仙玉女粉

组成 益母草不拘多少。

用法 先将益母草烧作灰，糯米粥和为鸡蛋样大的灰团，晾干。用枫炭火把灰团煅红，候冷研细。再如前法和为灰团，煅之。如此反复，至所研灰团末色白细腻为止。用该粉洗脸，早晚各1次。

功效 活血祛淤，益颜减皱。

主治 粉刺、面部黑斑及白癜风。

方名 玉容散

组成 牵牛120克，香白芷15克，甘松15克，广零陵香30克，栝楼根22克，川芎15克，细辛8克，阿胶8克，皂角60克，藿香15克，楮桃儿60克、藁本15克。

用法 以上药物均研为细末。每天早晚各用3克洗面。

功效 消除面部斑点。

主治 面部粉刺、褐斑。

来源 《备急千金要方》

方名 冬瓜洗面药

组成 冬瓜1个。

用法 先将冬瓜去皮切片，用酒一斤半、水一斤同煮烂，以纱布滤去滓。再加蜂蜜一斤同熬，令稀稠得当，收于瓷瓶内。同时取栗子大，以津液调涂面上，用手轻轻按摩片刻。

功效 洁面增白。

主治 颜面不洁，苍黑无色。

来源 《御药院方》

方名 皇后洗面药

组成 川芎、细辛、附子、藁本、皂角末、土瓜根、广苓苓、藿香、冬瓜子、沉香各30克，楮桃250克，白术、生栗子第二皮各15克，丝瓜4个，甘草、白芨、杜苓苓、阿胶、吴白芷、白茯苓、白檀各60克，白蔹45克，脑子6克，糯米粉750克。

用法 以上药物共研为极细末。每日早晚蘸药粉洗面。

功效 嫩肤增白。

来源 《御药院方》

方名 藿香散

组成 糯米200克，广明胶、丁香、白丁香各20克，沉香、檀香、藿香叶、零陵香、皂角各30克，香白芷60克，龙脑（冰片）8克。

用法 广明胶碎炒如珠，皂角去皮、子炙，龙脑另研。共为细末，和匀备用。每日取适量，洗手、面或髭须。

功效 去斑润面，使须发光悦润泽。

来源 《御药院方》

方名 钟乳粉散

组成 益母草、白芨各8克，白蔹、钟乳粉、白附子各6克，蜜陀僧45克，轻粉、细辛末各1.5克。

用法 以上药物同研为细开。每晚临睡时用乳汁或温水调涂患处，次日用温水洗去。

功效 消除面部斑点。

主治 雀斑、黄褐斑。

来源 《御药院方》

方名 七白膏

组成 香白芷、白蔹、白术各30克，白茯苓、白附子、细辛各9克，白芨15克。

用法 以上药物均研为细末，用鸡蛋清调丸，丸如弹子大，阴干。每晚临睡前，先以温水洗面，然后将该药丸以温水化开涂面。

功效 润肤防皱，祛除黑斑。

主治 一切黑斑。

来源 《御药院方》

方名 展皱膏。

组成 栗子薄皮不拘多少。

用法 上药研末，白蜜和匀，贮瓶备用。临睡前先以温水洗脸，再涂上此膏，第二天早晨用温水洗去。

功效 活血，润肤，去皱。

来源 《医部全录》

方名 杨太真红玉膏

组成 杏仁（去皮）、滑石、轻粉各等份。

用法 上药为细末，蒸过，入龙脑、麝香各少许，以鸡子清调匀。每晨起洗面之后敷之。

功效 令面红润悦泽。

来源 《鲁府禁方》

方名 祛风润面散

组成 绿豆白粉60克，山奈、白附子、白僵蚕各40克，冰片20克，麝香10克。

用法 上药共研为极细末，兑皂角200克。捣匀，密贮瓶中备用。用时以此药粉擦洗面部，每日早晚各1次。

功效 祛风润面。

主治 面部黑斑、粉刺、酒渣鼻。

来源 《慈禧光绪医方选议》

方名 玉容粉

组成 绿豆粉、滑石各60克，元胡粉、白丁香、白附子、白芷、僵蚕各30克，朱砂4.5克，铅粉9克，定粉24克，冰片1.5克。

用法 上药均捣研为细末。每日早晚将面洗净，用粉1～2克，以人乳调敷面上，如无乳，用鸡蛋清兑水少许也可。

功效 嫩肤洁面，悦泽容颜。

主治 面部风痒干燥，粗黑不润。

宜忌 忌食椒、姜、羊肉、烟、酒、辛热等物。

来源 《清太医院配方》

方名 慈禧太后驻颜方

组成 珍珠（晶莹圆润者）。

用法 将珍珠研为细粉，每次一小茶匙（5～7克），温茶送服，每隔10日服1次。

功效 美容护肤，抗衰防老。

来源 《御香飘缈录》

方名 揩齿方

组成 盐120克，杏仁30克。

用法 盐烧过，杏仁热水浸泡去皮尖。二药共研成膏。每用揩齿。

功效 洁齿。

主治 齿黄黑。

来源 《太平圣惠方》

方名 牢牙散

组成 颗盐、白矾各15克。

用法 上药炒令干，研为细末。每以柳枝点药，敷齿上，有涎即吐之。

主治 牙齿脱落。

来源 《太平圣惠方》

方名 贝齿散

组成 贝齿、文蛤、海蛤、石决明各30克，光明砂15克，龙脑0.3克。

用法 上药捣为散，研入龙脑（冰片）令匀，每天早晨及夜卧，常用揩齿。

功效 去口臭，洁牙齿。

来源　《太平圣惠方》

方名　治齿黄黑揩齿方

组成　桑根白皮不拘多少。

用法　将上药用醋浸3日，揩齿。

功效　白牙洁齿。

主治　牙齿黄黑。

来源　《太平圣惠方》

地骨皮散

组成　地骨皮、郁李仁、生干地黄、杏仁各30克，川升麻45克，藁本、露蜂房各15克。

用法　上药捣细罗为散。每用3克，以绵裹，常含口中，有津则咽。

功效　白牙洁齿。

主治　齿黄黑枯燥无光泽。

来源　《太平圣惠方》

方名　玉池散

组成　升麻、藁本、甘松、兰草、香白芷、川芎、地骨皮各30克，细辛、生干地黄、青年轻各60克，皂角90克，麝香3克。

用法　诸药研匀，每日早晚揩牙。

功效　洁口白齿。

主治　牙齿垢腻不洁净

来源　《御药院方》

方名 仙方地黄散

组成 猪牙皂角、干生姜、升麻、槐角子、生干地黄、木律、细辛、旱莲、香白芷、干荷叶各60克，青盐30克。

用法 以上药物锉碎，置锅子内烧，有青烟、存性为度。用纱罗子重罗，另研青盐子末和匀，同入药内。每用少许刷牙。蘸药刷牙，合口少时，有涎即吐，然后用温水漱口。早晨起床后或晚上临卧时用。

功效 涤除腐气，牢牙白齿。

主治 牙齿黄色不白。常用此药，可使牙齿莹白、坚牢，龈槽固密，并黑髭鬓。

来源 《御药院方》

方名 沉香散

组成 沉香、麝香各3克，细辛15克，升麻、藁本、藿香叶、甘松各8克，石膏120克，寒水石60克。

用法 上为细末，揩齿。

功效 洁齿除臭。

主治 牙齿不洁，口腔异味。

来源 《御药院方》

方名 珍珠散

组成 珍珠5克，白檀9克，石膏60克，乌鱼骨、白石英、浮石各15克，朱砂、香白芷、川芎、升麻各12克。

用法 共为细末，每用少许以指蘸药擦牙，吐津，用温水漱口。

功效 洁齿固齿。

主治 牙酸、牙黄黑不白。

来源 《御药院方》

方名 御前白牙散

组成 石膏120克，大香附30克，白芷20克，甘松、三奈、藿香、沉香、川芎、零陵香各10克，细辛、防风各15克。

用法 石膏另研，余药同研，共为细末，和匀备用。先以温水漱口，然后以本药擦牙。

功效 白牙洁齿。

来源 《景岳全书》

方名 点牙药方

组成 草乌、荜拔各4.5克，川椒、细辛各9克。

用法 上药共研为极细末。用少许点患牙内外。

功效 止痛。

主治 牙龈肿胀，蚁牙作痛。

来源 《慈禧光绪医方选议》

方名 擦牙根方

组成 骨碎补30克，黑桑椹子、食盐各15克，核桃仁24克。

用法 上药共研为极细面，搽敷牙根。

功效 益肾固齿，凉血去火。

主治 牙龈肿痛，牙龈出血。

来源 《慈禧光绪医方选议》

方名 清胃止痛漱齿方

组成 薄荷4.5克，生石膏9克，旱莲草、骨皮、葛根各6克，生甘草1克。

用法 将药加水浓煎，去滓，每日漱口3～5次。

功效 清胃止痛。

主治 胃火齿痛。

来源 《慈禧光绪医方选议》

方名 固齿刷牙散

组成 青盐、川椒、旱莲草各60克，枯白矾30克，白盐120克。

用法 先将旱莲草、川椒水煎去滓，得汁1茶盅，拌盐、矾内，炒干，共研为极细面，用于擦牙漱口，永无齿疾。

功效 洁牙防病。

来源 《慈禧光绪医方选议》

方名 葛粉羹

组成 葛根250克，捣取粉200克，荆芥穗30克，豆豉30克。

用法 先以水煮荆芥、豆豉沸六七次后，去渣滓取其汁。然后将葛根作索面（即不加荤腥的面食），于汁中煮熟，空腹服之。

功效 祛风解痉，清热生津。

主治 中风，心脾风热，言语蹇涩，精神昏愦，手足不遂。

来源 《食医心鉴》

方名 阿胶粥

组成 糯米1000克，阿胶5～6克。

用法 将糯米加水800毫升煮粥，待粥将熟时，取阿胶捣碎入粥中，边煮边搅，视粥稠胶化即可。每日早晚各1次，趁热食之。

功效 滋阴补虚，养血润肺。

主治 热病阴伤，虚劳咳嗽，各种失血之症，妇女月经过少、崩漏，孕妇胎动不安等。

来源 《太平圣惠方》

方名 白术猪肚粥

组成 白术30克，槟榔10克，猪肚1只，生姜少量，粳米100克。

用法 猪肚洗净，切成小块，同白术、槟榔、生姜煎煮去汁、去渣，入粳米煮粥。猪肚可蘸香油、酱油佐餐。每日早晚食粥，3～5天为一疗程。

功效 补中益气，健脾和胃。

主治 脾胃气虚，消化不良，不思饮食，倦怠少气等。

来源 《圣济总录》

方名 雀儿药粥

组成 麻雀5只，菟丝子30～45克，覆盆子10～15克，枸杞子20～30克，粳米60克，细盐少许，葱白2茎，生姜3片。

用法 先把菟丝子、覆盆子、枸杞子一同放入砂锅内煎取药汁，去掉药渣；再将麻雀去毛及肠杂，洗净用酒炒，然后与粳米、药汁加适量水一并煮粥，将熟时，加入细盐、葱白、生姜，煮成稀粥服食。冬季食用最好。

功效 壮阳气，益精血，补肚肾，暖腰膝。

主治 肾虚阳痿、早泄、遗精、腰膝冷痛、头晕眼花、耳鸣耳聋，小便淋漓不爽等。

来源 《太平圣惠方》

方名 参苓粥

组成 人参3～5克，白茯苓15～20克，生姜3～5克，粳米60克。

用法 先将人参、生姜切为薄片，把茯苓捣碎，浸泡半小时，煎取药汁，同粳米煮粥服食。

功效 益气补虚，健脾养胃。

主治 脾胃虚弱，倦怠乏力，饮食减少，反胃呕吐，大便稀薄。

来源 《圣济总录》

方名 补虚正气粥

组成 炙黄芪30～60克，人参3～5克，白糖少许，粳米60～90克。

用法 先将黄芪、人参切为薄片，冷水浸泡半小时，煎取汁，去渣，分为两份，每日早晚同粳米加水适量煮粥，粥成入白糖少许，食之。

功效 补正气，疗虚损，健脾胃，抗衰老。

主治 劳倦内伤，年老体弱，心慌气短，体虚自汗，慢性泄泻，气虚浮肿等。

来源 《圣济总录》

方名 三汁饮

组成 生黄精1500克，白茯苓300克，大生地1500克，白蜂密2000克，鲜天冬1500克。

用法 先将黄精、生地、天冬榨取药汁，茯苓研为细末。以文火煎药汁，待药汁减半时，加入蜂蜜搅匀，再下茯苓末拌和，后煎成羹状即可。温酒调服，每次1匙，1日3次。

功效 滋胃阴，悦面色。

主治 胃阴虚，咽干口燥，食少便秘等。

来源 《太平圣惠方》

方名 菖蒲酒

组成 菖蒲、雄黄、酒各适量。

用法 菖蒲切细，与雄黄相伴均匀，曝晒之后，浸制成菖蒲酒。

功效 辟秽祛浊，活血开窍。

主治 避除秽浊之气。

来源 《本草纲目》

方名 荆芥粥

组成 荆芥穗、薄荷叶、豆豉各30克，白粟米60克。

用法 以水4升，煮取3升，滤去渣滓，下米煮粥，空腹食之。

功效 祛风解痉。

主治 中风，言语蹇涩，精神昏愦，口面呐斜。

来源 《食医心鉴》

方名 吴茱萸粥

组成 吴茱萸 15 克，粳米 60 克，葱、豆豉各适量。

用法 用热水浸洗吴茱萸，去其黏液，焙干，微微炒焦，捣成细末。先将粳米与葱、豆豉共煮，将熟时，加入吴茱萸末，搅匀，煮熟，空腹食之。

功效 温中除湿，行气止痛。

主治 心腹胁肋疼痛。

来源 《太平圣惠方》

方名 桃仁粥

组成 将桃仁去皮、尖，研碎，煮之取汁去渣，加入粳米，共煮为粥，空腹服之。

功效 活血止痛。

主治 心腹痛，胸中满闷，喘急。

来源 《饮膳正要》

方名 萝卜粥

组成 大萝卜 5 个。

用法 煮熟，绞取汁，用粳米 3 合，同水并汁，煮粥食之。

功效 理气，消食，清热，止渴。

主治 消渴，舌焦，口干，小便频数。

来源 《饮膳正要》

方名 莲子粥

组成 莲子 18 克，粳米 30 克。

用法 先将莲子煮熟，研成泥状，再将粳米加入，共煮成粥。空腹时食用。

功效 健脾理胃，清心养志，止泻涩精。

主治 心志不宁，失眠心悸，梦遗滑精，妇女白带，久泄不止等。

来源 《神农本草经》

方名 羊肉草果粥

组成 羊肉90克（切细），草果9克，陈皮、良姜、荜拔各6克，胡椒、葱白各少许，粳米、萝卜各60克。

用法 先用水煮萝卜、草果、良姜、陈皮、荜拔，去渣取汁；再用羊肉、米、胡椒、葱白、共煮为粥；临熟时放盐、酱适量。常常食之。

功效 补虚益气，健肾壮腰。

主治 肾气不足所致的腰痛、腰酸、四肢无力等。

来源 《饮膳正要》

方名 芡实粥

组成 芡实60克。

用法 煮熟，研细如泥，与粳米30克，煮粥食之。

功效 补中益气填精明目。

主治 精气不足，耳聋目昏。

来源 同上

方名 生地黄粥

组成 生地黄汁60克，酸枣仁水绞取汁15克，粳米60克。

用法 上二味加水煮，同熬数沸，然后下米煮粥，空腹食之。

功效 养阴安神，宁心补血。

主治 阴虚体弱，四肢无力，心烦不眠。

来源 同上

方名 良姜粥

组成 高良姜15克（捣为粉末），粳米120克。

用法 用水约3碗，先煎高良姜，然后去渣滓，下米煮粥食之。

功效 温胃散寒，理气止痛。

主治 心腹冷痛，积聚停饮。

来源 同上

方名 生地黄鸡

组成 生地黄60克，饴糖40克，乌鸡1只（约300克）。

用法 先将鸡去毛肠，洗净，细切。将地黄和糖调和均匀，纳入鸡腹中，置于铜器皿内，在蒸笼内蒸熟，取食之。不用盐醋，食肉饮汁。

功效 养阴益气，补肾壮腰。

主治 腰背疼痛，骨髓虚损，不能久立，身理气乏，盗汗少食，呕吐腹泻。

来源 同上

方名 羊骨粥

组成 全羊骨一副（捶碎），陈皮、良姜各6克，草果2个，生姜30克，盐少许。

用法 上料加水，以慢火熬汤，滤过澄清，加火作粥，或作羹汤亦可。

功效 补虚填髓，益肾壮腰。

主治 虚劳腰膝酸软无力。

来源 同上

方名 枸杞羊肾粥

组成 枸杞叶500克，羊肾2对（切细），葱白1根，羊肉250克（炒）。

用法 将以上4味拌匀，加入五味调料，煮成汁，再将米加入熬成粥，空腹食之。

功效 补气壮阳，温肾填精。

主治 阳气衰败，腰膝疼痛，阳痿遗精。

来源 《饮膳正要》

方名 鹿肾羹

组成 鹿肾1对（去掉脂膜，切碎），粳米120克，豆豉少量。

用法 将鹿肾洗净，去掉外面的包膜，切碎后，与粳米、豆豉同煮为粥，或作羹，然后根据口味加入调料，空腹食之。

功效 补肾壮阳，益精填髓。

主治 男子遗精、阳痿、阳冷、精力过少；女子宫冷不孕；肾虚劳损，腰膝酸痛。

来源 《饮膳正要》

方名 黑牛髓煎

组成 黑牛髓、生地黄汁、白蜜各250克（炼去蜡）。

用法 以上三味，和匀，蒸成膏，空腹酒调服之。

功效 补肾壮骨，滋阴填髓。

主治 肾精不足，骨髓空虚，瘦弱无力。

来源 同上

方名 乌鸡汤

组成 乌雄鸡1只（去毛及内脏，洗净，切为块），陈皮、良姜各3克，胡椒6克，草果2个。

用法 以上诸药以葱、醋、酱调和，入瓶中，封中，放蒸锅内煮熟，空腹食之。

功效 补虚益气。

主治 虚弱劳伤，心腹邪气。

来源 《饮膳正要》

方名 鲫鱼羹

组成 大鲫鱼1000克，大蒜1头，胡椒、花椒、陈皮、缩砂仁、荜拔各6克。

用法 以上各味与葱、酱、盐等一起纳入鱼肚内，煎熟作羹，加调味品，空腹食之。

功效 健胃止泻。

主治 脾胃虚弱，泻痢久不愈者食之立刻见效。

来源 《饮膳正要》

方名 牛奶煎荜拔

组成 牛乳250克，荜拔9克。

用法　牛乳与荜拔同煎，空腹顿服。

功效　和胃调中，下气止痢。

主治　气痢，下痢次数较多，痢下多气泡如蟹沫状，甚至腹中拘急。

来源　《饮膳正要》

方名　鲤鱼汤

组成　大鲤鱼1只，赤小豆30～50克，陈皮、花椒、草果各6克。

用法　以上各件调入五味，和匀，煮熟，空腹食之。

功效　健脾燥湿，利水消肿。

主治　消渴，水肿，黄疸，脚气。

来源　《饮膳正要》

方名　山药面

组成　白面粉3000克，山药粉1500克，鸡蛋10个，生姜5克，豆粉200克，食盐、胡椒粉、猪油、葱白各适量。

用法　将面粉、山药粉、豆粉与鸡蛋、适量食盐和面，制作成面条备用。食用时将猪油、葱、姜适量下面条。不拘时日，常食有益。

功效　开胃健脾，止泻止痢。

主治　脾虚泄泻，慢性痢疾，遗精白带等症。

方名　椒面粥

组成　蜀椒3～5克，白面粉60～90克，生姜3片。

用法　先将蜀椒研为极细粉末，每次取适量同面粉和匀，调入水中煮沸，后加生姜稍煮即可。

功效 暖胃散寒，温中止痛。

主治 脾胃虚寒，心腹冷痛，胃寒呃逆，呕吐等。

来源 《普济方》

方名 车前叶粥

组成 新鲜车前叶 30～60 克，葱白 1 茎，粳米 30～60 克。

用法 将车前叶洗净，切碎，同葱白煮汁后去渣，然后放粳米 30～60 克，煮粥。

功效 利尿，清热，明目，祛痰。

主治 小便不通，淋漓涩痛，尿血，水肿，目赤肿痛等。

来源 《圣济总录》

方名 薤白粥

组成 薤白 10～15 克（鲜者 30～60 克），葱白 2 根，白面粉 60～90 克或粳米 30～60 克。

用法 先把薤白、葱白洗净切碎，与白面粉用冷水和匀后，调入沸水中煮熟即可。或改用粳米一同煮为稀粥服食。每日 2～3 次，3～5 天为一疗程。

功效 宽胸止痛，行气止痢。

主治 急慢性痢疾，肠炎，胸胁刺痛。

来源 《普济方》

方名 乾降八珍糕

组成 人参 6 克，茯苓、山药、扁豆、薏米（炒）、芡实、莲子肉各 60 克，粳米面、糯米面各 120 克，白糖 240 克。

用法 先将前九种原料共研成细粉，然后加入白糖，和匀，蒸之为糕。每日随熬茶时吃4～6块。

功效 健胃补气，固肾养脾。

主治 各种脾胃虚弱或肾精不足所致之食欲不振、气短乏力、遗精滑精等症。

方名 慈禧八珍糕

组成 茯苓、莲子(去心)、芡实、扁豆、薏苡仁、藕粉各60克。

用法 以上药共研为极细粉，加白糖适量，蒸糕，随意食之。

功效 健脾化湿，益气益胃。

主治 脾虚湿胜，食欲不振，关节肿胀等症。

方名 梨膏

组成 秋梨20个，红枣1000克，鲜藕1500克，生姜180克。

用法 上各味取汁熬膏，加冰糖240克，炼蜜收膏。每用不拘多少，不拘时，随意用之甚妙。

功效 清肺降火，止嗽化痰，润燥生津，除烦解渴。

主治 口燥咽干，胸口满闷，咳嗽少痰，或痰黏难咯。

来源 《清太医院配方》

方名 萝卜饼

组成 白萝卜250克，葱白20克，面粉250克，食盐少许，猪瘦肉100克，生姜15克，菜油适量。

用法 萝卜切细丝，用菜油煸炒成五成熟待用。肉剁细加姜、葱、盐调成萝卜馅。和面擀成薄片，将馅夹入，制成夹心小饼，在油锅内烙熟即成。

功效 健胃消食，理气化痰。

主治 痰湿中阻之眩晕头痛，呕恶咳喘，食后腹胀等。

来源 《清宫食谱》

方名 滑石粥

组成 滑石 20 克，粳米 50 克，瞿麦 10 克。

用法 先将滑石用干净布包扎，然后与瞿麦同入砂锅煎煮，取滤液澄清约 1000 毫升。用药滤液与粳米煮粥，供中、晚餐服用。夏天可做成稀粥，充当饮料。

功效 清热除湿，利尿通淋。

主治 湿热所致小便淋漓涩痛，腰胀腰痛。可用于现代医学中的膀胱炎、肾盂炎、尿路结石等的辅助疗法。

方名 参莲饮

组成 人参 4%5 克，建莲肉 9 克，老米 3 克(炒)。

用法 水煎服，不拘次数。

功效 补中益气，健脾安神。

主治 气虚不足，年迈体衰，食欲不振。

方名 太平春酒

组成 熟地 120 克，当归、茯神各 30 克，枸杞、红花各 12 克，龙眼肉 240 克、松仁 500 克，玉泉酒、白酒各 10 千克，干烧酒 20 千克。

用法 以方配料共煮即成。每次服适量。

功效 滋补心肾。

主治 心肾不足，气血亏虚。

方名 菊花酒

组成 菊花、生地黄、枸杞根各3000克。

用法 上药轧碎，以水60升，煮取汁30升，糯米30千克，淘净，蒸熟，加曲，和药汁相拌均匀，入缸密封，待熟去糟渣，澄清备用。1日3次，每次温饮1杯。

功效 补精髓，壮筋骨，延年益寿。

主治 身体衰弱，腰膝酸痛，头昏眼花，智力减退。

来源 《太平圣惠方》

方名 神仙枸杞子酒

组成 生地黄2升，枸杞子、火麻仁各3升。

用法 上药轧碎，先蒸火麻仁熟，摊去热气，入地黄、枸杞子相和得宜，纳白生丝袋中，用黄酒33升，共置坛内，密封浸渍，春夏七日，秋冬十四日。渍成之后，不拘时，随量饮之。

功效 补肾填精，延年抗衰。

主治 虚羸黄瘦，饮食量少。

来源 《太平圣惠方》

方名 延寿翁头春

组成 麦门冬、破故纸、肉苁蓉、粉甘草、牛膝、川椒、杜仲各30克，制附子15克，以上8味，制为末，待用。

淫羊藿（以羯羊脂500克拌炒）、头红花各500克，白芍30克，生地黄60克，苍术、地骨皮、当归各120克，以上7味，切细，用绢袋装好备用。

宿砂仁5克，白豆蔻、木香、丁香各15克，以上4味，制为末，待用。

用法 取糯米2斗淘净，浸24小时，再用水淘1次后，上锅蒸为糜，取出晾冷，用曲2千克和麦门冬等8味一起加入，调匀。将装有淫羊藿等的绢袋装入缸内。再将调好曲、药的糯米置缸内，盖住绢袋，压实。然后投入好酒20千克，封固酒缸7日，榨出澄清酒液，注入酒坛中后，将砂仁等4味加入，封固，隔水加热1.5小时，取出，土中埋3日即可饮用。每日视个人状况酌饮。

功效 温肾壮阳，滋阴养血，健脾益气，强筋壮骨。

主治 肾阳不足，气血亏损，腰膝冷痛，阳痿遗精，小便频数，妇女月经不调、精神不振、食少腹胀等。

来源 《寿世保元》

责任编辑:肇　珏
封面设计:阿　春

中药治病医方精选

陈　平编著

*

岭南美术出版社出版总发行
广东省新华书店经销
广东中山市新华印刷厂印刷
1998年4月第1版　1998年4月第1次印刷
开本:850×1168　1/32　印张:12.5　字数:250千
印数1—5000
ISBN 7—5362—1741—2/R·3
定价:22.00元